Michael Moore

STUPID WHITE MEN

Michael Moore

STUPID WHITE MEN

Eine Abrechnung mit dem Amerika
unter George W. Bush

Aus dem Amerikanischen von Michael Bayer,
Helmut Dierlamm, Norbert Juraschitz
und Heike Schlatterer

Piper
München Zürich

Die amerikanische Originalausgabe erschien 2002 unter dem Titel
»Stupid White Men … and Other Sorry Excuses for the
State of the Nation!« bei Regan Books, einem Imprint
von HarperCollins, New York.

Der amerikanische Text wurde
vor dem 11. September 2001 abgeschlossen.

ISBN 3-492-04517-0
24. Auflage 2003

Satz: Dr. Ulrich Mihr GmbH, Tübingen
Druck und Bindung: Clausen & Bosse, Leck
Printed in Germany

www.piper.de

**Irre, daß ich gewonnen habe.
Ich trat an gegen Frieden, Wohlstand –
und gegen den Amtsinhaber.**

George W. Bush am 14. Juni 2001
zum schwedischen Premierminister Göran Persson.
Bush hatte nicht bemerkt,
daß eine Fernsehkamera noch lief.

Für Al Hirvela

Inhalt

Einleitung

Manche behaupten, alles habe am Abend des 7. November 2000 begonnen, als Jeb Bush seinem Bruder George Junior ein vorzeitiges Weihnachtsgeschenk machte – den Staat Florida.

Für andere, denen zehn Jahre lang das Glück an der Börse hold war, kam der Wendepunkt, als der Dow Jones die schlimmsten Kursverluste der letzten 20 Jahre erlitt.

Für die meisten jedoch war der Spaß an jenem Abend zu Ende, als wir erfuhren, daß Pluto kein Planet ist und das Leben, wie wir es kannten, mit einem Mal so fern und befremdlich war wie der Ausdruck in den Augen des neuen »Präsidenten«.

Doch im Grunde spielt es keine Rolle, welchen Augenblick man wählt, an dem alles vor unseren Augen zusammenbrach. Wir als Amerikaner wissen nur eines: Die fetten Jahre sind vorbei. Das amerikanische Jahrhundert? Vorbei. Willkommen im Alptraum des 21. Jahrhunderts!

Ein Mann, den niemand gewählt hat, sitzt im Weißen Haus.

Kalifornien hat nicht genug Strom, um Saft auszupressen oder seine Todeskandidaten hinzurichten.

Wenn man ans andere Ende der Stadt will, ist es billiger, sich als FedEx-Paket aufzugeben, als selbst hinzufahren.

Rußland und China haben ein neues Bündnis geschlossen – nachdem wir gerade den letzten Atombunker demontiert haben.

Aus den Dot.com-Unternehmen sind Not.com-Unternehmen geworden, und der NASDAQ ist eine so sichere Geldanlage wie ein Pokerspiel in einem Hinterzimmer in Reno.

In den vergangenen zwei Jahren gab es die schlimmsten Entlassungswellen, seit die Reagan-Renaissance das Land verwüstet hat.

Man hat eine größere Chance, die Innenministerin von Florida, Katherine Harris, oder Tom DeLay zu treffen, den Mehrheitsführer der Republikaner im Repräsentantenhaus, als in Detroit an einem sonnigen Tag seinen Anschlußflug bei Northwest Airlines zu erwischen.

Was sagen Sie da? Sie wollen im »Kundendienst« mit einem richtigen Menschen sprechen? Ha Ha Ha! Drücken Sie die vier und verabschieden Sie sich von allen Aufgaben für den Rest des Tages.

Ach, und was haben Sie doch für ein Glück! Sie haben zwei Jobs und ihre Frau auch, und dann haben Sie noch den kleinen Jimmy, der bei McDonald's arbeitet, damit Sie sich das neue Haus in der baumbestandenen Straße mit den sauber gepflegten Rasenflächen und den properen weißen Holzzäunen leisten können. *Schauen Sie doch, da springt Bello hoch und begrüßt Opa, der gerade in die Einfahrt biegt!* – und nächsten Monat werden Sie die letzte Rate von Ihrem Studienkredit abzahlen, der Ihnen seit 20 Jahren am Hals hängt, aber dann ... PLÖTZLICH gibt Ihre Firma bekannt, daß sie nach Mexiko ziehen wird – ohne Sie! Der Arbeitgeber Ihrer Frau hat beschlossen, daß sie nicht mehr gebraucht wird, weil der neue Berater für »Human Resources« meint, ein Mitarbeiter könne leicht die Arbeit von *dreien* erledigen, und der kleine Jimmy liegt mit einer unbekannten Krankheit darnieder, die er sich geholt hat, weil er etwas aus der McNugget-Friteuse gegessen hat, und Ihre Krankenversicherung erklärt, sie könne Jimmys Operation nicht bezahlen, aber sie werde ihn gerne ambulant behandeln lassen, wenn Sie bereit sind, zweimal in der Woche nach Tijuana zu fahren, weil dort direkt hinter der Grenze eine neue Klinik für ambulante Patienten gebaut wurde, der Freihandel macht's möglich, und durch den wurde vielleicht oder vielleicht auch nicht das Insekt eingeschleppt, das man in dem angebissenen McNugget von Jimmy gefunden hat – ach, und Entschuldigung, der Gerichtsvollzieher hat angerufen, Sie müssen Ihren neuen Toyota Celica zurückgeben, weil Sie *eine Ratenzahlung vergessen* haben! Hey, wenn Sie schon nach Tijuana fahren und Jimmy ins Krankenhaus bringen, könnten Sie auch gleich weiterfahren und sich bei Ihrer alten Firma um Ihren alten Job bewerben, denn dort bekommen die ganzen »Teilhaber«, wenn sie morgens um fünf zur Arbeit kommen, gratis einen Burrito zum Frühstück und haben ein eigenes Klohäuschen.

Korrigieren Sie mich, wenn ich träume, aber sahen die Dinge noch vor etwa einem Jahr nicht viel *besser* aus? Sollten wir nicht die »größte wirtschaftliche Expansion in der Geschichte« erleben? Hatte die Regierung es nicht nach 55 Jahren geschafft, aus den roten Zahlen zu kommen und wies endlich einen Überschuß aus, der so hoch war, daß man damit jede Straße, Brücke und jeden Backenzahn in den USA sanieren könnte? Die Luft- und Gewässerverschmutzung hatte ihren tiefsten Stand seit Jahrzehnten erreicht, die Kriminalitätsrate war so niedrig wie nie zuvor, unerwünschte Schwangerschaften bei Teenagern gingen merklich zurück, und mehr Jugendliche denn je erreichten einen Highschool- oder Collegeabschluß. Alte Menschen lebten länger, man konnte für 12 Cent die Minute mit Katmandu telefonieren, und das Internet brachte die Welt (abgesehen von den zwei Milliarden Menschen, die keinen Strom haben) näher zusammen. Palästinenser brachen mit Israelis das Brot, und die Katholiken in Nordirland tranken mit den Protestanten ein Bierchen. Ja, das Leben wurde immer besser – und wir alle spürten es. Die Leute waren freundlicher, Wildfremde auf der Straße sagten einem die Uhrzeit und bei »Wer wird Millionär« wurden die Fragen einfacher gemacht, damit mehr Teilnehmer gewannen.

Und dann passierte es.

Anleger verloren Millionen an der Börse. Die Kriminalitätsrate stieg zum ersten Mal wieder seit zehn Jahren. Die Zahl der Entlassungen schoß in die Höhe. Amerikanische Wahrzeichen wie TWA oder die Kaufhauskette Montgomery Ward gingen pleite. Plötzlich fehlten uns 2,5 Millionen Barrel Öl – *und zwar am Tag!* Die Israelis töteten wieder Palästinenser, und die Palästinenser revanchierten sich. Mitte des Jahres 2001 herrschte in 37 Ländern auf der Welt Krieg. China wurde wieder einmal unser neuer Feind. Die Vereinten Nationen warfen uns aus der Kommission für Menschenrechte und die Europäische Union mekkerte, weil wir mit der Fortsetzung der Forschung für »Star Wars« einseitig gegen den ABM-Vertrag verstießen. Es war verdammt schwierig, einen guten Film zu finden, das öffentlichrechtliche Fernsehen verlor Millionen Zuschauer, und jeder Radiosender klang gleich, und das heißt: beschissen.

Kurz gesagt, mit einem Mal war alles Scheiße. Ob es nun die zerrüttete Wirtschaft war, die Energiekrise, der sich nicht einstellen wollende Weltfrieden, die Arbeitslosigkeit, das marode Gesundheitswesen oder einfach der unbrauchbare Wahlzettel, mit dem wir einen Präsidenten küren sollten – den meisten Amerikanern wurde auf unerträgliche Weise klar, daß *nichts* mehr funktioniert. Die Reifen von Firestone platzen und die Explorer von Ford, die mit diesen Reifen herumfahren, streiken – und das heißt, auch *Sie* streiken, weil Sie nämlich tot und mit abgetrenntem Kopf in einem Straßengraben neben Dunkin' Donuts liegen.

Der Notruf funktioniert nicht und die Feuerwehr kommt nicht, wenn man sie ruft. Handys funktionieren nicht, und wenn sie funktionieren, dann bei dem Blödmann am Nebentisch, der gerade mit seinem Broker streitet, während Sie versuchen, in Ruhe zu essen.

Das Wörtchen Entscheidungsfreiheit gehört der Vergangenheit an. Wir haben nur noch sechs Medienunternehmen, sechs Fluggesellschaften, zweieinhalb Automobilhersteller und ein Radiokonglomerat. Alles, was Sie brauchen, bekommen Sie bei Wal-Mart. Sie haben die Wahl zwischen zwei politischen Parteien, die gleich klingen, gleich entscheiden und von genau den gleichen reichen Spendern finanziert werden. Sie können sich entscheiden, unauffällige Pastelltöne zu tragen und den Mund zu halten oder ein Marilyn Manson-T-Shirt anzuziehen und von der Schule geschmissen zu werden. Britney Spears oder Christina Aguilera, Warner Brothers oder United Paramount Network, Florida oder Texas – es gibt keinen verdammten Unterschied, Leute, es ist alles das gleiche, das gleiche, das gleiche…

Wie ist es so weit gekommen? Drei kleine Wörter zur Klärung:

Dumme weiße Männer.

Denken Sie mal darüber nach: die Bush-Bubis, die das dürftige politische Vermächtnis (von Charisma wollen wir gar nicht erst reden) ihres Daddys noch spärlicher zwischen sich aufteilten. Dick Cheney, Donald Rumsfeld, Spencer Abraham und die anderen alten Gauner, die Bush zu seiner Unterstützung reanimierte. Die CEOs der Fortune 500, die Zauberer hinter den Kulissen von Hollywood und dem Kabelfernsehen mit seinen 500 Programmen, verflucht, der ganz normale Joe von nebenan, der mit seinem neuen Auto 20 Liter Benzin auf 100 Kilometer braucht und denkt: »Nicht schlecht!«, während das Ozonloch über seinem Kopf immer größer wird.

Richtig, die ganze Welt ist voll von dummen weißen Männern – und ich bin überzeugt, daß sich das bereits rächt. Letzten Februar stieg das Thermometer in Chicago an einem Tag auf 21 Grad Celsius, und was passierte? Jeder schien zu denken: Prima, das ist ja toll! Die Leute liefen in kurzen Hosen herum und am Strand vom Lake Michigan tummelten sich die Sonnenanbeter. »Junge, ich liebe dieses Wetter«, sagte eine Frau auf der Straße zu mir.

Sie lieben es? Darf ich Ihnen eine Frage stellen? Wenn die Sonne heute plötzlich um Mitternacht aufgehen würde, würden Sie dann auch sagen: »Oh, toll, das ist aber schön! Ich liebe es! Mehr Tageslicht!«

Nein, das würden Sie natürlich nicht. Sie würden ausflippen, wie es die Welt noch nicht erlebt hat. Sie würden sich die Seele aus dem Leib schreien, daß die Erde ihre Umlaufbahn verlassen hat und mit einer Geschwindigkeit von einer Million Kilometer pro Sekunde in die Sonne stürzt. Ich bezweifle, daß dann jemand zum Strand rennen würde, um die unverhofften Sonnenstrahlen zu genießen. Natürlich, vielleicht ist alles gar nicht so schlimm: Vielleicht hat auch nur jemand tausend Sprengköpfe auf Milwaukee abgefeuert, und das helle Licht, das Sie dort im Norden sehen, ist die Atombombe, die gerade die leeren, pleite gegangenen Bierbrauereien in Schutt und Asche legt. Egal, auf jeden Fall würden Sie so viele Ave Marias und Psalmen runterbeten, daß Ihnen mindestens zehn Jahre Fegefeuer erlassen werden.

Warum um alles in der Welt halten wir eine Temperatur von 21 Grad im kältesten Monat des Jahres in einer der kältesten Städte der USA für etwas Erfreuliches? Wir sollten von unseren Abgeordneten sofortige Maßnahmen und von den Verantwortlichen der Klimakatastrophe eine Entschädigung verlangen. Das ist *nicht in Ordnung*, Leute, etwas läuft furchtbar schief. Und wenn Sie mir nicht glauben, können Sie ja die todkranke Kuh fragen, die Sie gerade auf Ihrem Teller in Steaksauce ersäufen. Sie kannte die Antwort, aber wir haben sie abgemurkst, bevor sie mit ihrem Muhen etwas verraten konnte.

Aber machen wir uns nicht so viele Gedanken um Mutter Erde – sie hat schon Schlimmeres überstanden. Sollen doch die bäumestreichelnden Naturschützer schlaflose Nächte damit verbringen – wir sind viel zu sehr mit Geldverdienen beschäftigt!

Ah, Geld. Der süße Gestank des Erfolgs. Vor ein paar Jahren unterhielt ich mich einmal mit einem Typen in einer Bar, der sich als Börsenmakler entpuppte. Er fragte mich nach meinen »Geldanlagen«. Ich sagte ihm, daß ich keine habe, ich besäße keine einzige Aktie. Er war platt.

»Sie meinen, Sie haben kein Depot, in dem Sie Ihr Geld verwalten?«

»Ich halte es für keine gute Idee, sein Geld in einem Depot zu verwalten«, antwortete ich, »oder es in einer Aktentasche oder unter der Matratze aufzubewahren. Das wenige, was ich habe, bringe ich auf die ›Bank‹, wie man so sagt, dort habe ich, wie wir altmodischen Leute es nennen, ein ›Sparkonto‹.«

Er fand das nicht komisch. »Sie betrügen sich doch nur selbst«, antwortete er. »Und Sie sind verantwortungslos. Ich habe gelesen, daß Sie mit Ihrem ersten Film viel Geld gemacht haben. Wissen Sie, wieviel Sie heute hätten, wenn Sie das vor zehn Jahren an der Börse investiert hätten? Wahrscheinlich etwa 30 Millionen.«

Dreißig Millionen? *Dollar?* So viel? Arrrggghhh!!! Wie konnte ich nur so blöd sein?

Mir wurde ganz übel. Ich hatte das Gefühl, daß meine Prinzipien und Ansichten mit einem Mal auf ein Minimum zusammenschrumpften. Ich entschuldigte mich und ging nach draußen. Einige Zeit später kam der Börsenmakler irgendwie an meine Adresse und sandte mir jede Woche »Börsennews« und anderes Werbematerial. Er nährte wohl die Hoffnung, ich würde die Ersparnisse für die Ausbildung meiner Kinder an der Wall Street verzocken.

Nun, mittlerweile kommen keine Werbebroschüren für »Top-Anlagen« mehr. In den letzten eineinhalb Jahren ist die Microsoft-Aktie von 120 Dollar auf 40 Dollar abgesackt, Dell von 50 Dollar auf 16 Dollar und Pets.com mit seinem süßen kleinen Maskottchen ist inzwischen im Hundehimmel. Der NASDAQ hat fast 40 Prozent seines Wertes eingebüßt, und jene Amerikaner, die von der allgemeinen Aktienbegeisterung mitgerissen wurden und ihre kümmerlichen Ersparnisse aufs Spiel setzten, haben Milliarden verloren. Der Traum von einem »vorgezogenen Ruhestand« ist in weite Ferne gerückt, wir haben Glück, wenn wir auf eine Vierzigstundenwoche zurückgestuft werden, wenn wir zweiundachtzig sind oder das Wasser nicht mehr halten können, je nachdem, was zuerst kommt.

Allerdings sind nicht alle von uns betroffen. Es gibt fast 56 000 neue Millionäre im Land – und dieser Reichtum basiert auf Gaunereien. Die neuen Millionäre wurden reich, weil sie bereits ein hübsches Sümmchen hatten, als sie anfingen, und das dann in Unternehmen investierten, die prosperierten, weil sie Mitarbeiter auf die Straße setzten, Kinder und Arme in anderen Ländern ausbeuteten und enorme Steuererleichterungen bekamen. Für sie war Raffgier nicht nur gut, sondern obligatorisch. Sie haben so erfolgreich ein allgemeines Klima der Raffgier geschaffen, daß das Wort aus der Mode kam. Heute sagt man *ERFOLG!* dazu (ja, das Wort hat sein eigenes Ausrufezeichen). Schon bald prangerte es niemand mehr als falsch oder obszön an, wenn man den Hals nicht voll genug kriegen konnte. Raffgier ist mittlerweile so alltäglich, daß wir beiseite traten und einfach zusahen, als dieser Typ aus Texas raffgierig wurde und nach einer Wahl, die er nicht gewonnen hatte, ins Weiße Haus zog – er war doch nicht raffgierig, er war nur *schlau.* Genausowenig sind die riskanten Genmanipulationen des Agrobusineß an Ihren Cornflakes nicht irrwitzig oder von Raffgier getrieben – nein, das ist *Fortschritt.* Und auch der Junge von nebenan, der den dicksten Geländewagen will, der je gebaut wurde, ist nicht raffgierig – er will einfach nur mehr Hubraum, Baby!

Der Virus der dummen Weißen ist so stark, daß er sogar gewiefte Politiker wie Colin Powell, die Innenministerin Gale Norton und Sicherheitsberaterin Condoleeza Rice befallen hat. Und er hat uns tief in die Scheiße geritten, eine große, nationale Scheiße, die man überall findet, egal, wohin man geht. Wir stecken so tief drin, daß ich mich frage, ob wir je wieder rauskommen.

Natürlich versuchen wir alle den Moment zu vergessen, als dieser häßliche Wertewandel die kritische Masse erreichte und die Kräfte des Bösen die Macht übernahmen. Ich weiß, um was es geht, Sie wissen, um was es geht, sogar ein Idiot wie der Nachrichtenmoderator Brit Hume weiß, um was es geht. Es ist diese verdammte geklaute Wahl. Gestohlen, geraubt, geklaut und dem amerikanischen Volk aus den Händen, ja, aus dem Herzen gerissen. Es gibt absolut KEINEN ZWEIFEL daran, wer die meisten Stimmen erhielt, und auch die üblen Tricks, die in Florida angewandt wurden, sind mittlerweile kaum zu leugnen, und trotzdem ist der, der gewonnen hat, nicht der Mann, den wir heute nachmittag auf dem Rasen vor dem Weißen Haus Ball spielen sehen.

Wir sagen uns, es sei doch gar nicht so schlimm – *ihr müßt darüber hinwegkommen,* heißt es. Aber die Ereignisse an jenen 36 Tagen haben uns schwer mitgenommen, uns den Wind aus den Segeln genommen und uns etwas tief in den nationalen Hals getrieben, an dem wir nun zu ersticken drohen. Jetzt kann uns nur noch ein großes nationales Heimlich-Manöver retten wie bei den Simpsons. Jemand muß uns den Ellbogen in den Magen rammen, damit der Brocken wieder rausfliegt. Wir stolpern mit blau angelaufenen Gesichtern herum und fragen uns, ob die Rettung noch rechtzeitig kommen wird. Werde ich meinen Job nächstes Jahr noch haben? Was passiert mit meiner Rente? Gelten Eiswürfel ab sofort als Nahrungsmittel?

DU ZÄHLST NICHTS! Das ist eine harte Lektion. Noch härter ist es, wenn man feststellt, daß all das, was man angeblich immer tun soll – wählen gehen, das Gesetz befolgen, seine Bierdosen recyceln –, auch nicht zählt. Man kann gleich die Jalousien herunterlassen und das Telefon ausstöpseln, denn als Amerikaner ist man gerade für irrelevant erklärt worden. *Wir bedauern Ihnen mitteilen zu müssen, daß Ihre Dienste als Staatsbürger nicht mehr benötigt werden.*

Überall herrscht Verwirrung, und die Erschütterungen der nationalen Frustration bringen bereits den Boden unter unseren Füßen ins Wanken. Das Grollen läßt nicht nach, es wird mit jedem Tag lauter. Acht Monate nach der Wahl ergab eine Umfrage von Fox News, daß fast 80 Prozent der Amerikaner NICHT darüber hinweg sind, wie Bush das Weiße Haus übernahm – wir sind immer noch »aufgebracht«. Das ist eine ganz schön lange Zeit für einen Groll gegen unseren Regierungschef. Wenn eine derartige Stimmung außer Kontrolle gerät – ohne daß raffinierter Zucker oder die Talk-Show-Lady Oprah Winfrey dahinterstecken –, kann sie die Geschichte verändern. Millionen Amerikaner aller politischen Ausrichtungen fühlen sich aus dem Gleichgewicht gebracht, sind unsicher, aufgebracht oder verbittert. Der Rest sitzt im Gefängnis.

Die Bürger in Amerika sind der Ansicht, das Staatsschiff sei ins Schlingern geraten und niemand stehe am Steuer; schließlich hat der Steuermann keine Mehrheit hinter sich – und obendrein war er am Steuer schon einmal betrunken, wie er selbst eingestanden hat.

Eingefleischte Republikaner hoffen verzweifelt, daß Big Dick Cheney noch ein paar Herzanfälle mehr überlebt und lange genug aushält, um die Plünderung und Vergewaltigung von allem, was westlich von Wichita liegt, zu beaufsichtigen. Sie übersehen dabei, daß er beim Rest des Landes schon den Herzstillstand herbeigeführt hat. In der Zwischenzeit setzen er und seine Bande alles daran, soviel wie möglich von der Umwelt, der Verfassung und den Beweisen zu vernichten, bevor die Rache am Tag der Wahl 2002 naht.

Ich bin davon überzeugt, daß eine Triage bevorsteht und die Verletzten nach der Schwere ihrer Verletzungen eingeteilt werden. Das amerikanische Volk wird die lebenserhaltenden Systeme für diese Regierung schneller abschalten als man »Jack – Dr. Tod – Kevorkian« sagen kann, und der hat schließlich nur bei 130 Patienten aktive Sterbehilfe geleistet.

Holzen Sie weiter ab, Miß Norton – soweit ich gehört habe, wachsen Bäume wieder! Bomben Sie ruhig, Mr. Rumsfeld und General Powell – wir haben keinen Sergeant Tim McVeigh mehr, den sie mit Orden behängen können und der anschließend in Oklahoma ein Hochhaus in die Luft jagt. Weiter so mit Ölbohrungen, Mr. Abraham – ehe Sie sich versehen, werden Sie als Parkwächter arbeiten und die großen Benzinschlucker am Grosse Pointe Jachthafen parken müssen!

Der Elefant ist das Maskottchen der Republikaner, aber schon bald werden Elefanten wie der Heilige Jeffords, Senator aus Vermont, das sinkende Schiff dieser Regierung verlassen. Im Senat haben die Demokraten bereits die Mehrheit. Wir anderen werden uns entspannt zurücklehnen, die Show genießen und überlegen, wie wir die nächste Rate für das Haus bezahlen sollen und am besten einen Unterschlupf suchen, während die sterblichen Überreste von Antonin Scalia wie ein kalter Regen im Januar auf uns herabrieseln werden, weil dieser Richter am Obersten Gericht mit dafür gesorgt hat, daß die Stimmen in Florida nicht neu ausgezählt wurden. He, verdammt, wartet! ES REGNET NICHT IM *JANUAR!*

Panik macht sich breit. Die Medien können wegsehen, wenn sie wollen, und die Experten können versuchen, ihre Lügen so oft zu wiederholen, bis sie wie die Wahrheit klingen. Aber wir Millionen Amerikaner werden nicht darauf hereinfallen. Die Börse macht nicht nur ein »zyklisch bedingtes Tief« durch. An »genetisch verbessertem Rindfleisch« ist nichts Gutes. Die Bank will nicht mit Ihnen »zusammenarbeiten«, wenn Sie mit Zahlungen im Rückstand sind. Und der Monteur kommt nicht »zwischen 8 und 17 Uhr« – oder überhaupt irgendwann. Das sind alles nur eitle Schwätzer, und je eher sie merken, daß wir ihnen auf den Fersen sind, desto schneller bekommen wir unser Land zurück.

Heute brachte ich mein Auto, das erst ein Jahr alt ist und weniger als 6400 Kilometer auf dem Buckel hat, in die Werkstatt des Händlers, bei dem ich es gekauft habe. Warum? Jedesmal, wenn ich das Auto starten will, springt es nicht an. Ich habe den Anlasser, die Batterie, die Zündkerzen und den Computerchip austauschen lassen, aber nichts hat geholfen.

Als ich dem Service Manager meine Leidensgeschichte erzählte, sah er mich mit leerem Blick an: »Oh, diese neuen Beetles – die springen nur an, wenn man sie jeden Tag fährt.«

Ich dachte, ich hätte nicht richtig gehört – schließlich sprach er perfektes Englisch. Also fragte ich ihn nochmal, wo das Problem liege.

Er schüttelte mitleidig den Kopf. »Schauen Sie, diese VW werden von einem Computersystem gesteuert, und wenn der Computer keine Aktivität verzeichnet – nämlich, daß Sie ihn jeden Tag starten und damit herumfahren –, dann geht der Computer davon aus, daß die Batterie leer ist oder so etwas, und legt das ganze Auto lahm. Besteht vielleicht die Möglichkeit, daß Sie oder jemand anderes zur Garage gehen und ihn einmal am Tag anlassen?«

Ich war sprachlos. »Wenn man das Auto nicht jeden Tag anläßt, geht es kaputt!« Welches Jahr schreiben wir eigentlich? 1901? Ist es vermessen von mir zu erwarten, daß ein Auto, für das ich 20000 Dollar bezahlt habe, anspringt, *sobald ich den Schlüssel im Zündschloß drehe?* Heutzutage gibt es nicht mehr viel auf der Welt, worauf man sich verlassen kann: die Sonne geht immer noch im Westen unter, der Papst liest an Heiligabend die Messe und Strom Thurmond erwacht zu neuem Leben, wenn es eine ehemalige First Lady zu befummeln gibt. Ich dachte, ich könnte mich zumindest an diesen letzten Glaubensartikel klammern: *Ein brandneues Auto springt immer an – Punkt!*

»Wie 95 Prozent der Kunden, an die Sie diese New Beetles verkauft haben, lebe ich in Manhattan«, sagte ich. »Kennen Sie *einen einzigen Menschen* in Manhattan, der jeden Tag Auto fährt?«

»Wir verstehen Sie natürlich. Niemand in der City fährt jeden Tag mit seinem Wagen. Alle fahren U-Bahn! Ich weiß nicht, warum diese Autos überhaupt in New York verkauft werden. Es ist wirklich eine Schande. Haben Sie es schon mit einem Beschwerdebrief an Volkswagen versucht? Gibt es vielleicht einen Jungen in der Nachbarschaft, der Ihr Auto für Sie jeden Tag ein paar Minuten laufen lassen kann?«

Da sitze ich nun also mit einem Auto, das nicht fährt, in einem Land, in dem nichts funktioniert und alles zum Himmel stinkt. Und jeder Mann, jede Frau, jedes vom Staat mit Tests geplagte Kind steht alleine da. Frei nach Darwin: Survival of the Richest – Nur die Reichen werden überleben. Glauben Sie bloß nicht, daß für Sie, Sie oder *Sie* noch Platz im Rettungsboot ist!

Aber es muß doch eine bessere Lösung geben …

ONE

Ein sehr amerikanischer Coup

Die folgende Nachricht wurde von UN-Truppen am 9. 1. 01 um 6 Uhr Ortszeit auf dem amerikanischen Kontinent abgehört:

Ich bin ein Bürger der Vereinigten Staaten von Amerika. Unsere Regierung wurde gestürzt. Unser gewählter Präsident wurde ins Exil geschickt. Alte weiße Männer, die Martinis schwenken und Fliege tragen, haben die Hauptstadt des Landes besetzt.

Wir sind umstellt. Wir sind die Regierung der Vereinigten Staaten im Exil.

Wir sind viele. Zu uns gehören über 154 Millionen Erwachsene und 80 Millionen Kinder. Das sind 234 Millionen Menschen, die das Regime, das sich selbst an die Macht gebracht hat, nicht gewählt haben und damit auch nicht von ihm vertreten werden.

Al Gore ist der gewählte Präsident der Vereinigten Staaten. Er erhielt 539 898 Stimmen mehr als George W. Bush. Dennoch sitzt er heute nicht im Oval Office. Statt dessen zieht unser gewählter Präsident ohne Ziel und Auftrag durchs Land und taucht nur gelegentlich auf, um vor Collegestudenten einen Vortrag zu halten oder seinen Vorrat an Little Debbie's Snack Cakes aufzustocken.

Al Gore hat gewonnen. Al Gore, Präsident im Exil. Lang lebe El Presidente Albertoooooo Gorrrrrrrrrre!

Wer ist dann der Mann, der jetzt die Pennsylvania Avenue Nr. 1600 besetzt hält? Ich sage es Ihnen:

Es ist George W. Bush, »Präsident« der Vereinigten Staaten. Der Gauner im Amt.

Früher warteten Politiker, bis sie im Amt waren, bevor sie zu Gaunern wurden. Diesen Gauner jedoch bekamen wir fix und fertig geliefert. Jetzt ist er ein unbefugter Eindringling in einem Regierungsgebäude, ein Hausbesetzer im Oval Office. Wenn ich Ihnen sagen würde, ich würde über Guatemala berichten, würden Sie mir unabhängig von Ihrer politischen Ausrichtung sofort glauben. Aber weil dieser Staatsstreich in die amerikanische Flagge gewandet war und in den Farben rot, weiß und blau daherkam, glauben die Verantwortlichen, sie kämen damit durch.

Deswegen habe ich im Namen der 234 Millionen Amerikaner, die als Geißel gehalten werden, darum gebeten, daß die NATO das tut, was sie schon in Bosnien und im Kosovo getan hat, was die Amerikaner auf Haiti taten und was Lee Marvin in *Das drekkige Dutzend* getan hat:

Schickt die Marines! Macht die SCUD-Raketen startbereit! Bringt uns den Kopf von Richter Antonin Scalia!

Ich habe an UN-Generalsekretär Kofi Annan geschrieben und ihn um Hilfe gebeten. Wir sind nicht mehr länger in der Lage, uns selbst zu regieren oder freie und faire Wahlen abzuhalten. Wir brauchen UN-Beobachter, UN-Truppen, UN-Resolutionen!

Verdammt, wir brauchen Jimmy Carter!

Wir sind nicht besser als irgendeine gottverlassene Bananenrepublik. Wir fragen uns, warum wir morgens aufstehen, uns den Arsch abarbeiten und Güter und Dienstleistungen produzieren, die nur dazu dienen, die Junta und ihre Truppen in Corporate America (ein separates, eigenständiges Lehen innerhalb der Vereinigten Staaten, dessen Sachwalter seit einiger Zeit eigene Wege beschreiten dürfen) noch reicher zu machen. Warum sollen wir Steuern zahlen und so den Staatsstreich finanzieren? Können wir je wieder unsere Söhne in die Schlacht schicken, damit sie ihr Leben für den »American Way of Life« opfern – wenn damit nur der Lebensstil der alten grauen Herren gemeint ist, die sich in dem von ihnen besetzten Hauptquartier am Potomac verschanzt haben?

Oh JesusMariaundJosef, ich halte es nicht mehr aus! Reich mir doch mal jemand die Fernbedienung! Ich muß wieder auf das Märchen umschalten, daß ich ein Bürger in einer Demokratie mit dem unveräußerlichen Recht auf Leben, Freiheit und dem Streben nach Icecream bin. Als Kind erzählte man mir, daß ich wichtig bin, daß ich jedem meiner Mitbürger ebenbürtig bin – und daß kein einziger von uns ungleich oder ungerecht behandelt werden und daß man Macht über andere nur mit deren Zustimmung ausüben darf. Der Wille des Volkes. Noch immer singen wir »God Bless America« *und* »The Star Spangled Banner«. *America the Beautiful. Land, that I love. Twilight's … last … gleaming. Oh say, can you see – sind die belgischen Blauhelme schon unterwegs? Beeilt euch!*

Der Coup wurde schon lange vor den miesen Tricks am Wahltag 2000 geplant. Im Sommer 1999 zahlte Katherine Harris vier Millionen Dollar an Database Technologies. Harris ist nicht nur Ehrenmitglied bei den dummen weißen Männern, sondern auch stellvertretende Wahlkampfleiterin für Bush *und* Innenministerin von Florida. Damit war sie für die Durchführung der Wahl in ihrem Staat verantwortlich. Database sollte die Wahlregister Floridas durchgehen und jeden streichen, den man eines Verbrechens »verdächtigte«. Harris handelte mit dem Segen des Gouverneurs von Florida, George W.s Bruder Jeb Bush – dessen tugendhafte Gemahlin einmal bei dem Versuch erwischt wurde, Schmuck im Wert von 19 000 Dollar am Zoll und an der Steuer vorbei ins Land zu schmuggeln … Das ist eigentlich eine Straftat. Aber hey, wir sind in Amerika. Wir verfolgen Verbrecher nicht, wenn sie reich oder mit einem regierenden Bush verheiratet sind.

Laut Gesetz dürfen Vorbestrafte in Florida nicht wählen. Natürlich bin ich davon überzeugt, daß die Richter in Florida stets untadelig und völlig unvoreingenommen urteilten. Aber dieses Gesetz hat traurigerweise zur Folge, daß 31 Prozent *aller* männlichen Schwarzen in Florida nicht wählen dürfen. Harris und Bush wußten, daß durch die Streichung der Vorbestraften aus den Wahlregistern Tausende von schwarzen Bürgern von den Wahlurnen ferngehalten werden würden.

Die schwarzen Bürger Floridas sind in überwältigender Mehrheit Demokraten – zweifellos bekam Al Gore am 7. November 2000 über 90 Prozent ihrer Stimmen.

Das heißt, 90 Prozent derer, die wählen *durften.*

Mit einem Streich, der nichts anderes als ein Massenbetrug durch den Staat Florida war, entfernten Bush, Harris und Database nicht nur Tausende schwarzer Bürger mit Vorstrafen aus dem Register, sondern auch Tausende schwarzer Bürger, *die noch nie in ihrem Leben eine Straftat begangen hatten* – zusammen mit Tausenden von Bürgern, die nur geringfügige Vergehen begangen hatten.

Wie war das möglich? Database (eine Firma mit starken Verbindungen zu den Republikanern) erhielt von Harris' Büro die Anweisung, das Netz so weit wie möglich zu spannen und soviele Wähler wie möglich loszuwerden. Das Unternehmen sollte sogar Bürger streichen, deren Namen »ähnlich« klangen wie die der Vorbestraften. Database mußte auch Bürger überprüfen, die das gleiche Geburtsdatum wie bekannte Vorbestrafte oder die gleiche Sozialversicherungsnummer hatten. Eine achtzigprozentige Übereinstimmung der relevanten Informationen, so die Anweisung des Wahlbüros, genügte, damit ein Wähler auf der Liste der Nicht-Wahlberechtigten landete.

Selbst für das bushfreundliche Unternehmen waren diese Instruktionen schockierend. Sie bedeuteten, daß Tausende von Wählern am Wahltag von der Ausübung ihres Wahlrechts abgehalten werden würden, weil ihr Name ähnlich klang wie der eines Bankräubers oder weil sie zufällig am selben Tag Geburtstag hatten wie er. Marlene Thorogood, Projektmanagerin bei Database, schickte Emmett »Bucky« Mitchell, einem Rechtsanwalt im Wahlkomitee von Harris, eine E-Mail, in der sie ihn warnte: »Leider könnte eine derartige Programmierung Ihnen falsche Ergebnisse liefern.« Thorogood meinte damit Namensverwechslungen.

Nicht so schlimm, entschied der gute alte Bucky: »Wir wollen lieber Namen erfassen, auf die unsere Kriterien möglicherweise nicht zutreffen, und dann die Wahlaufsicht [des Bezirks] endgültig entscheiden lassen, als bestimmte Namen ganz auszuschließen.«

Database tat wie geheißen. Schon bald wurden 173 000 Wähler in Florida für immer aus dem Wahlregister gestrichen. In Miami-Dade, dem größten Regierungsbezirk Floridas, waren 66 Prozent der aus dem Register gestrichenen Wähler Schwarze. Im Bezirk Tampa waren 54 Prozent derjenigen, denen am 7. November 2000 die Wahl verboten wurde, Schwarze.

Aber Harris und ihr Ministerium gaben sich nicht damit zufrieden, aus dem Wahlregister nur Namen von Bürgern zu streichen, die in Florida angeklagt oder vorbestraft waren. Zusätzlich wurden 8 000 weitere Bürger Floridas aus den Registern gestrichen, weil Database eine falsche Liste benutzte, die ein anderer Bundesstaat geliefert hatte. Angeblich waren auf der Liste die Namen von Vorbestraften verzeichnet, die nach Florida gezogen waren.

Es hat sich herausgestellt, daß die Straftäter auf der Liste ihre Strafen abgesessen und ihr Wahlrecht wiedererhalten hatten. Außerdem standen auch Bürger auf der Liste, die nur Ordnungswidrigkeiten begangen hatten – zum Beispiel Falschparken oder Müll-nicht-vorschriftsmäßig-Entsorgen. Und nun raten Sie mal, welcher Staat Jeb und George unter die Arme griff und die falsche Liste nach Florida schickte?

Texas.

Die ganze Affäre stinkt zum Himmel, aber die amerikanischen Medien ignorierten sie. Nur die BBC hakte nach und brachte zur besten Sendezeit einen viertelstündigen Bericht in den Nachrichten, in dem sämtliche schmutzigen Details aufgedeckt und die Verantwortung für den Betrug direkt Gouverneur Bush zugeschrieben wurde. Traurig, traurig, wenn wir das Fernsehen eines 8 000 Kilometer entfernten Landes ansehen müssen, um die Wahrheit über unsere eigenen Wahlbetrügereien zu erfahren.

(Schließlich griffen die *Los Angeles Times* und die *Washington Post* die Geschichte auf, sie wurde jedoch kaum beachtet.)

Der Angriff auf das Wahlrecht von Minderheiten war in Florida so umfangreich, daß sogar Bürger wie Linda Howell betroffen waren. Linda erhielt einen Brief, in dem ihr mitgeteilt wurde, sie sei vorbestraft, daher solle sie am Wahltag gar nicht erst wählen gehen, sie sei aus dem Register gestrichen. Das Dumme war nur, daß Linda Howell keine Verbrecherin war, sondern zur Wahlaufsicht von Madison County in Florida gehörte! Sie und andere lokale Wahlbeauftragte versuchten den Staat dazu zu bringen, den Fehler zu korrigieren, aber ihre Gesuche wurden abschlägig beschieden. Ihnen wurde gesagt, daß jeder, der sich beklage, er werde zu Unrecht am Wählen gehindert, sich Fingerabdrücke abnehmen lassen müsse. Anschließend werde der Staat entscheiden, ob die Person kriminell sei oder nicht.

Am 7. November 2000 drängten die schwarzen Bürger Floridas in Rekordzahlen an die Wahlurnen, doch vielen wurde im Wahllokal schroff mitgeteilt: »Sie dürfen nicht wählen.« In einigen Vierteln in den Innenstädten waren die Wahllokale durch Polizeiaufgebote geschützt, die jeden am Wählen hindern sollten, der auf Katherines und Jebs »Verbrecherliste« stand. Hunderte gesetzestreuer Bürger, die ihr von der Verfassung garantiertes Wahlrecht ausüben wollten, wurden in den überwiegend von Schwarzen und Hispanics bewohnten Bezirken weggeschickt, und wenn jemand protestierte, wurde mit Verhaftung gedroht.

George W. Bush erhielt in Florida offiziell 537 Stimmen mehr als Al Gore. Aller Wahrscheinlichkeit nach hätten Tausende schwarzer und hispanischer Wähler, denen der Gang zur Urne verwehrt wurde, anders entschieden. Hätten sie Bush die Wahl gekostet, wenn sie hätten wählen dürfen? Zweifellos.

Am Wahlabend herrschte nach der Schließung der Wahllokale in Florida große Verwirrung, wie man mit dem Auszählen der Wahlzettel verfahren sollte. Wer hatte nun eigentlich gewonnen? Schließlich wurde vom Verantwortlichen für die Wahlberichterstattung beim Fox News Channel eine Entscheidung getroffen.

John Ellis ließ in den Nachrichten verkünden, Bush habe Florida und damit die Wahl gewonnen. Und so geschah es. Fox News Channel erklärte Bush offiziell zum Sieger.

Aber unten in Tallahassee war die Auszählung noch gar nicht abgeschlossen; Associated Press beharrte darauf, daß das Ergebnis noch nicht eindeutig sei, und weigerte sich, die Nachricht von Fox News Channel zu übernehmen.

Die anderen Sender hatten weniger Skrupel. Kaum hatte Fox den Präsidenten gekürt, folgten sie dem Sender wie Lemminge, weil sie fürchteten, sonst als langsam oder schlecht informiert zu gelten, und das, obwohl ihre eigenen Reporter vor Ort darauf bestanden, das definitve Ergebnis stehe noch nicht fest. Aber wer braucht schon Reporter, wenn er einem Leithammel namens John Ellis hinterherrennt, dem Mann für die Wahlberichterstattung bei Fox. Wer ist dieser John Ellis?

Er ist ein Cousin ersten Grades von George W. und Jeb Bush.

Nachdem Ellis das Wahlergebnis verkündet hatte und die anderen Sender es nachgebetet hatten, gab es kein Zurück mehr – und nichts schadete, psychologisch betrachtet, Gores Chancen für einen Sieg mehr als der Eindruck, daß ER der schlechte Verlierer war. Denn Gore forderte Nachzählungen, er zog sein Eingeständnis der Niederlage zurück und bestürmte die Gerichte mit Rechtsanwälten und Klagen. In Wahrheit lag Gore die ganze Zeit vorn – er bekam die meisten Stimmen –, aber die Medien stellten das *niemals* dar.

Eine Szene am Wahlabend, die ich nie vergessen werde, wurde am frühen Abend gesendet. Die Fernsehsender hatten Gore bereits zum Sieger in Florida erklärt, und das war korrekt. Dann wurde in ein Hotelzimmer in Texas umgeschaltet, in dem George W. mit seinem Vater, dem ehemaligen Präsidenten, und seiner Mutter Barbara saß. Der alte Herr wirkte kaltschnäuzig und ganz gelassen, obwohl es so aussah, als sei der Sohnemann weg vom Fenster. Ein Reporter fragte Bush Junior, was er von dem Ergebnis halte.

»Ich ... gebe Florida nicht verloren«, meldete sich Junior nicht ganz schlüssig zu Wort. »Ich weiß, daß Sie die ganzen Hochrechnungen haben, aber die Leute zählen noch die Stimmen... Die Sender beurteilen die Sache verfrüht, und die Leute zählen die Stimmen, sie haben eine andere Perspektive, daher...« Es war ein merkwürdiger Augenblick in dieser verrückten Nacht der Wahlberichterstattung. Die Familie Bush mit ihrem entspannten Lächeln sah aus wie ein paar fette Katzen, die gerade einen Schwarm Kanarienvögel verschlungen haben. Sie sahen aus, als ob sie etwas wüßten, was wir noch nicht wußten.

Und so war es auch. Sie wußten, daß Jeb und Katherine die Sache schon vor Monaten geregelt hatten. Sie wußten, daß Vetter John die Berichterstattung bei Fox kontrollierte. Und wenn alles nichts half, gab es immer noch ein Team, auf das sich Daddy verlassen konnte: das Oberste Gericht der Vereinigten Staaten.

Unglaubliches geschah in den folgenden 36 Tagen. Das Imperium schlug zurück, und zwar gnadenlos. Während sich Gore dummerweise darauf konzentrierte, daß in einigen Bezirken Nachzählungen durchgeführt wurden, hatte es das Bush-Team auf den heiligen Gral abgesehen – die Stimmen der Briefwähler im Ausland. Viele Briefwähler waren Soldaten, die aus Tradition die Republikaner wählen. Sie verschafften Bush die Stimmen, die er bis dato nicht bekommen hatte, obwohl er Tausenden von Schwarzen mit miesen Tricks das Wahlrecht aberkannt hatte.

Gore wußte das und forderte, daß die Wahlzettel der Briefwähler genauestens überprüft wurden. Natürlich widersprach das seiner Devise »Laßt jede Stimme gelten«, die er mit seiner Forderung nach Nachzählungen ausgesprochen hatte. Aber er hatte das Gesetz Floridas hinter sich, das in dieser Hinsicht eindeutig ist: Die Stimmen von Briefwählern aus dem Ausland dürfen nur gezählt werden, wenn sie am oder vor dem Wahltag abgegeben und unterschrieben und bis zum Wahltag eingesandt wurden oder der Poststempel des anderen Landes ein Datum vor dem Wahltag oder das Datum des Wahltags selbst trägt.

Während der Republikaner und Ex-Außenminister Jim Baker

noch sein Mantra herunterleierte – »es ist nicht fair, die Regeln und Standards zur Zählung oder Nachzählung der Stimmen zu ändern, wenn eine Partei zu der Ansicht gelangt ist, daß sie nur so die Stimmen bekommen kann, die sie braucht« –, taten er und seine Helfershelfer bereits genau das.

Eine Untersuchung der *New York Times* vom Juli 2001 zeigte, daß von den 2490 Briefwahlzetteln aus dem Ausland, die schließlich gewertet wurden, 680 fehlerhaft und fragwürdig waren. Vier von fünf Wählern im Ausland stimmten für Bush. Folglich hätten 544 Stimmen für Bush aussortiert werden müssen. Haben Sie die Rechnung verstanden? Plötzlich ist Bushs »deutlicher Vorsprung« von 537 Stimmen auf ernüchternde minus 7 Stimmen zusammengeschrumpft.

Wie kam es, daß all diese Stimmen für Bush gezählt wurden? Nur wenige Stunden nach der Wahl hatten die Bush-Wahlkämpfer eine neue Kampagne gestartet. Zunächst sorgten sie dafür, daß so viele Wahlzettel wie möglich eingingen. Republikanische Helfershelfer schickten panische E-Mails an die Schiffe der US-Navy und forderten die Besatzungen auf, jeden verfügbaren Wahlzettel auszugraben. Selbst Clintons Verteidigungsminister William S. Cohen (ein Republikaner) erhielt einen Anruf, in dem er gebeten wurde, Druck auf die Militärstützpunkte auszuüben. Er lehnte ab, aber das spielte keine Rolle: Tausende Wahlzettel gingen ein – manche waren sogar *nach* dem Wahltag unterzeichnet.

Nun mußten die Republikaner nur noch dafür sorgen, daß soviele dieser Wahlzettel wie möglich gewertet wurden. Und damit begann der eigentliche Betrug.

Die *Times* berichtete, Katherine Harris habe ursprünglich geplant, ihren Wahlausschüssen ein Memo zu schicken, in dem das Verfahren bei der Auszählung der Briefwahlstimmen aus dem Ausland noch einmal beschrieben wurde. Dazu gehörte auch die Erinnerung, daß das Gesetz des Bundesstaates verlangte, alle Stimmzettel müßten vor oder am Wahltag »gestempelt oder unterschrieben und datiert« sein. Hmmm.

Was hat sie veranlaßt, ihre Meinung zu ändern – und sich über das Gesetz hinwegzusetzen? Wir werden es wohl nie erfahren, weil die Computerdaten, die diese Vorgänge verzeichneten, auf mysteriöse Weise gelöscht wurden – vermutlich ein Verstoß gegen die Gesetze des Staates Florida. Lange nachdem das Kind in den Brunnen gefallen war, hat Harris nun ihre Festplatten den Medien zur Begutachtung überlassen, aber erst nachdem ihr eigener EDV-Experte sie »durchgesehen« hat. Diese Frau will nun für den Kongreß kandidieren. Können diese Leute sich eigentlich noch schamloser aufführen?

Mit dem Segen ihrer Innenministerin im Rücken starteten die Republikaner eine massive Kampagne, mit der gewährleistet werden sollte, daß bei der Zählung der Briefwahlstimmen so großzügig wie möglich verfahren wurde. Der Wahlgrundsatz der Gleichheit bedeutete in Florida, daß die Annahme oder Ablehnung einer Briefwahlstimme davon abhing, aus welchem Wahlbezirk der Wähler kam. Das erklärt, warum in Wahlbezirken, in denen Gore gewann, nur zwei von zehn Wahlzetteln mit unklaren Poststempeln gezählt wurden, in den Bezirken, die an Bush gingen, schafften es wunderbarerweise sechs von zehn Wahlzetteln in die Endauswertung.

Als sich die Demokraten beschwerten, daß Wahlzettel, die nicht den Vorschriften entsprachen, nicht gezählt werden dürften, starteten die Republikaner einen erbitterten PR-Feldzug. Sie wollten den Eindruck erwecken, daß die Demokraten ausgerechnet jene Männer und Frauen um ihr Wahlrecht betrügen wollten, die ihr Leben für ihr Land riskierten. Ein typisches Beispiel ist der Vorwurf eines republikanischen Mitglieds des Stadtrats von Naples: »Wenn eine Kugel sie erwischt oder sie von der Bombe eines Terroristen in Stücke gerissen werden, dann fragt man bei den Leichenteilen auch nicht nach dem Poststempel oder nach einer Registrierung.« Der republikanische Kongreßabgeordnete Steve Buyer aus Indiana beschaffte sich (vermutlich illegal) die Telefonnummern und E-Mail-Adressen von Soldaten und sammelte Geschichten über tragische Ablehnungen von Wahlzetteln, weil er seine Sympathie für »unsere Männer und Frauen im Einsatz« bekunden wollte. Selbst Stormin' Norman Schwarzkopf, der tapfere Recke des Golfkrieges, schaltete sich mit der Bemerkung ein, es sei ein sehr trauriger Tag für das Land, wenn die Demokraten die Wähler in der Army schikanieren dürften.

Der Druck verfehlte seine Wirkung bei den schwächlichen, rückgratlosen Demokraten nicht: Sie zogen furchtsam den Schwanz ein. In der Sendung *Meet the Press* erklärte Joe Lieberman, Kandidat für das Amt des Vizepräsidenten, die Demokraten sollten mit dem Theater aufhören und akzeptieren, daß Hunderte Wahlzettel von Soldaten im Einsatz gezählt werden dürften, auch wenn sie nicht den richtigen Poststempel hätten.

Lieberman hätte wie so viele andere dieser neuen Sorte Demokraten ums Prinzip kämpfen sollen, anstatt sich um sein Image zu sorgen. Warum? Nun, die *New York Times* fand folgendes heraus:

- 344 Wahlzettel enthielten keinerlei Hinweis, daß sie am Wahltag oder davor abgegeben wurden
- 183 Wahlzettel trugen einen Poststempel der Vereinigten Staaten
- 96 Wahlzettel hatten keine Bestätigung von Zeugen
- 169 Wahlzettel stammten von nicht registrierten Wählern, waren nicht richtig unterschrieben oder stammten von Wählern, die keine Briefwahl beantragt hatten
- 5 Wahlzettel trafen nach der letzten Frist (17. November) ein
- 19 Briefwähler schickten 2 Wahlzettel – und beide wurden gezählt

All diese Wahlzettel entsprachen nicht dem Wahlgesetz Floridas, wurden aber trotzdem gezählt. Muß ich noch deutlicher werden? *Bush hat nicht gewonnen! Gore ist der Sieger.* Das hat nichts mit falsch gestanzten Wahlkarten zu tun, und nichts mit der dreisten Unterdrückung der Afro-Amerikaner in Florida. Bei der Auszählung der Stimmen wurde schlicht und ergreifend das Gesetz gebrochen. Alles ist dokumentiert, die Beweise liegen in Tallahassee. Alle Manipulationen hatten nur einen Zweck: Bush sollte die Wahl gewinnen.

Am 9. Dezember 2000 erhielt das Oberste Gericht die Nachricht, daß die Nachzählung der Stimmen in Florida trotz der Tricks der Bush-Anhänger zugunsten von Al Gore ausgehen würde. Um 14 Uhr zeigte die inoffizielle Auszählung, daß Gore Bush den Rang ablaufen würde. »Er liegt nur noch 66 Stimmen zurück und holt weiter auf!« berichtete ein aufgeregter Nachrichtensprecher. Entscheidend für Bushs »Sieg« war jedoch, daß die Worte »Al Gore führt« im amerikanischen Fernsehen nie ausgesprochen wurden: In letzter Minute tat das Oberste Gericht, was es tun mußte: Um 14.45 Uhr stoppte es die Nachzählung.

Zu den Richtern gehörten die von Reagan ernannte Sandra Day O'Connor und der von Nixon ernannte Oberste Bundesrichter William Rehnquist. Beide sind über Siebzig und hofften wohl, sie könnten in der Amtszeit einer republikanischen Regierung in den Ruhestand gehen, damit ihre Nachfolger ihre konservativen Ansichten weiter vertreten könnten. Am Wahlabend soll Sandra O'Connor auf einer Party in Georgetown geklagt haben, sie halte nicht noch weitere vier – oder gar acht – Jahre durch. Bush Junior war ihre einzige Hoffnung auf einen angenehmen Ruhestand in ihrem Heimatstaat Arizona.

Zwei weitere Richter mit extrem konservativen Ansichten waren befangen. Die Frau des Richters Clarence Thomas, Virginia Lamp Thomas, arbeitet bei der Heritage Foundation, einer bekannten konservativen Stiftung in Washington D.C. Sie wurde von George W. Bush beauftragt, bei der Zusammenstellung seiner Regierungsmannschaft zu helfen. Eugene Scalia, der Sohn von Richter Antonin Scalia, war Rechtsanwalt bei der Kanzlei Gibson, Dunn & Crutcher – eben jener Kanzlei, die Bush auch vor dem Obersten Gericht vertrat!

Aber weder Thomas noch Scalia sahen einen Interessenskonflikt oder gar Anlaß, den Fall abzugeben. Als das Gericht später seinen Beschluß verkündete, gab ausgerechnet Scalia die mittlerweile berüchtigte Erklärung ab, warum die Nachzählung gestoppt werden *mußte:* »Die Auszählung der Stimmen, deren Rechtmäßigkeit fraglich ist, droht meiner Ansicht nach dem Kläger [Bush] und dem Land irreparablen Schaden zuzufügen, weil sie einen Schatten auf die Rechtmäßigkeit seiner Wahl wirft.« Anders ausgedrückt: Wenn wir alle Stimmen nachzählen lassen und die Wahl geht zugunsten von Gore aus, dann beeinträchtigt das freilich Bushs Fähigkeit zu regieren.

Das ist nur allzu wahr: Wenn die Wahlzettel belegen, daß Gore der eigentliche Sieger ist – und das taten sie ja auch –, *würde* das natürlich der Stimmung im Land gegenüber dem Präsidenten Bush und der Legitimität seiner Amtsausübung einen Dämpfer versetzen.

Das Oberste Gericht berief sich in seinem Urteil auf den Grundsatz zum Schutz der Gleichheit im 14. Verfassungszusatz und rechtfertigte damit den Wahlbetrug. Diesen Grundsatz hatte das Gericht im Lauf der Jahre immer wieder zurückgewiesen, wenn Schwarze ihn als Argument gegen Diskriminierung anführten. Aufgrund der unterschiedlichen Methoden bei der Auszählung, stellte das Oberste Gericht fest, seien die Wähler in den Bezirken nicht gleich behandelt und ihre Rechte folglich verletzt worden. (Seltsamerweise erwähnten nur die Richter des Gerichts, die anderer Meinung waren, daß die veralteten Zählmaschinen, die ungewöhnlich häufig in armen und von Minderheiten bewohnten Bezirken in Florida eingesetzt wurden, eine ganz andere – und erheblich schwerwiegendere – Ungleichheit im System geschaffen hatten.)

Schließlich führte auch die Presse eigene Nachzählungen durch und trug damit noch zur allgemeinen Verwirrung bei. Der *Miami Herald* brachte die Schlagzeile: »Nachzählung der Stimmen ergibt, daß Bushs Sieg auch einer Nachzählung von Hand standgehalten hätte.« Wenn man aber den *ganzen* Artikel liest, findet man folgenden Abschnitt: »Bush hätte die Führung verloren, wenn die Nachzählung gemäß den strengen Beschränkungen durchgeführt worden wäre, die einige Republikaner empfohlen hatten… Die nochmalige Prüfung erbrachte das Ergebnis, daß die Wahl anders ausgefallen wäre, wenn jedes Wahlkomitee in jedem Wahlkreis jeden einzelnen Wahlzettel überprüft hätte, [und zwar] nach dem *umfassendsten* Standard [das heißt ein Standard, der den wahren Willen des GANZEN Volkes berücksichtigt]. Dann hätte Gore mit einer Mehrheit von 393 Stimmen gewonnen… Wären die Wahlzettel berücksichtigt worden, die entweder aufgrund der maschinellen Erfassung oder der Unfähigkeit der Wähler, die Wahlzettel richtig auszufüllen, ungültig waren, dann hätte Gore immer noch mit 299 Stimmen Vorsprung gewonnen.«

Ich habe nicht für Al Gore gestimmt. Dennoch sollte meiner Meinung nach jeder anständige Mensch zu der Schlußfolgerung gelangen, daß in Florida das Volk eindeutig ihn als Präsidenten wollte. Ob nun die Auszählung oder die Benachteiligung Tausender schwarzer Bürger das Wahlergebnis verzerrten, es steht zweifelsfrei fest, daß Al Gore zum Präsidenten gewählt wurde.

Das schlimmste Beispiel dafür, wie man sich über den Willen der Wähler hinwegsetzte, findet sich vielleicht in Palm Beach County. Über den sogenannten »Schmetterlingswahlzettel« ist schon viel gesagt worden. Mit ihm wählte man leicht den falschen Kandidaten, weil die Namen der Kandidaten und die dazugehörige Stelle, wo man das Loch stanzen sollte, auf gegenüberliegenden Seiten und noch dazu leicht versetzt lagen. Die Medien machten viel Aufhebens darum, daß der Wahlzettel von einem Mitglied des Wahlausschusses des Bezirkes entworfen worden war, und zwar von einem Demokraten. Auch der lokale Wahlausschuß, der den Wahlzettel abgesegnet hatte, soll mehrheitlich aus Demokraten bestanden haben. Welches Recht zur Beschwerde hatte Gore, wenn seine eigene Partei am Entwurf des fehlerhaften Wahlzettels mitgearbeitet hatte?

Wenn sich jemand die Mühe gemacht hätte, hätte er vielleicht herausgefunden, daß eines der zwei »demokratischen« Ausschußmitglieder – Theresa LePore, die den Wahlzettel entworfen hatte – früher einmal Mitglied bei den Republikanern gewesen war. Sie wechselte 1996 zu den Demokraten, trat aber nur drei Monate nach Bushs Amtsantritt wieder aus der Partei aus und nennt sich seitdem »unabhängig«. Doch die Presse machte sich nicht die Mühe nachzuhaken, was da eigentlich vor sich ging.

Die *Palm Beach Post* schätzt, daß über 3 000 überwiegend ältere jüdische Wähler den Wahlzettel versehentlich an der falschen Stelle markierten und wider Willen für den ewigen Rechtsaußen Pat Buchanan stimmten statt für Al Gore. Buchanan selbst erklärte im Fernsehen, jüdische Wähler würden ihm auf gar keinen Fall ihre Stimmen geben.

Am 20. Januar 2001 hatte sich George W. Bush mit seiner Junta auf den Stufen des Kapitols positioniert. Vor dem Obersten Bundesrichter Rehnquist legte er den Eid ab, den *Präsidenten* bei ihrem Amtsantritt leisten. Den ganzen Tag über fiel in Washington ein kalter, dichter Regen. Dunkle Wolken verbargen die Sonne. Entlang der Route, auf der die Parade abgehalten werden sollte und an der sich normalerweise Zehntausende Zuschauer drängen, herrschte gespenstische Leere.

Allerdings hatten sich 20 000 Demonstranten eingefunden, die Bush auf der ganzen Strecke gebührend feierten. Diese patschnassen Demonstranten mit Schildern, auf denen sie Bush Wahlbetrug vorwarfen, waren das Gewissen der Nation. Bushs Limousine mußte an ihnen vorbei. Anstelle einer jubelnden Menge empfingen ihn anständige Menschen, die ihren illegitimen Herrscher daran erinnerten, daß er die Wahl nicht gewonnen hatte – und daß sie das nicht vergessen würden.

An der Stelle, an der die Präsidenten seit Jimmy Carter traditionell aussteigen und die letzen hundert Meter zu Fuß gehen (als Erinnerung daran, daß unsere Nation nicht von Königen, sondern von »Gleichgestellten« regiert wird), kam die schwarze, gepanzerte Limousine mit den dunkel getönten Scheiben (weltweit das bevorzugte Fahrzeug von Gangsterbossen) abrupt zum Stehen. Die Menge schrie lauter: »EHRE DEM DIEB!« Mitarbeiter des Inlandsgeheimdienstes Secret Service und Bushs Berater hielten im eiskalten Regen Kriegsrat, wie man vorgehen sollte. Falls Bush aussteigen und zu Fuß gehen sollte, würde er ausgebuht und mit Eiern beworfen werden. Das Auto stand mindestens fünf Minuten im strömenden Regen. Eier und Tomaten klatschten gegen das Auto. Die Demonstranten forderten Bush auf, herauszukommen und sich ihnen zu stellen.

Plötzlich fuhr der Wagen des Präsidenten abrupt an und brauste die Straße entlang. Die Entscheidung war gefallen – Fuß aufs Gas und so schnell wie möglich an der johlenden Menge vorbei. Die Agenten des Secret Service, die neben dem Wagen rannten, blieben zurück, die Reifen spritzten Schmutzwasser von der Straße auf die Männer, die den Fahrgast im Wagen schützen sollten. Die Szene war vielleicht die beste, die ich je in Washington gesehen habe – der Prätendent auf den amerikanischen Thron muß vor amerikanischen Bürgern fliehen, die nur mit der Wahrheit und den Zutaten für ein leckeres Omelett bewaffnet sind.

Nach diesem unrühmlichen Auftritt der personifizierten amerikanischen Lüge suchte Bush auf der kugelsicheren Tribüne vor dem Weißen Haus Schutz. Viele geladene Gäste und Mitglieder der Familie Bush waren auf der Suche nach einem trockenen Plätzchen bereits gegangen. George stand da und winkte stolz den Musikkappellen zu, deren Instrumente durch den Regen verstimmt waren. Der Schmuck an den Festwagen in der langen Parade war vollgesogen und hing schlaff herab, als die Wagen an der Pennsylvania Avenue Nummer 1600 ankamen. Gelegentlich fuhr auch ein Cabrio in der Kolonne, und drin saßen die wenigen, nun ziemlich nassen Prominenten, die Bush veranlassen konnte, ihn zu ehren: TV-Star Kelsey Grammer *(Frasier)*, Komödiant Drew Carey und Schauspieler Chuck Norris. Am Ende der Parade stand Bush klatschnaß allein auf der Tribüne, sogar seine Eltern waren vor dem Regen geflüchtet. Es war ein jämmerlicher Anblick: der arme kleine reiche Junge, der nur zweiter geworden war und trotzdem den Preis des Siegers in Empfang nahm. Doch es war niemand da, der ihm zujubelte.

Noch jämmerlicher ist allerdings die Lage der 154 Millionen Amerikaner, die Bush nicht gewählt haben. In einem Land mit 200 Millionen Wählern stellen wir meiner Ansicht nach die Mehrheit.

Aber was hätte Bush anderes denken können als: »Was, ich soll mir Sorgen machen?« Zahlreiche gedungene Helfer würden im Weißen Haus die Fäden für ihre Präsidentenmarionette ziehen. Daddys alte Kumpels waren nach Washington zurückgerufen worden, um Georgie unter die Arme zu greifen, also konnte er sich zurücklehnen und der Öffentlichkeit erklären, er »delegiere« seine Aufgaben. Die Puppenspieler zogen ein, und man konnte ihnen beruhigt die Aufgabe überlassen, die Welt zu lenken.

Wer sind diese feinen, patriotischen Säulen der Bush-Junta? Sie repräsentieren die bescheidenen und selbstlosen Funktionäre der amerikanischen Wirtschaft. Ich habe sie aufgeführt, damit die Truppen der UNO und NATO sie leichter zusammentreiben können, wenn sie endlich kommen, um Ordnung und Demokratie wiederherzustellen. Dankbare Bürger werden die Straßen säumen und ihre Ankunft bejubeln. Ich selbst werde mich nur mit Schauprozessen und der sofortigen Deportation der Schurken in eine echte Bananenrepublik zufriedengeben. Gott schütze Amerika!

Ein Who's Who der Junta

Ausführender Präsident, auch »Vizepräsident« genannt: Dick Cheney

Ich weiß nicht, woher das Wort »mitfühlend« in dem neuen Schlagwort vom »Mitfühlenden Konservativismus« kommt, aber ich weiß, wo der Konservativismus sein Hauptquartier hat. Sechs Legislaturperioden lang war Cheney Kongreßabgeordneter für Wyoming und kann auf eine der konservativsten Bilanzen aller 435 Kongreßabgeordneten zurückblicken. Cheney stimmte gegen das Equal Rights Amendment (dem Verfassungszusatz zur Gleichstellung der Frau), gegen die Finanzierung des Head Start Program (ein Programm zur Förderung sozial benachteiligter Kinder), gegen eine Resolution des Repräsentantenhauses zur Freilassung Nelson Mandelas und gegen die staatliche Finanzierung von Abtreibungen *selbst nach einer Vergewaltigung oder bei Inzest.* Und damit ist die Bilanz noch lange nicht zu Ende. Cheney hatte bei allen republikanischen Regierungen der letzten Jahrzehnte die Finger im Spiel, zum Beispiel unter Richard Nixon, bei dem er Stellvertreter von Don »Rummy« Rumsfeld als Berater des Weißen Hauses war. Später ersetzte er Rumsfeld als Präsident Fords Stabschef. Unter George Bush I. war Cheney Verteidigungsminister und führte das Land in zwei der größten Militäreinsätze der jüngsten amerikanischen Geschichte: die Intervention in Panama und der Krieg gegen den Irak.

Zwischen den beiden Bush-Regimes war Cheney CEO von Halliburton Industries, einem Zulieferer der Ölindustrie, der Geschäfte mit repressiven Regimes wie in Myanmar oder dem Irak macht. Im Wahlkampf 2000 leugnete Cheney, daß Halliburton Geschäftsbeziehungen zu Saddam Hussein unterhielt. Im Juni 2001 enthüllte die *Washington Post,* daß zwei Tochterunternehmen von Halliburton doch Geschäfte mit dem Irak machten. Können Sie sich den Wirbel vorstellen, den die Republikaner gemacht hätten, wenn sie solche Verbindungen bei Clinton oder Gore entdeckt hätten? Cheney will übrigens nicht nur in Alaska nach Öl suchen: Halliburton hat einen großen Auftrag zur Erschließung der Cantarell-Ölfelder im Golf von Mexiko. Nach der Nominierung zum Vizepräsidenten zierte sich Cheney sehr, sich von seinen Halliburton-Aktien zu trennen. Wahrscheinlich wußte er, daß dieses Unternehmen noch eine große Zukunft hat.

Justizminister: John Ashcroft

Der Mann, der nun unserem Justizsystem vorsteht, lehnt eine Abtreibung auch nach einer Vergewaltigung oder einem Inzest ab. Er ist dagegen, daß Homosexuelle vor Diskriminierung am Arbeitsplatz geschützt werden, stimmte dafür, daß die Möglichkeiten der Begnadigung für zum Tode Verurteilte eingeschränkt werden (während seiner Zeit als Gouverneur wurden sieben Todesurteile vollstreckt), und er ist ein überzeugter Anhänger übertriebener, restriktiver Drogengesetze. Das alles erklärt vielleicht, warum er seinen Sitz im Senat an einen toten Mann verloren hat. Der Demokrat Mel Carnahan starb einen Monat vor der Wahl bei einem Flugzeugabsturz. Ein seltsames Gesetz machte es jedoch möglich, daß er weiterhin zur Wahl stand. Der Tote gewann, Ashcroft verlor sein Mandat, und jetzt sitzt Carnahans Frau an Stelle ihres toten Mannes im Senat.

Für seine Bemühungen erhielt Ashcroft erhebliche Summen von AT&T, Enterprise Rent-A-Car und Monsanto. Der Pharmazie-Konzern Schering-Plough ließ ihm 50000 Dollar zukommen – vielleicht als Dankeschön für die Gesetzesvorlage, die er eingebracht hatte und die den Patentschutz des Unternehmens für das Allergie-Medikament Claritin verlängern sollte. (Das Gesetz kam allerdings nicht zustande.) Die Finanzierung durch die pharmazeutische Industrie erklärt vielleicht auch, warum Ashcroft dagegen stimmte, daß verschreibungspflichtige Medikamente unter das Medicare-Programm fallen sollen. Auch Microsoft hat für die Wahlkampfkampagne der Republikaner gespendet und ließ Ashcroft 10000 Dollar über sein Spendenkomitee beim National Republican Senatorial Committee zukommen. Microsoft hatte Glück, daß Ashcroft es nicht in den Senat schaffte und sich ganz dem Justizministerium widmen kann – oder genauer gesagt beiseite treten kann, während der Softwaregigant unter Ashcrofts wachsamen Augen nach Belieben schaltet und waltet. Das Gerichtsurteil, das den Konzern Microsoft zerschlagen hätte, wurde ja niemals rechtsgültig.

Bei der Frage nach dem Besitz von Schußwaffen gehört Ashcroft dem rechten Flügel der National Rifle Organisation an (wenn das überhaupt möglich ist). Als Justizminister verkündete er zum Schutz der Waffenbesitzer sogleich, daß *24 Stunden nach dem Kauf einer Schußwaffe und der Überprüfung des Käufers* alle Informationen über den Käufer vernichtet werden müssen, damit die Regierung KEINERLEI Unterlagen darüber hat, wer eine Waffe besitzt und was für eine Waffe das sei.

Finanzminister: Paul O'Neill

Der eifrige Kämpfer für die Abschaffung von Unternehmenssteuern war vor seinem Amt in der Regierung Bush Präsident und CEO von Alcoa, dem größten Aluminiumhersteller der Welt (Alcoa ist einer der größten Umweltverschmutzer in Texas). Im Gegensatz zu früher hat Alcoa kein Political Action Committee (PAC) mehr, sondern läßt die Lobbyarbeit mittlerweile von der Anwaltskanzlei Vinson & Elkins erledigen. Die Kanzlei, die übrigens der drittgrößte Spender bei Bushs Wahlkampagne war, fand für Alcoa ein Schlupfloch in den Umweltbestimmungen von Texas, die dem Unternehmen einen Schwefeldioxydausstoß von 60000 Tonnen pro Jahr erlauben. Alcoa versorgt auch O'Neill großzügig mit Spenden. Vor kurzem verkaufte O'Neill seine Alcoa-Aktien – die einen Großteil seines Vermögens im Wert von 62 Millionen Dollar ausmachen –, allerdings nur widerwillig und sehr langsam; er wartete ein wenig ab, denn während seiner Amtszeit stiegen sie um 30 Prozent. Als Finanzminister hat O'Neill erklärt, daß die Sozialversicherung Social Security und Medicare, die Krankenversicherung für Rentner, nicht notwendig sind. Vielleicht erhält er deswegen jährlich 926000 Dollar von Alcoa.

Landwirtschaftsministerin: Ann Veneman

Wie viele Mitglieder in Bushs Kabinett blickt Ann Veneman auf eine lange Karriere in verschiedenen Republikanischen Regierungen zurück. Sie arbeitete für Ronald Reagan und Papa Bush und später als Leiterin des kalifornischen Ministeriums für Ernährung und Landwirtschaft unter Gouverneur Pete Wilson. In Kalifornien machte sie in der Landwirtschaft eine Politik, die industrialisierte Großbetriebe auf Kosten der traditionellen Familienbetriebe begünstigte – heute produzieren beispielsweise nur noch vier Unternehmen 80 Prozent des amerikanischen Rindfleischs. Veneman ist eines der ärmsten Kabinettmitglieder (sie besitzt nur 680000 Dollar). Vielleicht besserte sie deshalb ihr Einkommen im Vorstand der Biotechnologiefirma Calgene auf – das erste Unternehmen, das in den USA genmanipulierte Lebensmittel auf den Markt bringt. Calgene wurde von Monsanto aufgekauft, dem führenden Biotechnologie-Unternehmen des Landes. Monsanto wiederum wurde von Pharmacia übernommen. Monsanto spendete 12000 Dollar für Bushs Wahlkampf und versucht derzeit, ein Gesetz zu verhindern, das eine Kennzeichnung biotechnischer Beigaben in Lebensmitteln vorschreibt. Veneman arbeitete außerdem für den International Policy Council on Agriculture, Food and Table, ein Ausschuß, der von Nahrungsmittelkonzernen wie Nestlé und Archer Daniels Midland finanziert wird.

Handelsminister: Don Evans

Vor seiner Arbeit für die Regierung Bush war Evans Vorsitzender und CEO von Tom Brown, Inc., einer 1,2 Milliarden Dollar schweren Öl- und Gasgesellschaft. Evans saß außerdem im Vorstand von TMBR/Sharp Drilling. Als Finanzmanager von Bushs Wahlkampf stellte er beim Spendensammeln einen Rekord in Höhe von 190 Millionen Dollar auf. Die National Oceanic und Atmospheric Administration (Behörde für Meteorologie und

Ozeanographie), die unter anderem für Küsten des Landes zuständig ist, fällt ebenfalls in den Aufgabenbereich unseres Mannes von der Ölindustrie.

Verteidigungsminister: Don Rumsfeld

Don Rumsfeld ist ein Republikanischer Falke der alten Schule. Mit Dick Cheney als Stellvertreter war er Berater von Richard Nixon. Als Verteidigungsminister unter Präsident Ford und später als dessen Stabschef konnte Rumsfeld fast im Alleingang das SALT-II-Abkommen mit der Sowjetunion zu Fall bringen. Er ist seit jeher gegen Rüstungskontrolle und bezeichnete den ABM-Vertrag bei seiner Bestätigung als Minister als »Schnee von gestern«. Als langjähriger Befürworter von »Star Wars« leitete Rumsfeld 1998 eine Kommission, die die Gefährdung der Vereinigten Staaten durch feindliche Raketen bewertete. Rumsfeld alias Chicken Little behauptete, daß die USA binnen fünf Jahren (die Hälfte der Zeit, die die CIA prognostizierte) mit derartigen Bedrohungen durch die Schurkenstaaten rechnen müßten. Wenn er nicht gerade B-1-Bomber oder MX-Raketen durchdrückt, arbeitet er als CEO für das Pharmaunternehmen G.D. Searle (das mittlerweile zu Pharmacia gehört) und für General Instrument (inzwischen bei Motorola). Vor seiner Arbeit für die Regierung Bush saß Rumsfeld in verschiedenen Vorständen, darunter Kellogg's, Sears, Allstate und die Tribune Company (der die *Chicago Tribune* und die *Los Angeles Times* sowie mehrere Fernsehsender gehören, darunter auch Channel 11 in New York).

Energieminister: Spencer Abraham

Als Senator aus Michigan hatte Abraham eine so umweltfeindliche Bilanz vorzuweisen, daß ihn die League of Conservative Voters mit einer Null bewertete. Abraham stimmte gegen Forschungsgelder für erneuerbare Energien, wollte die Benzinsteuer abschaffen und hält Ölbohrungen in Alaska für zukunftsweisend. Vielleicht war er deshalb im Jahr 2000 auch dafür, das Ministerium abzuschaffen, das er heute leitet. Abraham erhielt mehr Geld von der Autoindustrie als jeder andere Kandidat, insgesamt 700 000 Dollar. Einer der größten Spender war der Konzern DaimlerChrysler, der unter anderem der Coalition for Vehicle Choice angehört, einer Gruppierung, die eine Verschärfung der Standards zum Benzinverbrauch verhindern will. Dieses Jahr plant DaimlerChrysler die Einführung eines größeren Geländewagens, der etwa 28 Liter auf 100 Kilometer verbraucht. Keine Sorge: Als Senator stimmte Abraham auch gegen eine Verschärfung der Standards zum Benzinverbrauch bei Geländewagen.

Gesundheitsminister: Tommy Thompson

Der Mann, der vielleicht bei den Verhandlungen mit der Tabakindustrie die größte Rolle spielen wird, dürfte keine Probleme haben, objektiv zu bleiben. Gut, er gehörte zwar dem Beraterausschuß des Washington Legal Fund an, als dieser Klage im Namen der Tabakindustrie einreichte, und erhielt als Gouverneur Wahlkampfspenden in Höhe von 72 000 Dollar von Philip Morris. Der Tabakkonzern bezahlte auch mehrere Auslandsreisen, die Thompson zur Förderung des Freihandels machte. Aber deswegen muß man doch nicht gleich annehmen, er könne sein Gesundheitsministerium nicht vollkommen unvoreingenommen führen. Zu schade, daß er vor kurzem seine Philip Morris-Aktien für einen Betrag zwischen 15 000 und 50 000 Dollar verkaufte, denn dem Tabakkonzern stehen voraussichtlich gute Jahre bevor.

Auch für die Hersteller von Drahtbügeln sieht die Zukunft rosig aus. Tommy T ist ein »Pro-Life«-Anhänger, der entschlossen gegen das Recht der Frauen auf Abtreibung kämpft. Als Gouverneur von Wisconsin sorgte er dafür, daß sich Frauen vor einer Abtreibung beraten lassen und drei Tage warten mußten.

Innenministerin: Gale Norton

Gale Norton ist in die Fußstapfen ihres Mentors und Vorgängers James Watt getreten. Sie begann ihre Karriere als Rechtsanwältin bei der Mountain States Legal Foundation, einer konservativen Gruppierung für den »Umweltschutz«, die von Ölgesellschaften finanziert wird und von Watt gegründet wurde. In enger Zusammenarbeit mit dieser Gruppe half Norton dem Bundesstaat Alaska, ein Fischereigesetz des Innenministeriums anzufechten. Norton hält das Gesetz zum Schutz bedrohter Tierarten für verfassungswidrig und hat Rechtsgutachten gegen den National Environment Protection Act verfaßt. Als Rechtsanwältin bei Brownstein, Hyatt & Farber vertrat Norton Delta Petroleum und setzte sich als Lobbyistin für NL Industries ein (ehemals National Lead), als das Unternehmen verklagt wurde, weil Kinder Gesundheitsschäden durch eine bleihaltige Farbe erlitten haben sollten. Norton war außerdem Vorsitzende der Coalition of Republican Environmental Advocates, einer Vereinigung, die von der Ford Motor Company und BP Amoco gegründet wurde.

Arbeitsministerin: Elaine Chao

Chao war überwiegend im gemeinnützigen Bereich bei United Way und beim Peace Corps tätig, saß aber auch im Vorstand von Dole Food, Clorox und zwei Unternehmen im gesundheitlich-medizinischen Bereich, C.R. Bard (das Unternehmen bekannte sich schuldig, daß es in den neunziger Jahren fehlerhafte Herzkatheter hergestellt und illegale Experimente damit durchgeführt hatte) und dem Krankenhausgiganten Hospital Corporation of America (HCA). Außerdem war sie Vorstandsmitglied bei Northwest Airlines. Chao ist mit dem konservativen Senator Mitch McConnell aus Kentucky verheiratet.

Außenminister: Colin Powell

Wenn Powell nicht gerade Krieg führt, sitzt er im Vorstand von Gulfstream Aerospace und AOL. Gulfstream stellt Jets für Hollywood-Studiobosse und ausländische Regierungen her, beispielsweise für Kuwait oder Saudi Arabien. Während Powells Zeit bei AOL fusionierte das Unternehmen mit Time Warner, und Powells Aktien stiegen um vier Millionen Dollar. Damals war Colins Sohn Michael Powell das einzige Mitglied der Federal Communications Commission (FCC), das empfahl, die Fusion zwischen AOL und Time Warner anstandslos zu genehmigen. Powells Sohn wurde später von George W. Bush zum Vorsitzenden der Kommission ernannt, zu seinen Aufgaben gehört die Kontrolle der Aktivitäten von AOL/Time Warner. Außerdem beaufsichtigt er die Regulierung des AOL-Monopols bei der »Instant Messaging«-Technologie.

Verkehrsminister: Norman Y. Mineta

Mineta ist ein Überbleibsel der Regierung Clinton und damit der einzige »Demokrat« in Bushs Kabinett. Er verfügt über gute Beziehungen zur amerikanischen Wirtschaft. Als Kongreßabgeordneter von Silicon Valley erhielt er Wahlkampfspenden von Northwest Airlines, Greyhound, Boeing und Union Pacific. Nach seiner Amtszeit im Repräsentantenhaus arbeitete er für Lockheed Martin. Gibt es ein besseres Plätzchen für ihn als das Ministerium, das all diese Unternehmen »beaufsichtigt«?

Stabschef im Weißen Haus: Andrew H. Card Jr.

Vor seiner Tätigkeit für die Regierung Bush war Card der wichtigste Lobbyist von General Motors. Außerdem war er CEO der heute nicht mehr existierenden American Automobile Manufacturers Association, eine Vereinigung, die sich gegen strengere Abgasvorschriften wehrte und die Automobilindustrie bei Handelsstreitigkeiten mit Japan vertrat. Card sagte im Namen der U.S. Chamber of Commerce Lobbying Group vor dem Kongreß gegen die »Passenger's Bill of Rights« aus, einem Gesetzentwurf zum Schutz der Rechte von Fluggästen. Aus seinem persönlichen Vermögen spendete er jeweils 1000 Dollar für die Wahlkampagnen von John Ashcroft und Spencer Abraham, allerdings wurden beide nicht gewählt.

Leiter des Haushalts- und Verwaltungsbüros: Mitch Daniels Jr.

Daniels war Senior Vice President beim Pharmaunternehmen Eli Lilly. In seiner jetzigen Position bereitet Daniels die Haushaltsvorlage des Präsidenten an den Kongreß vor und bestimmt unter anderem darüber, wieviel Geld (wenn überhaupt) für die Versorgung der Medicare-Patienten mit verschreibungspflichtigen Medikamenten bewilligt wird – eine Bereitstellung, gegen die sich Eli Lilly und andere Pharmaunternehmen wehren. Daniels besitzt Aktien von General Electric, Citigroup und Merck in einem Wert von 50 000 bis 100 000 Dollar. Die Wahrscheinlichkeit, daß diese Regierung im kommenden Jahr eine Zahlungsbefreiung für Senioren bei verschreibungspflichtigen Medikamenten genehmigt, ist etwa so groß wie die Chance, daß ich mich selbst vor einem Drogeriemarkt lebendigen Leibes verbrenne.

Beraterin für nationale Sicherheit: Condoleeza Rice

Als Dank für ihre Dienste im Vorstand von Chevron wurde ein 130 000-Tonnen-Öltanker nach ihr benannt. Rice saß außerdem im Vorstand von Charles Schwab und Transamerica und fungierte bei J.P. Morgan als Beraterin; auch im Stab für Nationale Sicherheit von Papa Bush war sie bereits vertreten.

Politischer Berater des Präsidenten: Karl Rove

Rove ist ein treuer Anhänger und Freund von Bush und arbeitete früher als Berater für Philip Morris. Als Berater von Gouverneur Bush bezahlte ihm die Tabakindustrie fünf Jahre lang 3 000 Dollar im Monat für seine Berichte über die Entwicklung des Wahlkampfs und der Kandidaten. Seit Rover den Job im Weißen Haus angenommen hat, ist er beständig Vorwürfen ausgesetzt, er benutze seine Position, um die Interessen der Unternehmen zu fördern, deren Aktien er besitzt. Vor kurzem wurde Rove kritisiert, weil er mit der Führung von Intel über eine anstehende Fusion beriet, obwohl er noch Intel-Aktien besaß (Teil eines Portfolios, das insgesamt auf etwa 1 Million bis 2,5 Millionen Dollar geschätzt wird). Zwei Monate später wurde die Fusion genehmigt, und Rove verkaufte seine Aktien einen Monat später.

Schatten-Berater des Präsidenten: Kenneth L. Lay

Lay stand einige Zeit an der Spitze von Enron, dem größten Energieversorger der USA und einem der wichtigsten Spender bei Bushs Wahlkampf. (Enron macht derzeit wegen des Bilanzskandals Schlagzeilen. Der Bankrott von Enron ist eine der größten Firmenpleiten in der Geschichte der USA; Anm. d. Red.).

Lay nutzte seine enge Beziehung zum Präsidenten, um Druck auf den Vorsitzenden der Kommission zur Regulierung des Strommarktes auszuüben und die Deregulierung voranzutreiben. Ganz offensichtlich hat Lay Bush eine Liste mit seinen bevorzugten Kandidaten für wichtige Kommissionen vorgelegt. Nicht zuletzt wegen der Energiekrise in Kalifornien ist Enron rasch zu einem 100 Milliarden Dollar schweren Unternehmen herangewachsen. Bush und Cheney vertrauen auf Lays Rat; manche Kandidaten in der Regierung mußten zuerst von Lay »interviewt« werden, bevor sie den Posten bekamen.

Wie Sie sehen können, meine lieben Freunde und Nachbarn, hat es dieses Regime darauf abgesehen, in die eigenen Taschen zu wirtschaften. Es wird sich nicht kampflos aus dem Amt vertreiben lassen. Diese Leute haben es sich in den Kopf gesetzt, ihre wirtschaftliche und (neu erworbene) politische Macht zu vereinen und das Land zu regieren und ihren Freunden zu helfen, damit diese noch reicher werden.

Diese dummen weißen Männer müssen aufgehalten werden. Ich habe Kofi Annan über die Aufenthaltsorte der Männer (und Frauen) unterrichtet, damit sie von den UN-Truppen festgenommen werden können. Mr. Annan, ich flehe Sie an! Sie sind in anderen Ländern schon wegen geringerer Übel einmarschiert. Verschließen Sie nicht die Augen vor unserer Not! Wir bitten Sie: Retten Sie die Vereinigten Staaten von Amerika! Verlangen Sie, daß neue, saubere Wahlen abgehalten werden. Geben Sie der Junta 48 Stunden Zeit – und wenn sie nicht einlenkt, dann spendieren Sie ihr eine Laser-Lightshow im Stil der US-Air Force!

Wie führt man den Gegenschlag?

Wir, das Volk, können eine Bewegung ins Leben rufen, die schließlich die Bush-/Cheney-Junta zu Fall bringen wird. Dafür müssen wir nur wenige Stunden in der Woche opfern. Und so geht's:

1. **Kontaktieren Sie Ihre Abgeordneten regelmäßig einmal die Woche und veranlassen Sie drei Freunde, dasselbe zu tun.** Senatoren, Kongreßabgeordnete und andere gewählte Volksvertreter ACHTEN SEHR auf Anrufe, Briefe und Telegramme. Jeden Tag erhalten sie eine Zusammenfassung der Botschaften ihrer Wähler. Nehmen Sie sich einfach ein paar Minuten pro Woche und sagen Sie, was Sie denken.
   Das Bush-Programm kann durch eine Welle des Protestes gestoppt werden – und schon ein paar Hundert Briefe können als Protestwelle ankommen. Verschiedene Vorhaben der Regierung Bush wurden wegen der öffentlichen Ableh-

nung bereits ad acta gelegt. ES FUNKTIONIERT! Wir jammern alle zuviel, warum nutzen wir das nicht für einen guten Zweck? Wählen Sie ein Thema, das Sie betrifft, und unternehmen Sie noch heute folgende Schritte:

a) Rufen Sie 202-224-3121 an – die Telefonzentrale des Kapitols. Sie brauchen dort nur Ihre Postleitzahl zu nennen, und schon werden Sie mit Ihrem Abgeordneten verbunden.
b) Schreiben Sie an: Office of Senator [Name], United States Senate, Washington, DC 20510 oder an: Office of Representative [Name], United States House of Representatives, Washington DC, 20515.
c) Schicken Sie eine E-Mail: An Senatoren unter www.senate.gov/contacting/index_by_state.cfm; für Abgeordnete des Repräsentantenhauses unter www.house.gov/writerep/
d) Schicken Sie ein Telegramm: Rufen Sie bei Western Union an (1-800-325-6000) oder sehen Sie auf deren Website nach: www.westernunion.com

2. **Rücken Sie George auf die Pelle.** Wenn Sie erfahren, daß Junior in die Stadt kommt, organisieren Sie eine Gruppe Freunde und protestieren Sie gegen ihn. Erinnern Sie die Medien daran, daß Bush nicht mit dem Willen des Volkes regiert. Seien Sie laut. Seien Sie *komisch.* Plakate, Straßentheater, Schauprozesse – zeigen Sie ihm, daß er der Wahrheit nicht entfliehen kann.

3. **Zwingen Sie die Demokraten, ihre Arbeit zu machen.** Die einfachste Form des Kampfes gegen das Regime ist natürlich, die »Opposition« dazu zu bringen, sich diesem Kampf zu stellen. Aber das wird nicht leicht: Die Demokraten von heute haben wenig Zeit für die Leute, die für ein Be-

nefizessen nicht 1000 Dollar berappen können. Hier also ein kleines Umerziehungsprogramm für Demokraten:

- **Ein schriftlicher Aufruf.** Gehen Sie auf meine Website (www.michaelmoore.com) und unterschreiben Sie die Online-Petition, in der die Demokraten im Kongreß aufgefordert werden, sich gegen Bush/Cheney zu wehren, *und zwar schnell* – oder wir werden ihnen bei der nächsten Kongreßwahl die Mehrheit versagen, indem wir dort, wo ein Demokrat nur ein Republikaner in einem schlechtsitzenden Anzug ist, grüne Gegenkandidaten aufstellen und wählen werden.
- **Übernehmen Sie Ihre Ortspartei.** In den meisten Bezirken hat die lokale Demokratische Partei nur eine Handvoll Mitglieder, weil die meisten Bürger nicht im Traum daran denken, sich politisch zu betätigen. Gehen Sie zur nächsten Ortsversammlung der Partei und nehmen Sie zehn Freunde mit. In den meisten Fällen stellen Sie damit schon die Mehrheit. Halten Sie sich an die Parteigesetze der Bundesstaaten (oft im Netz zu finden), und übernehmen Sie die Macht.

4. **SIE müssen kandidieren.** Genau: SIE, die Sie gerade das Buch lesen. Nur so wird sich endlich etwas ändern. Wenn sich nicht normale, anständige Leute um ein politisches Amt bemühen, bleibt der Job den Schurken überlassen. Wie können wir über miese Politiker meckern, wenn wir selbst den Job nicht machen wollen? Es ist Zeit, daß SIE sich politisch engagieren – und zwar unverzüglich. Sie können für den Elternbeirat der Schule kandidieren, für den Gemeinderat, für den Landtag oder den Bundestag. Amerikaner können auch Leiter der Kläranlage oder Standesbeamte werden, sie können für das Parlament ihres Bundesstaates, für den Senat ihres Bundesstaates, für die Schulbehörde ihres Bundesstaates, für den Gouverneursposten, für den Kon-

greß, für den Senat, ja sogar als Hundefänger kandidieren – oder irgendein anderes Amt. *Auf jeden Fall* sollten Sie als Bezirksdelegierter kandidieren. Jeder Bezirk in Amerika wählt Delegierte der Partei; das ist vielleicht das unbedeutendste Amt, aber es ist das Fundament, auf dem das ganze Kartenhaus errichtet ist. Ausgewählte Delegierte besuchen die nationalen Parteitage, auf denen die Kandidaten für die Präsidentschaft nominiert werden – und Sie sollten dabei sein.

Und das sage ich nicht nur so – ich werde es tun, noch dieses Jahr, und ich bringe auch noch ein Dutzend Freunde dazu, in ihren Bezirken zu kandidieren. Man muß nur genug Unterschriften sammeln, um auf den Wahlzettel zu kommen. Die Qualifikationen variieren. Aber bei diesen Wahlen wählen so wenig Leute – in vielen Bezirken gibt es gar keine Kandidaten –, daß es, um gewählt zu werden, oft nicht viel mehr braucht als überhaupt in Erscheinung zu treten. Also, nichts wie los zum Rathaus, und nehmen sie unterwegs noch ein paar Petitionen mit, bevor die Frist abläuft.

Das sind nur einige Maßnahmen, die wir für einen Gegenschlag ergreifen können. Egal, ob Sie nun als Demokrat, Grüner oder einfach als Bürger handeln, der die Nase voll hat, wichtig ist, daß Sie aufstehen und etwas unternehmen.

TWO

Lieber George

Offener Brief an »Präsident« George W. Bush

Lieber Gouverneur Bush,
Du und ich – wir gehören fast zur gleichen Familie. Unsere persönliche Verbindung ist schon viele Jahre alt. Keiner von uns hat Wert darauf gelegt, sie publik zu machen aus all den offensichtlichen Gründen, vor allem aber, weil es niemand geglaubt hätte. Und doch hat ein Mitglied der Familie Bush etwas getan, das große Auswirkungen auf mein Leben hatte.

Machen wir reinen Tisch und geben es endlich zu: Dein Vetter Kevin Rafferty war Kameramann bei *Roger & Me*.

Als ich den Film drehte, wußte ich nicht, daß Deine und Kevins Mutter Schwestern sind. Ich lernte Kevin kennen, als er bei einem brennenden Kreuz in Michigan seinen eigenen Film drehte, und hielt ihn für einen dieser Künstlertypen aus der Boheme von Greenwich Village. Er hatte *Atomic Café* gedreht, einen tollen Film. Deshalb fragte ich ihn im Scherz, ob er mich nach Flint in Michigan begleiten und mir zeigen wolle, wie man einen Film dreht. Zu meinem Erstaunen sagte er ja, und so latschten Kevin Rafferty und Anne Bohlen im Februar 1987 eine Woche lang mit mir in Flint herum, zeigten mir, wie man mit der Ausrüstung arbeitet und gaben mir wertvolle Tips, wie man einen Dokumentarfilm dreht. Ich weiß nicht, ob *Roger*

& Me ohne die großzügige Hilfe Deines Vetters je gedreht worden wäre.

Ich erinnere mich noch an den Tag, als Dein Vater in sein Amt als Präsident eingeführt wurde. Ich war damals in Washington D.C. und schnitt in einem rattenverseuchten alten Schneideraum *Roger & Me,* also ging ich hin zu der Inauguration und sah zu, wie Dein Vater auf den Stufen des Kapitols vereidigt wurde. Es war ein verrücktes Gefühl, als ich Deinen Vetter Kevin, meinen Mentor, neben Dir auf dem Podium sitzen sah! Ich weiß auch noch, wie ich die Mall hinunterging und die Beach Boys bei dem kostenlosen Konzert bei der Amtseinführung »Would't It Be Nice« spielten. Wieder im Schneideraum hatte ich meinen Freund Ben auf der Leinwand, ganz verkrampft vor Angst, am Fließband verrückt zu werden, und ich sang denselben Song der Beach Boys zu den Szenen, die Flint als Trümmerfeld zeigten.

Einige Monate später kam der Film in die Kinos. Dein Vater, der Präsident, ließ sich eine Kopie nach Camp David schicken und schaute sich den Film am Wochenende mit seiner Familie an. Ach wäre ich doch eine Fliege an der Wand gewesen und hätte miterleben können, wie Ihr all die Zerstörung und Verzweiflung gesehen habt, die über meine Heimatstadt hereinbrachen – vor allem dank der Maßnahmen von Mr. Reagan und Deinem Vater. Eines wollte ich schon immer wissen: Am Ende des Films, als der Sheriff den Weihnachtsbaum und die Geschenke der verarmten Kinder auf die Straße wirft, weil sie 150 Dollar mit der Miete im Rückstand sind, hat es da Tränen in Camp David gegeben? Hat sich irgendwer verantwortlich gefühlt? Oder haben alle nur gedacht: »Tolle Kameraführung, Kevin!«?

Na ja, das waren die späten achtziger Jahre. Du hattest gerade aufgehört, schwer zu trinken. Nachdem Du ein paar Jahre trocken warst, versuchtest Du mit Daddys Hilfe »Dich selbst zu finden« – ein Ölgeschäft hier, eine Baseballmannschaft da. Es ist mir seit einiger Zeit klar, daß Du nie die Absicht hattest, selbst Präsident zu werden. Wir alle kriegen hin und wieder mal einen Job, den wir eigentlich gar nicht wollen – wem wäre das nicht schon passiert?

Aber für Dich muß es besonders schlimm sein. Nicht nur, daß Du den Job eigentlich gar nicht wolltest, nun, da Du ihn hast, mußt Du Dich auch noch mit denselben alten Knackern rumschlagen, die früher mit Deinem Daddy die Welt geführt haben. Von all diesen Männern wie Dick, Rummy oder Colin, die jetzt im Weißen Haus rumlaufen, ist kein einziger *Dein* Kumpel! Es sind die gleichen alten Ärsche, die Dein Dad zu sich nach Hause einlud, wo sie bei einer guten Zigarre und einem Schluck Wodka die Bombenteppiche für die Zivilisten in Panama planten.

Aber Du bist doch einer von uns – ein Babyboomer, ein mittelmäßiger Student, ein Party-Gänger! Was zum Teufel hast Du mit diesen Leuten zu schaffen? Die fressen Dich doch bei lebendigem Leibe und spucken Dich wieder aus wie ein schlechtes Stück Schweineschwarte!

Sie haben Dir wahrscheinlich nicht gesagt, daß das von ihnen verfaßte Steuersenkungsgesetz, das sie Dich unterzeichnen ließen, ein Trick war, mit dem man dem Mittelstand Geld wegnimmt und es den Superreichen gibt. Ich weiß, Du selbst brauchst das zusätzliche Geld nicht; Du hast schon genug fürs Leben, weil dein Großpapa Prescott Bush vor und während dem Zweiten Weltkrieg diese schlauen Geschäfte mit den Nazis gemacht hat.*

Aber all diese Kerle, die Deinen Wahlkampf mit der Rekordsumme von 190 Millionen Dollar finanziert haben (zwei Drittel der Summe wurden von der erstaunlich geringen Zahl von knapp 700 Personen aufgebracht!), wollen nun ihr Geld zurück, und zwar mit Zins und Zinseszins! Diese Leute werden Dich jagen wie ein Rudel hungriger Wölfe, und sie werden dafür sorgen,

* In den späten dreißiger Jahren und während der vierziger Jahre war Prescott Bush, der Vater von George und Großvater von George W., einer von sieben Direktoren der Union Banking Corporation, die nationalsozialistischen Industriellen gehörte. Diese wuschen ihr Geld mittels einer holländischen Bank und deponierten heimlich schätzungsweise 3 Millionen Dollar in Bushs Bank. Es ist unwahrscheinlich, daß Bush als Vorstandsmitglied der Bank von diesen Verbindungen mit den Nazis nichts wußte. Die Regierung beschlagnahmte schließlich das Geld der Nazis, und die Bank wurde 1951 aufgelöst. Dabei erhielten Prescott und sein Vater Sam Bush 1,5 Millionen Dollar.

daß Du genau das tust, was sie sagen. Dein Vorgänger Bill Clinton mag Lincolns Schlafzimmer an Barbra Streisand vermietet haben, aber das ist noch gar nichts: Bevor Du Dich's versiehst, hat Dein Freund, der geschäftsführende Präsident Cheney, die Schlüssel zum Westflügel des weißen Hauses an AT&T, Enron und ExxonMobil übergeben.

Deine Kritiker hacken auf Dir herum, weil Du ein Mittagsschläfchen hältst und um 16.30 Uhr Feierabend machst. Du solltest ihnen einfach sagen, daß Du eine neue amerikanische Tradition begründest: Mittagsschlaf für alle und um 17 Uhr wieder zu Hause! Wenn Du das tust, wirst Du als unser größter Präsident in die Geschichte eingehen, das garantiere ich Dir.

Wie kann man nur behaupten, Du würdest in Deinem Amt nichts leisten. Das ist überhaupt nicht wahr! Ich habe noch nie einen neuen Präsidenten erlebt, der fleißiger gewesen wäre als Du. Es kommt mir fast so vor, als ob Du nur mit einer kurzen Zeit als Staatsoberhaupt rechnest! Nachdem der Senat bereits an die Demokraten gefallen ist und das Repräsentantenhaus ihm 2002 wahrscheinlich folgen wird, mußt Du positiv denken: Du hast immer noch zwei Jahre im Amt, bevor Dich all die zornigen Gewinner, die für Gore gestimmt haben, aus dem Amt werfen.

Die Liste der Leistungen, die Du allein in den ersten paar Monaten Deiner Amtszeit erbracht hast, ist wirklich brutal eindrucksvoll.

Du hast:

- die Bundesausgaben für Bibliotheken um 39 Millionen Dollar gesenkt
- 35 Millionen Dollar Bundesmittel für die Weiterbildung von Ärzten in der Kinderheilkunde gestrichen
- die Ausgaben für die Erforschung erneuerbarer Energiequellen um 50 Prozent reduziert
- die Verabschiedung von Bestimmungen aufgeschoben, die den erlaubten Grenzwert für Arsen im Trinkwasser gesenkt hätten

- die Forschungsmittel für die Entwicklung weniger umweltschädlicher und sparsamerer Autos und Lastwagen um 28 Prozent gekürzt
- Regeln aufgehoben, die es dem Staat erleichterten, an Firmen, die Bundesgesetze, Umweltgesetze und Vorschriften zur Arbeitssicherheit verletzten, keine Aufträge mehr zu vergeben
- zugelassen, daß Deine Innenministerin Gale Norton um Vorschläge bat, wie man die Nationalparks für Holzwirtschaft, Kohlebergbau und Öl- und Gasförderung erschließen könnte
- Dein Wahlversprechen gebrochen, 100 Millionen Dollar pro Jahr in die Erhaltung des Regenwalds zu investieren
- das Community Access Program um 86 Prozent gekürzt, das die Versorgung von Menschen ohne Krankenversicherung durch öffentliche Krankenhäuser, Privatkliniken und andere Gesundheitsdienstleister koordinierte
- einen Antrag abgeschmettert, mit dem der öffentliche Zugang zu Informationen über die möglichen Folgen von Chemieunfällen verbessert werden sollte
- die öffentlichen Mittel für die Wohnungsbauprojekte der Girls and Boys Clubs of America um 60 Millionen Dollar gekürzt
- die amerikanische Zustimmung zum Kyoto-Protokoll über die Klimaerwärmung zurückgezogen, das nur von 178 anderen Staaten unterzeichnet wurde
- ein internationales Abkommen zur besseren Durchsetzung der Biowaffen-Konvention von 1972 abgelehnt, die den Einsatz von biologischen Waffen verbietet
- die Mittel für Weiterbildungsmaßnahmen für Arbeitslose um 200 Millionen Dollar gekürzt
- die Mittel für das Programm Childcare and Development, das Sozialhilfeempfängern, die zur Arbeit gezwungen werden, die Kinderbetreuung finanziert, um 200 Millionen Dollar gekürzt

- den freien Bezug von Verhütungsmitteln auf Rezept für Angestellte des Bundes abgeschafft (obwohl es Viagra immer noch auf Rezept gibt)
- die Zuschüsse für Reparaturarbeiten im öffentlichen Wohnungsbau um 700 Millionen Dollar gekürzt
- den Haushalt der Umweltschutzbehörde Environmental Protection Agency um eine halbe Milliarde Dollar gekürzt
- ergonomische Vorschriften gekippt, die der Gesundheit und Sicherheit von Arbeitnehmern dienen
- von Deinem Wahlversprechen Abstand genommen, den Ausstoß eines der wichtigsten Treibhausgase (Kohlendioxyd) zu begrenzen
- dafür gesorgt, daß internationale Organisationen für Familienplanung, die mit ihren eigenen Finanzmitteln Abtreibungsberatung durchführen, Adressen von Abtreibungsärzten weitergeben oder selbst Abtreibungen vornehmen, keinerlei Bundesmittel mehr erhalten
- Dan Lauriski, den früheren Manager eines Bergbauunternehmens, zu dem für Sicherheit und Gesundheit im Bergbau zuständigen Ministerialdirektor im Arbeitsministerium ernannt
- Lynn Scarlett, die der Theorie von der Klimaerwärmung skeptisch gegenübersteht und strengere Vorschriften gegen die Umweltverschmutzung ablehnt, zur Staatssekretärin im Innenministerium ernannt
- dem umstrittenen Plan Deiner Innenministerin Gale Norton zugestimmt, Gebiete vor der Ostküste Floridas zur Erschließung von Öl- und Gasvorkommen zu versteigern
- verkündet, daß Du Ölbohrungen im Lewis and Clark National Forest genehmigen willst
- gedroht, die für AIDS zuständige Behörde im Weißen Haus zu schließen
- beschlossen, Dich bei der Ernennung von Bundesrichtern nicht mehr von der Anwaltsvereinigung American Bar Association beraten zu lassen

- die Studienbeihilfe für Studenten gestrichen, die wegen eines Drogenvergehens verurteilt worden sind (während verurteilte Mörder immer noch Beihilfen erhalten könnten)
- den Anwälten des Justizministeriums im fortdauernden Rechtsstreit der Regierung mit den Tabakkonzernen nur 3 Prozent der beantragten Mittel bewilligt
- ein Steuersenkungsprogramm durchgeboxt, das zu 43 Prozent dem reichsten Hundertstel der Amerikaner zugute kommt
- ein Gesetz unterzeichnet, das es armen und mittelständischen Amerikanern erschwert, Konkurs anzumelden, selbst wenn sie riesige Rechnungen für medizinische Leistungen begleichen müssen
- Kay Cole James, eine Gegnerin der Affirmative Action zur Förderung von Frauen und Minderheiten, zur Chefin des Office of Personnel Management ernannt
- die Mittel für Programme gegen den Mißbrauch und die Vernachlässigung von Kindern um 15,7 Millionen Dollar gekürzt
- die Abschaffung des Programms »Reading is Fundamental« vorgeschlagen, durch das Kinder mittelloser Eltern umsonst Bücher erhalten
- auf den Bau von »Mini-Atombomben« gedrängt, die tief unter der Erdoberfläche liegende Ziele zerstören sollen und deren Entwicklung eine Verletzung des Atomteststop-Abkommens darstellen würde
- versucht, Vorschriften aufzuheben, die 2,5 Millionen Hektar Wald in den Nationalparks vor Holzeinschlag und Straßenbau schützen
- John Bolton, einen Gegner des Atomwaffensperrvertrags und der Vereinten Nationen, zum Staatssekretär für Rüstungskontrolle und Internationale Sicherheit ernannt
- Linda Fisher, eine Top-Managerin von Monsanto, zur stellvertretenden Leiterin der Umweltschutzbehörde ernannt

- Michael McConnell, einen führenden Kritiker der Trennung zwischen Staat und Kirche, als Bundesrichter nominiert
- den Gegner der Bürgerrechtsbewegung Terrence Boyle als Bundesrichter nominiert
- die Verpflichtung der Autoindustrie aufgehoben, bis 2004 Prototypen für benzinsparende Autos zu entwickeln
- John Walters, einen eifrigen Kritiker der Drogentherapie in Gefängnissen, zum Direktor des Office of National Drug Control (zum »Drogenzar«) ernannt
- den Öl- und Kohle-Lobbyisten J. Steven Giles zum stellvertretenden Innenminister ernannt
- Bennett Raley, der die Aufhebung des Gesetzes zum Schutz bedrohter Tierarten verlangt hat, zum Staatssekretär für Wasserversorgung und Wissenschaft im Innenministerium ernannt
- auf die Abweisung einer Gemeinschaftsklage gedrängt, die asiatische Frauen in den USA gegen Japan erhoben haben, weil die Japaner sie im Zweiten Weltkrieg zu Sex-Sklavinnen machten
- Ted Olson, der bei dem Wahldebakel in Florida Dein Anwalt war, zum stellvertretenden Justizminister ernannt
- versprochen, die Genehmigung von Raffinerien, Atomkraftwerken und Staudämmen zu erleichtern, auch durch die Verwässerung von Umweltschutzbestimmungen
- versprochen, ganze Landstriche in dem Naturschutzgebiet Alaska Wildlife Preserve für die Öl- und Gasförderung zu verkaufen

Puh! Schon das Tippen dieser Liste hat mich geschafft. Wo hast Du bloß die Energie für all diese Maßnahmen her? (Du tankst beim Mittagsschlaf auf, stimmt's?)

Natürlich werden viele Punkte in der Liste auch von vielen Demokraten unterstützt (ihnen will ich weiter unten ein paar Worte widmen).

Im Moment jedoch bin ich mit Dir beschäftigt. Erinnerst Du Dich noch an Deine erste Tat als »Präsident«? Na, fällt es Dir wieder ein? Bevor Du ins Auto gestiegen bist, um auf Deiner Inaugurationsparade die Pennsylvania Avenue hinunterzufahren, mußte erst jemand einen Schraubenzieher holen und die Nummernschilder an Deiner Staatskarosse abschrauben, weil noch der Slogan »[Washington] D.C. muß ein Bundesstaat werden« darauf prangte. Du begehst den festlichsten Tag Deines Lebens und regst Dich über Nummernschilder auf? Entspann Dich, Mann!

Aber eigentlich habe ich mir schon viel früher Sorgen um Dich gemacht. Im Wahlkampf hat es eine Reihe von beunruhigenden Enthüllungen über Dein Verhalten gegeben. Am Ende waren sie wieder vergessen. Aber ich bin immer noch besorgt, ob Du der Richtige für den Job bist. Du darfst nicht glauben, daß ich Dich ausforschen oder Dir eine Moralpredigt halten will – das überlassen wir Cheney! Ich mache nur den ehrlichen Versuch, als enger Freund der Familie einzugreifen.

Seien wir ehrlich: Ich fürchte, Du bist eine Gefahr für die nationale Sicherheit.

Das hört sich vielleicht ein wenig übertrieben an, aber ich habe wirklich gute Gründe. Meine Bedenken haben nichts mit unseren kleinen Meinungsverschiedenheiten über die Hinrichtung Unschuldiger zu tun oder damit, wieviel von Alaska man durch Ölbohrungen zerstören darf. Auch an Deinem Patriotismus habe ich keine Zweifel – ich bin sicher, daß Du jedes Land lieben würdest, das so viel für Dich getan hat.

Meine Bedenken gründen sich vielmehr auf einer Anzahl von Verhaltensweisen, die ich und viele andere, denen Du auch am Herzen liegst, im Lauf der Jahre an Dir beobachtet haben. Einige dieser Gewohnheiten sind etwas verblüffend; ein paar hast Du nicht unter Kontrolle; und einige andere sind bei uns Amerikanern leider sehr häufig.

Da Du den Finger auf dem roten Knopf hast, mit dem man, wie Du weißt, die Welt in die Luft sprengen kann, und da die Entscheidungen, die Du triffst, gewaltige und weitreichende Folgen für die Stabilität besagter Welt haben, würde ich Dir gerne drei präzise Fragen stellen. Und ich wünsche mir und dem amerikanischen Volk drei ehrliche Antworten:

1. George, kannst Du lesen und schreiben wie ein normaler Erwachsener?

Wie viele andere auch habe ich den Eindruck, daß Du leider praktisch ein Analphabet bist. Das ist keine Schande. Du hast viele Leidensgenossen (Du brauchen nur die Tippfeler in diesen Buch zu zählen. War da nicht grad einer?). Millionen Amerikaner können nicht besser lesen und schreiben als ein Viertklässler. Kein Wunder, daß Du gesagt hast: »Kein Kind darf zurückbleiben.« – Du weißt, wie sich diese Kinder fühlen.

Aber erlaube mir folgende Frage: Wenn Du Probleme hast, die komplexen Positionspapiere zu verstehen, die Dir als Führer der größtenteils freien Welt vorgelegt werden, wie können wir Dir dann so etwas wie unsere atomaren Geheimnisse anvertrauen?

Alle Anzeichen von Analphabetismus sind vorhanden. Aber offensichtlich hat Dich noch niemand darauf angesprochen. Das erste Indiz war, daß Du als Dein liebstes Kinderbuch *Die Raupe Nimmersatt* nanntest. Leider erschien dieses Buch erst ein Jahr, nachdem Du mit dem College fertig warst.

Dann ist da die Frage Deiner College-Zeugnisse, wenn es denn wirklich Deine sind. Wie kamst Du eigentlich nach Yale, wo doch andere Bewerber 1964 einen besseren Eignungstest machten und viel bessere Noten hatten?

Im Wahlkampf hast Du die Frage, welche Bücher Du gerade liest, mutig beantwortet. Aber als Du zum Inhalt der Bücher befragt wurdest, fiel Dir nichts ein. Kein Wunder, daß Deine Berater Dich zwei Monate vor Ende des Wahlkampfs keine Pressekonferenzen mehr geben ließen. Deine Betreuer standen Todesängste aus, weil sie nicht wußten, was Du gefragt werden – und was Du antworten – würdest.

Eins ist jedenfalls allen klar: Du kannst die englische Sprache nicht in verständlichen Sätzen sprechen. Zunächst wirkte es ja ganz hübsch und geradezu charmant, wie Du Wörter und Sätze verstümmelst. Aber nach einer Weile wurde es lästig. Und dann hast Du in einem Interview plötzlich den politischen Kurs gewechselt, den die USA seit Jahrzehnten gegenüber Taiwan verfolgen. Du hast Dich bereit erklärt, zur Verteidigung Taiwans »zu tun, was immer nötig ist«, und sogar vorgeschlagen, auf der Insel Truppen zu stationieren. Auweia George! Die ganze Welt flippte aus; im Handumdrehen war überall höchste Alarmstufe.

Wenn Du Oberbefehlshaber wirst, mußt Du Deine Befehle unbedingt klar übermitteln können. Was ist, wenn Dir dann immer noch diese kleinen Ausrutscher passieren? Ist Dir klar, wie leicht ein kleiner Fauxpas in der Sicherheitspolitik zum Alptraum werden kann? Kein Wunder, daß Du den Rüstungshaushalt erhöhen willst. Wir werden alle Feuerkraft brauchen, die wir haben, wenn Du versehentlich befiehlst, »die Russen zu vernichten«, obwohl Du eigentlich nur Deine Gäste auffordern wolltest, den russischen Kaviar niederzumachen.

Deine Berater haben gesagt, daß Du die Unterlagen nicht lesen (kannst?), die sie Dir vorlegen, und sie die Papiere für Dich lesen oder Dir vorlesen müssen. Deine Mutter hat als First Lady sehr für Alphabetisierungsprogramme geschwärmt. Müssen wir annehmen, daß sie aus erster Hand mit der Schwierigkeit vertraut war, ein Kind aufzuziehen, das nicht lesen kann?

Bitte, nimm das alles nicht persönlich. Vielleicht hast Du eine Lernschwäche. Etwa 60 Millionen Amerikaner haben Lernschwächen. Das ist keine Schande. Und ich glaube ehrlich, daß ein Legastheniker Präsident der Vereinigten Staaten sein kann. Albert Einstein war Legastheniker und der Fernsehmoderator Jay Leno hat mit demselben Problem zu kämpfen. (Hey, endlich habe ich eine Möglichkeit gefunden, Leno und Einstein im selben Satz unterzubringen! Sprache kann Spaß machen, stimmt's?)

Du jedoch willst Dir bei dem Problem nicht helfen lassen. Ich fürchte, Du bist ein zu großes Risiko für unser Land. Du brauchst

Hilfe. Du brauchst einen richtigen Alphabetisierungskurs, nicht nur ein weiteres Briefing im Oval Office.

Sag uns die Wahrheit, und ich lese Dir jede Nacht vor dem Einschlafen etwas vor.

2. Bist Du Alkoholiker, und wenn ja, welchen Einfluß hat das auf Dein Verhalten als Oberbefehlshaber?

Auch bei diesem Thema will ich nicht mit dem Finger auf Dich zeigen, ich will Dich nicht beschämen und verachte Dich keineswegs. Alkoholismus ist ein Riesenproblem; Millionen amerikanischer Bürger sind davon betroffen, Menschen, die wir alle kennen und lieben. Viele befreien sich von ihrer Sucht und führen ein normales Leben. Alkoholiker können Präsident der Vereinigten Staaten werden und sind es gewesen. Ich hege große Bewunderung für jeden, der mit dieser Sucht umgehen kann. Du hast uns gesagt, daß Du mit Alkohol nicht umgehen kannst und seit Deinem vierzigsten Lebensjahr keinen Tropfen mehr angerührt hast. Gratuliere!

Du hast uns außerdem erzählt, daß Du früher »zuviel getrunken« und am Ende erkannt hast, »daß der Alkohol mir die Energie genommen hat und schließlich auch meine Zuneigung zu anderen Leuten hätte auslöschen können«. Das ist die Definition eines Alkoholikers. Diese Diagnose disqualifiziert Dich nicht als Präsident, aber sie macht es erforderlich, daß Du einige Fragen beantwortest, besonders weil Du jahrelang die Tatsache vertuscht hast, daß Du 1976 wegen Trunkenheit am Steuer verhaftet wurdest.

Warum verwendest Du den Begriff *Alkoholiker* nicht? Das ist schließlich der erste Schritt zur Heilung. Was für ein Unterstützungssystem hast Du Dir aufgebaut, damit Du nicht rückfällig wirst? Präsident der Vereinigten Staaten ist vermutlich der stressigste Job der Welt. Wie hast Du Dich abgesichert, damit Du dem Druck und der Angst standhältst, die damit verbunden sind, der mächtigste Mann der Welt zu sein?

Können wir uns überhaupt darauf verlassen, daß Du bei einer ernsten Krise nicht wieder zur Flasche greifst? Du hast noch nie einen Beruf gehabt, der mit Deinem jetzigen Amt vergleichbar wäre. Soviel ich weiß, hast Du 20 Jahre überhaupt keinen Beruf gehabt. Als Du aufgehört hattest, Dich »treiben zu lassen«, brachte Dich Dein Vater im Ölgeschäft unter, aber all Deine Unternehmen sind gescheitert. Dann verhalf er Dir zu einer Baseballmannschaft in der obersten Liga. Nun mußtest Du in einer Loge sitzen und Dir viele lange, langsame Baseballspiele anschauen.

Als Gouverneur von Texas hast Du sicher nicht viel Streß gehabt; es gab einfach nicht genug zu tun. Gouverneur von Texas ist ein eher repräsentatives Amt. Wie würdest Du mit einer neuen, unerwarteten Bedrohung der Welt umgehen? Hast Du einen Patenonkel, den Du anrufen könntest? Oder gibt es eine Versammlung, die Du besuchen könntest? Du mußt mir diese Fragen nicht beantworten, wenn Du mir nur versprichst, daß Du selbst gründlich über sie nachdenkst.

Ich weiß, daß meine Fragen sehr persönlich sind, aber die Öffentlichkeit hat ein Recht auf Deine Antworten. Wenn jemand sagt: »Ach komm, das ist doch sein Privatleben, und die Festnahme ist schon 24 Jahre her.«, dann muß ich leider sagen, daß ich vor 28 Jahren von einem Betrunkenen angefahren worden bin und meinen rechten Arm bis heute nicht ganz ausstrecken kann. Tut mir leid, George, aber wenn Du betrunken auf einer öffentlichen Straße fährst, dann geht es nicht mehr nur um Dein PRIVAT-Leben. Es geht auch um *mein* Leben und das meiner Familie.

Deine Wahlkampfmanager haben versucht, Dich in Schutz zu nehmen, indem sie die Presse über die Umstände Deiner Verhaftung wegen Trunkenheit am Steuer belogen haben. Sie sagten, der Polizist habe Dich angehalten, weil Du »zu langsam gefahren« seist. Aber der Beamte, der Dich festnahm, sagte, Du hättest einen Schlenker auf den Straßenrand gemacht.

Du selbst hast ebenfalls gelogen, als Du nach dem Abend gefragt wurdest, den Du im Gefängnis verbracht hast.

»Ich habe niemals im Gefängnis gesessen«, sagtest Du mit Bestimmtheit. Doch der Beamte erzählte einem lokalen Reporter, er habe Dir Handschellen angelegt, Dich mit aufs Revier genommen und Dich dort mindestens eineinhalb Stunden in Haft gehalten. Ist es möglich, daß Du das vergessen hast?

Es geht nicht um ein simples Verkehrsdelikt. Ich finde es unglaublich, daß Deine Wahlkampfmanager wirklich so getan haben, als ob Deine Verurteilung wegen Trunkenheit am Steuer weniger schlimm sei als Clintons Vergehen. Über einvernehmlichen Sex zu lügen, den man als verheirateter Mann mit einer anderen Erwachsenen gehabt hat, ist nicht korrekt, aber es ist NICHT dasselbe, wie betrunken Auto zu fahren und das Leben anderer in Gefahr zu bringen (in Deinem Fall auch *das Leben Deiner eigenen Schwester*, die bei Dir im Auto saß).

Auch daß Al Gore, wie er freiwillig zugab, in seiner Jugend Haschisch geraucht hat, ist NICHT dasselbe wie Deine Trunkenheit am Steuer, gleichgültig, was Deine Verteidiger vor der Wahl sagten. Falls Gore in bekifftem Zustand nicht auch noch Auto gefahren ist, dann hat er nur sein eigenes Leben gefährdet. Außerdem hat er nicht versucht, die Sache zu vertuschen.

Du hast gesagt »es war damals in meiner Jugend«, um den Vorfall herunterzuspielen. Aber Du warst KEIN Jugendlicher mehr; Du warst *über dreißig.*

An dem Abend, als die Bevölkerung wenige Tage vor der Wahl endlich von Deiner Verurteilung erfuhr, war es peinlich zu beobachten, wie Du versuchtest, Deine »unverantwortliche Tat« als die kleine »Jugendsünde« darzustellen. Man trinkt eben mal ein paar Bierchen mit den Jungs (grins, grins). Ich hatte wirklich Mitgefühl mit den Familien der *halben Million* Menschen, die in den 24 Jahren seit Deinem »kleinen Abenteuer« von betrunkenen Autofahrern wie Dir getötet worden sind. Gott sei Dank hast Du danach *nur noch ein paar Jahre* weitergetrunken, bis Du Deine »Lektion gelernt« hattest. Ich muß auch daran denken, was Deine Frau Laura wohl durchgemacht hat. Sie weiß nur zu gut, wie gefährlich es ist, wenn man sich ans Steuer setzt. Mit siebzehn hat sie einen Schulkameraden getötet. Sie hat ein Stoppschild überfahren und prallte mit seinem Auto zusammen. Hoffentlich ist sie Dir eine Hilfe, wenn Du den Druck Deines Amtes je zu spüren bekommst.

(Was Du auch tust, suche nicht Hilfe bei Dick Cheney. Er wurde bereits *zweimal* wegen Trunkenheit am Steuer verhaftet!)

Schließlich muß ich Dir noch erzählen, wie besorgt ich war, als Du in jener verrückten Woche vor der Wahl Deine Töchter als Ausrede benutztest, um zu erklären, warum Du Deine Verurteilung geheimgehalten hattest. Du sagtest, Du hättest gefürchtet, ihnen mit der Geschichte von Deiner Trunkenheit ein schlechtes Beispiel zu geben. Mit dieser Geheimniskrämerei hast Du wirklich eine Menge erreicht, wie die diversen Festnahmen der Zwillinge wegen Alkoholbesitz in diesem Jahr beweisen. In gewisser Weise bewundere ich ihre Rebellion. Sie forderten, sie baten, sie flehten: »Bitte, Daddy, kandidiere *nicht* für die Präsidentschaft. Du ruinierst unser Leben!« Du aber hast es trotzdem getan. Und Du hast ihr Leben ruiniert. Jetzt rächen sich Deine Töchter an Dir wie alle richtigen Teenager.

Der Nachrichtensprecher in der Comedy-Show *Saturday Night Life* hat es vielleicht am besten formuliert: »George Bush sagte, er habe die Anklage wegen Trunkenheit am Steuer vertuschen wollen, weil seine Töchter dann vielleicht schlecht von ihm denken würden. Er hatte es vorgezogen, daß sie in ihm den Mann sehen, der mit zahlreichen geschäftlichen Unternehmen gescheitert ist und jetzt Menschen hinrichtet.«

Hier ist mein Vorschlag: Such Hilfe. Schließ Dich den Anonymen Alkoholikern an. Und nimm Deine Töchter mit. Ihr werdet dort alle drei mit offenen Armen empfangen werden.

3. Bist Du ein Verbrecher?

Als Du 1999 zu Deinem angeblichen Kokainkonsum befragt wurdest, hast Du geantwortet, Du hättest »in den letzten fünfundzwanzig Jahren keine Verbrechen begangen«. Nach den zahlreichen Erfahrungen, die wir in den vergangenen acht Jahren mit trickreichen Antworten gesammelt haben, kann ein vernünftiger Beobachter daraus nur schließen, daß es sich in den Jahren zuvor anders verhalten haben muß.

Welche Verbrechen hast Du vor 1974 begangen, George?

Du kannst mir glauben, daß ich Dir diese Frage nicht stelle, weil ich Dich für irgend etwas bestraft sehen will. Ich fürchte nur, daß Du irgendein finsteres Geheimnis verbirgst, das jedem Munition liefern könnte, der es enthüllt, sei es einer ausländischen Macht (etwa Deinem derzeitigen Lieblingsfeind, den Chinesen) oder einem innenpolitischen Gegner (sagen wir – willkürlich herausgepickt – dem Tabak-Tycoon R. J. Reynolds). Wenn solche Personen oder Staaten herauskriegen, daß Du ein oder mehrere Verbrechen begangen hast, dann haben sie etwas gegen Dich in der Hand und können Dich erpressen. Das macht Dich zu einer Gefahr für die nationale Sicherheit, George.

Glaube mir, irgend jemand findet bestimmt heraus, was Du zu verbergen hast, und wenn es jemand herausfindet, sind wir alle in Gefahr. Du hast die Pflicht, alle Verbrechen zu enthüllen, die Du, wenn man Deiner Andeutung glauben darf, begangen hast. Nur indem Du das tust, kannst Du verhindern, daß Dein Geheimnis als Waffe gegen Dich – oder gegen uns – eingesetzt wird.

Obendrein hast Du kürzlich durchgesetzt, daß jeder, der einen Zuschuß für sein College-Studium beantragt, auf dem Bewerbungsformular folgende Frage beantworten muß: »Sind Sie je wegen eines Drogendelikts verurteilt worden?« Wenn die Bewerber die Frage bejahen, bekommen sie keinen Zuschuß, und das bedeutet bei vielen, daß sie nicht aufs College gehen können. (Übrigens wäre ein Mörder wie Sirhan Sirhan, der Robert Kennedy erschoß, nach der neuen Regelung immer noch für einen Zuschuß qualifiziert, nicht jedoch ein Bewerber, der einmal mit einem Joint erwischt wurde.)

Kommt Dir Diese Maßnahme nicht auch ein kleines bißchen heuchlerisch vor? Du würdest Tausenden von jungen Leuten eine College-Ausbildung verweigern, nur weil sie *genau* das getan haben, was Du Deiner Andeutung zufolge als junger Mann ebenfalls getan hast? Mann, das ist ganz schön dreist! Da Du aus derselben Bundeskasse, aus der die Beihilfen fürs College bezahlt werden, bis 2004 jährlich 400 000 Dollar beziehen wirst, ist es nur fair, wenn Du die folgende Frage auch beantwortest: »Sind Sie je wegen Drogenhandel oder Drogenbesitz (von Tabak oder Alkohol abgesehen) verurteilt worden?«

Wir wissen, daß Du insgesamt dreimal verhaftet wurdest, George. Abgesehen von einigen Friedensaktivisten in meinem Freundeskreis kenne ich niemanden persönlich, der in seinem Leben schon dreimal verhaftet worden wäre.

Außer wegen Trunkenheit am Steuer wurdest Du zusammen mit einigen Kumpeln festgenommen, als Du aus Jux einen Weihnachtskranz stahlst. Was war denn *das* für eine Geschichte?

Deine dritte Festnahme erfolgte wegen ordnungswidrigen Verhaltens bei einem Football-Spiel. Das verstehe ich nun wirklich nicht. Bei einem Football-Spiel verhält sich doch jeder ordnungswidrig! Ich war bei vielen Football-Spielen, und man hat mir viele Biere über den Kopf geleert, aber bis heute habe ich nie erlebt, daß jemand festgenommen wurde. Man muß schon einiges dafür tun, um in einem Mob von betrunkenen Football-Fans aufzufallen.

George, ich habe eine Theorie, wie und warum Dir das alles passiert ist.

Anstatt Dir die Präsidentschaft zu verdienen, hast Du sie geschenkt bekommen, und das gleiche gilt auch für alles andere in Deinem Leben. Geld und Name allein haben Dir alle Türen geöffnet. Ohne besondere Anstrengung oder besonders harte Arbeit oder besondere Intelligenz oder Phantasie wurde Dir ein privilegiertes Leben beschert.

Du hast schon in früher Jugend gelernt, daß jemand wie Du in Amerika einfach nur dasein muß. Du kamst auf ein exklusives Internat in New England, nur weil Dein Name Bush lautet. Du mußtest Dir Deinen Platz dort nicht VERDIENEN. Er wurde für Dich gekauft.

Als Du Deine Zulassung für Yale bekamst, lerntest Du, daß Du bessere Studenten ausstechen konntest, die zwölf Jahre hart gearbeitet hatten, um eine Zulassung für das College zu bekommen. *Du* wurdest zugelassen, weil Du Bush heißt.

Auf die gleiche Art kamst Du auch an die Harvard Business School: Nachdem Du vier Jahre in Yale verbummelt hattest, bekamst Du einen Studienplatz, den eigentlich ein anderer verdient gehabt hätte.

Dann solltest Du Deinen Wehrdienst bei der Luftwaffe der Nationalgarde von Texas ableisten. Aber eines Tages bist Du laut *Boston Globe* einfach weggeblieben und hast Dich nicht mehr bei Deiner Einheit gemeldet – *eineinhalb Jahre lang!* Du mußtest Deinen Wehrdienst nicht ableisten, weil Du Bush heißt.

Nach einer Anzahl »verlorener Jahre«, die in Deiner offiziellen Biographie nicht vorkommen, hast Du von Deinem Vater und anderen Familienmitgliedern einen Job nach dem anderen bekommen. Gleichgültig, wie viele Deiner geschäftlichen Unternehmungen scheiterten, es wartete immer schon die nächste auf Dich.

Schließlich wurdest Du Teilhaber einer Baseball-Mannschaft der obersten Liga, obwohl Du nur ein Hundertstel des Geldes für die Mannschaft beigesteuert hast – schon wieder ein Geschenk. Und dann hast du die Steuerzahler von Arlington, Texas, auch noch dazu gebracht, Dir weitere Pfründe zu verschaffen: Sie haben Dir ein nagelneues Multimillionen-Dollar-Stadion geschenkt, für das *Du* wieder nichts zu bezahlen brauchtest.

Kein Wunder, daß Du meintest, ein Recht auf den Präsidententitel zu haben. Du hast ihn nicht verdient oder erkämpft, folglich muß er Dir zustehen!

Und das alles findest Du völlig in Ordnung. Warum auch nicht? Ein anderes Leben hast Du ja nicht kennengelernt.

In der Wahlnacht, als der Sieger so lange nicht feststand, sagtest Du der Presse, Dein Bruder habe Dir versichert, daß Florida Dir gehöre. Wenn ein Bush das sagt, dann stimmt es auch.

Aber es stimmte nicht. Und als Dir dämmerte, daß die Präsidentschaft durch die Wählerstimmen des Volkes – ja, des Volkes! – verdient und errungen werden muß, da bist Du durchgedreht. Du hast James Baker ins Gefecht geschickt, einen Mann fürs Grobe (»Scheiß auf die Juden, die wählen uns sowieso nicht«, riet er 1992 Deinem Daddy). Und Baker erzählte dem amerikanischen Volk Lügen und schürte seine Ängste. Als das nicht zu funktionieren schien, bist Du vor ein Bundesgericht gezogen und hast gegen die weitere Auszählung der Stimmen geklagt. Du wußtest nämlich, wie das Ergebnis aussehen würde. Wenn Du wirklich sicher gewesen wärst, daß das Volk für Dich gestimmt hat, dann wäre es Dir doch gleichgültig gewesen, wenn man die Stimmen ausgezählt hätte.

Ich finde es verblüffend, daß Du ausgerechnet beim großen bösen Bund Hilfe gesucht hast. War doch Dein Mantra bei jeder Wahlkampfrede gewesen: »Mein Gegner vertraut der Bundesregierung. *Ich vertraue Ihnen, dem Volk!*«

Nun ja, wir haben die Wahrheit bald erfahren. Du hast dem Volk nicht vertraut, sondern bist geradewegs zum *Bundes*gericht gegangen, um Dir dort Dein Recht auf die Ernennungsurkunde bestätigen zu lassen (Vertraut den Wahlmaschinen, nicht dem Volk!). Zunächst waren die Richter in Florida jedoch widerspenstig. Vielleicht zum ersten Mal in Deinem Leben hat jemand »nein« zu dir gesagt.

Aber wie wir erlebt haben, brachten Daddys Freunde beim Obersten Gerichtshof wieder alles in Ordnung.

Kurz gesagt, Du warst ein Trinker, ein Dieb, vielleicht ein Verbrecher, ein nicht verurteilter Deserteur und ein Muttersöhnchen. Du findest diese Aussagen vielleicht grausam. Ich nenne sie »in echter Freundschaft die Wahrheit sagen«.

Bei allem, was anständig und heilig ist, tritt um Gottes Willen sofort zurück, und mach Deinem ach so wichtigen Familiennamen ein bißchen Ehre. Sorge dafür, daß Menschen wie ich, die wissen, daß es in Deiner Familie immer auch ein Element von Anstand gegeben hat, wieder stolz verkünden können, daß ein Bush, der eben nicht gewählt wurde, besser ist als ein Präsident Bush, der nicht vom Volk gewählt wurde.

Dein

Michael Moore

THREE

Ab zum Abschwung

Ein Mann in Uniform setzt sich neben mich, als ich auf einem Flughafen in Michigan auf meinen Flug mit der American Airlines nach Chicago warte. Er fängt ein Gespräch mit mir an.

Ich erfahre, daß er Pilot bei der American Airlines ist – genau gesagt bei der American Eagle, einer Kurzstrecken-Tochter der American Airlines, die wie alle Kurzstrecken-Fluggesellschaften jetzt neue Jets für Flüge von weniger als zwei Stunden für ihre Flotte kauft. Ich schätze, das spart der Muttergesellschaft eine Menge Geld.

Der Pilot neben mir wird das Flugzeug nicht steuern, mit dem ich fliege. Er hofft auf einen freien Platz für den Flug über den Lake Michigan.

»Müssen Sie den Flug bezahlen, wenn Sie privat fliegen?«, frage ich.

»Nein«, anwortet er. »Das ist so ziemlich die einzige Lohnzusatzleistung, die wir bekommen.«

Dann gesteht er mir, daß das Anfangsgehalt eines Piloten bei American Eagle 16 800 Dollar pro Jahr beträgt.

»Wie bitte?« frage ich, weil ich überzeugt bin, daß ich mich verhört habe. »Sechzehn Mille *pro Jahr?«*

»Jawohl«, sagt der Flugkapitän, »und das ist noch viel. Bei der Kurzstrecken-Tochter von Delta beträgt das Anfangsgehalt eines Piloten 15 000 und bei Continental Express etwa 13 000 Dollar.«

»*Dreizehntausend?* Für einen Flugkapitän? Machen Sie Witze?«

»Das ist kein Witz. Es wird immer schlimmer. Im ersten Jahr als Pilot muß man sein Flugtraining und seine Uniformen selbst bezahlen. Und wenn das alles abgezogen ist, hat man noch 9 000.«

Er macht eine Pause, um seine Worte wirken zu lassen. Dann sagt er: »Ein dicker Hund, was?«

»Ich traue meinen Ohren nicht«, sage ich. Meine Stimme ist inzwischen so laut, daß die Leute um uns herum aufmerksam werden und mithören.

»Trauen Sie Ihren Ohren ruhig«, sagt er. »Einer unserer Piloten ist letzten Monat aufs Sozialamt gegangen und hat Lebensmittelmarken beantragt. Ohne Witz! Mit seinen vier Kindern hat er bei dieser Bezahlung tatsächlich Anspruch auf Sozialhilfe. Bei der American bekamen sie Wind von der Sache und gaben einen Rundbrief heraus, in dem sie allen Piloten verboten, Lebensmittelmarken oder Sozialhilfe zu beantragen – selbst wenn sie ein Anrecht darauf hatten! Wer es trotzdem tat, verlor seinen Job.

Deshalb geht mein Kumpel jetzt auf dem Heimweg bei einer Food Bank vorbei, die Lebensmittel an Bedürftige verteilt. Die stellen keine Fragen, und so kann nichts an American Airlines durchsickern.«

Ich dachte, mir könne niemand mehr was Neues erzählen. Aber diese Geschichte war wirklich erschreckend. Ich wollte *nicht mehr* an Bord dieses Flugzeugs. Wir Menschen haben nämlich bestimmte archaische Instinkte, die dem Überleben dienen – und einer dieser Instinkte, der sich wahrscheinlich bis in die Steinzeit zurückverfolgen läßt, besagt: *»Laß dich nie von jemand durch die Luft fliegen, der weniger verdient als der Kellner bei McDonald's.«*

Ich stieg trotzdem in das Flugzeug, aber erst nachdem ich mir eingeredet hatte, daß der Typ mich verkohlt hätte. Wie sonst hätte ich vor mir selbst rechtfertigen können, daß ich so leichtfertig mein Leben aufs Spiel setzte. In der Woche danach machte ich jedoch ein paar Anrufe und stellte ein paar Nachforschungen an. Sehr zu meinem Entsetzen waren die Zahlen des Piloten völlig korrekt. Flugkapitäne, die schon ein paar Jahre für die Nahverkehrsgesellschaften fliegen, machen den großen Reibach (40000 Dollar pro Jahr), aber viele Neulinge leben in ihrem ersten Jahr unter der Armutsgrenze.

Ich weiß nicht, wie Sie das sehen, aber ich möchte, daß die Leute, die mit mir abheben und der mächtigsten Naturkraft – der Schwerkraft – trotzen, glückliche, zufriedene, zuversichtliche und gutbezahlte Menschen sind. Selbst auf den größten Jets der größten Fluggesellschaften haben die Flugbegleiter, eine andere Gruppe von Angestellten, von deren Ausbildung einmal Ihr Leben abhängen könnte, Anfangsgehälter von 15000–17000 Dollar jährlich. Wenn ich 10000 Meter über dem Erdboden bin, will ich *nicht,* daß die Piloten oder Flugbegleiterinnen darüber nachsinnen, wie sie Strom und Wasser wieder angestellt kriegen, wenn sie abends nach Hause kommen, oder wen sie ausrauben müssen, um ihre Miete bezahlen zu können. Und was ist die Lehre für die Allgemeinheit? Seid nett zu Sozialhilfeempfängern, sie fliegen euch vielleicht nach Buffalo.

In der ersten Hälfte des Jahres 2001 waren die Piloten von Delta Connection im Streik. Die gierigen Schurken von der Gewerkschaft verlangten für ihre Piloten ein Anfangsgehalt von 20000 Dollar. Aber Delta weigerte sich, und der Arbeitskampf dauerte Monate. Eigentlich sollte es angesichts des Wirtschaftsbooms – insbesondere bei den vielfliegenden Besserverdienenden – kein Problem sein, den Piloten ein Gehalt zu zahlen, bei dem sie nicht von Hundefutter leben müssen. (Wenn ich an Bord eines Flugzeugs kam, habe ich früher geschnüffelt, ob die Piloten Alkohol getrunken hatten, heute halte ich nach herumliegenden Hundekuchen Ausschau, wenn ich am Cockpit vorbeikomme.) Doch nachdem die Piloten bei Delta lange genug um die Brosamen vom Tisch der Reichen gebettelt hatten, erhielten sie endlich ihre 20000 Dollar pro Jahr.

Diesen Piloten – und dem Rest der Öffentlichkeit – wird erzählt, daß die Wirtschaft gar nicht gut läuft, daß es einen gewaltigen Abschwung gegeben hat, daß keine Gewinne mehr gemacht werden, daß die Börse einen Einbruch erlebt hat und daß überhaupt nichts mehr zu helfen scheint, nicht einmal eine Zinssenkung von Mr. Greenspan.

Sie können ihre Behauptungen sehr gut mit Zahlen untermauern. Jede Woche melden sich durchschnittlich 403 000 Amerikaner arbeitslos. Hunderte von Firmen nehmen massive Entlassungen vor. Tausende von Start-up-Unternehmen im neuen Hightech- und Dot.com-Bereich haben Pleite gemacht. Der Umsatz von Autos geht zurück. Der Einzelhandel hat ein deprimierendes Weihnachtsgeschäft erlebt. Von der Silicon Alley bis zum Silicon Valley werden die Gürtel enger geschnallt.

Und wir fallen darauf herein!

Es gibt keine Rezession, mein Freund. Keinen Abschwung. Keine harten Zeiten. Die Reichen baden in der Beute, die sie in den letzten zwei Jahrzehnten zusammengerafft haben. Und jetzt wollen sie verhindern, daß die Bürger ihr Stück vom Kuchen verlangen.

Die Reichen tun alles, um Sie zu überzeugen, daß Sie besser nicht nach Ihrem Anteil fragen, weil – *nun ja, plötzlich ist nicht mehr genug da, um über die Runden zu kommen!* Jeden Abend erzählen Euch die Medien, die den Reichen gehören, eine neue traurige Geschichte: von der neuesten Internet-Firma, die Bankrott gemacht hat, von einem Investmentfonds, der völlig zusammengebrochen ist, von einem NASDAQ-Investor, der pleite gegangen ist. Der Dow-Jones-Aktienindex ist um 300 Punkte gefallen. Lucent Technologies hat die Entlassung von weiteren 15 000 Arbeitskräften angekündigt. Die Fusion zwischen den Fluggesellschaften United und U.S. Airways ist gescheitert, General Motors schluckt Oldsmobil, und jetzt gibt es auch noch Berichte, daß selbst Ihr persönlicher 401K-Pensionsplan nicht mehr sicher ist. Ganz schön beängstigend, stimmt's?

Und es stimmt alles. Diese Leute würden Sie nicht anlügen. Zumindest nicht, was diese kleinen Details betrifft, mit denen sie Ihnen Angst machen.

Aber wie steht es mit der größeren Lüge? Der Behauptung,

daß sich die Weltwirtschaft derzeit in einem schrecklichen Zustand befindet? Ich meine, in gewisser Hinsicht stimmt das vielleicht schon. Wenn Sie der Mittelschicht angehören oder sozial noch schwächer sind, haben Sie wirklich allen Grund zur Sorge. Warum? Weil die an der Spitze sogar noch mehr Sorgen haben. Sie sind verrückt vor Angst, daß Sie an der Party teilnehmen wollen, die sie feiern. Sie haben Schiß, daß Sie eines Tages sagen: »OK, Ihr habt Eure Yachten und Ferienhäuser in Südfrankreich – und was ist mit mir? Wie wäre es, wenn Ihr mir ein bißchen was abgeben würdet, damit ich mir ein neues Garagentor leisten kann?« Das einzige, was noch größer ist als ihre Angst, etwas abgeben zu müssen, ist ihr Erstaunen, daß keiner von Ihnen eine Lohnerhöhung, mehr Urlaub oder einen Beitrag zu seiner Zahnarztrechnung oder sonst einen Anteil an dem gigantischen Reichtum verlangt, der in den letzten zehn Jahren geschaffen worden ist. Sind Sie wirklich damit zufrieden, vier Abende in der Woche zu überlegen, wer Millionär wird, aber nie die schlichte Antwort *»ICH!«* geben? Die Bonzen in den Konzernen warten schon lange darauf, daß dieser Groschen bei den Bürgern fällt.

Ja, die Verantwortlichen wissen, daß es unvermeidlich ist: Eines Tages werden Sie Ihren Anteil fordern. Und weil *das* nie passieren darf, ziehen die Reichen die langen Messer. Sie wollen einen Präventivschlag führen in der Hoffnung, daß Sie dann *nicht einmal mehr daran denken,* ein begehrliches Auge auf ihre Geldberge zu werfen.

Deshalb werden Sie gefeuert, oder Ihre Firma meldet Konkurs an. Deshalb gibt es im Büro keinen Kaffee mehr umsonst – nicht weil Ihre Chefs den Kaffee nicht mehr bezahlen können, sondern weil sie eine große Gehirnwäsche durchführen. Sie müssen in einem permanenten Zustand von Streß, Mißtrauen und Furcht gehalten werden. *SIE KÖNNTEN DER NÄCHSTE SEIN!* Vergessen Sie den Kaffee – helfen Sie sich selbst! Sonst lehnen sich die Bosse entspannt zurück und lachen sich krumm und scheckig.

Woher ich das alles weiß, fragen Sie? Nun ja, ich bewege mich in ihren Kreisen. Ich lebe auf der Insel Manhattan, einem fünf Kilometer breiten Streifen Land, der für die amerikanische Elite luxuriöse Privatwohnung und Chefetage zugleich ist. Ein Großteil der Leiden, die Ihnen als Amerikaner zugemutet werden, geht von dieser Ansammlung erstklassiger Immobilien zwischen zwei verschmutzten Flüssen aus. In meinem Viertel wohnen die Leute, die über Ihr Leben bestimmen. Ich benütze dieselben Straßen wie sie. Ich sehe, wie ihre Kinder von haitianischen Einwanderern großgezogen werden, und ich beobachte, wie sie an den »Unsichtbaren Männern«, jenen jungen Farbigen, vorüberhasten, die stumm den Dreck von den Marmorböden wischen. Sie sind immer in Eile, egal was sie vorhaben – wahrscheinlich wollen sie gerade die Leistungen Ihrer Versicherung kürzen oder Ihre Stelle streichen. Sie sind fit und gut frisiert, und sie wollen einen Schnitt machen – und der nächste, den sie ummähen, könnten Sie sein!

Ich höre zu, wenn sie darüber reden, wie gut es ihnen geht – über ihr neues Haus in den Berkshires oder die Reise auf die Osterinseln, die sie gerade gemacht haben. Sie könnten nicht glücklicher sein.

Als ich in meinem Apartmenthaus einzog, war es von Künstlern und Schriftstellern und der halben Mannschaft von *Saturday Night Life* bewohnt. Hockeyspieler von den Rangers, ein abgehalfterter Spieler aus der National Football League, ein Kameramann, ein paar Professoren und ein paar Senioren gehörten ebenfalls zu den Bewohnern. Inzwischen ist fast keiner mehr da, nur einer von den Rangers und mein verrückter Freund Barry, der Kameramann. Alle andern sind anscheinend so reich geworden, daß sie nicht mehr arbeiten müssen, oder sie sind damit beschäftigt, riesige Gewinne aus ihren Immobilien in den Armenvierteln herauszuholen, oder sie leben von irgendeinem Fonds, oder sie arbeiten an der Wall Street. Oder sie leben hier in New York von einem anderen Land, wenn sie die Auslandsinvestitionen ihrer Familie betreuen. Die 500 reichsten Konzerne der Welt sind ihr Brot und ihre Butter. Und ich sage Ihnen, diese Leute sind stinkreich und sie denken nicht im Traum daran, *selbst* einen Millimeter zurückzustecken.

Ich soll beweisen, was ich sage? Na gut, dann lassen Sie mich mit ein paar neutralen, objektiven statistischen Daten belegen, wie gut es denen an der Spitze wirklich geht:

- Von 1979 bis heute ist das Einkommen des reichsten Hundertstels der US-Bevölkerung um 157 Prozent gestiegen; die ärmsten 20 Prozent dagegen verdienen (inflationsbereinigt) tatsächlich 100 Dollar *weniger* als zu Beginn der Reagan-Ära.
- Die Gewinne der reichsten 200 Konzerne der Welt sind seit 1983 um 362,4 Prozent gewachsen; ihr gemeinsamer Umsatz ist inzwischen höher als das gemeinsame Bruttosozialprodukt aller Länder der Erde mit Ausnahme der zehn reichsten.
- Nach ihren jüngsten Fusionen sind die Gewinne der vier größten US-amerikanischen Ölkonzerne um 146 Prozent gestiegen – während angeblich eine »Energiekrise« herrschte.
- In den letzten Jahren, für die Zahlen verfügbar sind, bezahlten 44 der 82 größten Konzerne in den USA nicht den normalen Steuersatz von 35 Prozent. 17 Prozent bezahlten ÜBERHAUPT KEINE STEUERN – und 7 Konzerne, darunter auch General Motors, jonglierten so virtuos mit Betriebsausgaben und Steueranrechnung, daß der Staat am Ende *ihnen* Millionen Dollar schuldete!
- Weitere 1279 Konzerne mit Vermögen von 250 Millionen Dollar und mehr bezahlten ebenfalls KEINE STEUERN und meldeten »kein Einkommen« für 1995 (dem letzten Jahr, für das Daten verfügbar waren).

Wir werden auf so viele Arten betrogen, daß ich wegen Anstiftung zum Aufruhr angeklagt werden könnte, wenn ich sie alle aufzählte. Aber sei's drum! Mercedes Benz weigerte sich hartnäckig, die US-amerikanischen Verbrauchs- und Umweltgesetze zu erfüllen und wurde für seine Gesetzesverstöße mit einer Geldbuße belegt. Doch der Konzern hatte eine geniale Idee: Er deklarierte das Bußgeld von 65 Millionen Dollar für die Jahre 1988 und 1989 als »normale Betriebsausgaben« und wollte es von der Steuer absetzen. Das bedeutet, Sie und ich hätten 65 Millionen Dollar bezahlt, weil ein Haufen reicher Leute in großen protzigen Autos herumfahren und unsere Lungen ruinieren durfte. Zum Glück erkannte die Steuerbehörde (Internal Revenue Service) den Betrug und lehnte das Ansinnen ab.

Der Ölkonzern Halliburton gründete Anfang der neunziger Jahre eine Tochtergesellschaft auf den Kayman-Inseln. Das Problem ist nur: Es gibt kein Öl auf den Kayman-Inseln. Auch von Ölraffinerien oder Absatzzentren keine Spur. Warum also brauchte Halliburton eine Tochtergesellschaft auf den Kaymans? Offensichtlich war auch der Staat mißtrauisch. Von 1966 bis 1998 wurden 16 Klagen wegen Steuervergehen gegen Unternehmen von Halliburton erhoben. In einem Fall behauptete der Staatsanwalt, Halliburton habe seine Tochterfirmen benutzt, um 38 Millionen Steuern zu hinterziehen. Die meisten dieser Verfahren sind inzwischen abgeschlossen.

Mercedes und Halliburton sind nicht die einzigen, die die Bundesregierung betrügen. Ein halbes Dutzend großer US-amerikanischer Versicherungskonzerne haben die Bermuda-Inseln zu ihrem Firmensitz erklärt, darunter die Versicherungsgiganten Chubb, Hartford, Kemper, Liberty Mutual und andere. Auch der Konzern Accenture, der früher Andersen Consulting hieß, »zog um« auf die Bermudas, weil er seine Steuern nicht mehr zahlen wollte. Tatsächlich fand der Umzug nur auf dem Papier statt – das Unternehmen hat immer noch Büros in den ganzen USA und seine Angestellten gehen jeden Tag zur Arbeit und tun, was sie schon immer für Andersen getan haben. Nur der »Firmensitz« hat sich geändert. Würde es Ihnen nicht auch gefallen, wenn Sie morgen nach dem Frühstück erklären, daß Sie jetzt auf den Fidji-Inseln »wohnen«, obwohl noch immer der lebhafte Verkehr Ihrer Heimatstadt vor Ihrem Fenster brummt?

Nach einer Schätzung des Wirtschaftsmagazins *Forbes* kosten die Steuerparadiese den US-amerikanischen Steuerzahler jährlich 10 Milliarden Dollar (und wir müssen den Verlust ausgleichen, indem wir entweder mehr Steuern zahlen oder weniger Sozialleistungen bekommen). Das nächste Mal, wenn Sie sich die Zahnbehandlung oder den neuen Computer nicht mehr leisten können, bedanken Sie sich dafür bei all diesen Superreichen, die ständig den Spruch »der Wirtschaft geht es zur Zeit nicht gut« herunterbeten lassen.

Und was tut die Steuerbehörde dagegen, daß uns diese Summen gestohlen werden? Sie hält sich an *Ihnen* schadlos! Jawohl! Bei den Reichen hat sie das Handtuch geworfen; sie gibt es auf, deren Steuern einzutreiben. Statt dessen preßt sie die aus, die am wenigsten verdienen. Laut dem US-amerikanischen Bundesrechnungshof hat die Steuerbehörde ihre Prüfungen bei Jahreseinkommen von unter 25 000 Dollar pro Jahr verdoppelt – dagegen hat sie die Steuerprüfungen bei Einkommen von über 100 000 Dollar pro Jahr um 25 Prozent reduziert.

Wie sich das auswirkt? Die Konzerne zahlen 26 Prozent weniger Steuern, während Sie als Durchschnittsamerikaner 13 Prozent mehr bezahlen. In den fünfziger Jahren bekam die amerikanische Bundesregierung 27 Prozent ihrer Steuereinnahmen von den Konzernen, heute ist dieser Anteil am Steueraufkommen auf unter 10 Prozent gesunken. Und wer bezahlt die Differenz? Sie, und zwar mit Ihrem zweiten Job.

Es gibt einen triftigen Grund, warum zur Zeit soviel über die schlechte Wirtschaftslage gejammert wird: Viele Menschen, die heute ihren Job verlieren, sind Freunde und Verwandte derjenigen, die über die Entlassungen berichten. Im Gegensatz zu den massiven Entlassungen in den achtziger Jahren, von denen Berufstätige mit einem guten College-Abschluß und einem guten Gehalt fast gar nichts merkten, treffen die heutigen Massenentlassungen vor allem Angestellte und Akademiker. Wenn man ein paar Tausend von diesen Leuten entläßt, verursacht das einigen Aufruhr. Warum? Nun ja, weil ... weil ... weil ... es ist einfach SO GEMEIN! Ich meine, diese Hightech-Typen haben doch ihre

Pflicht getan! Sie haben sich an die Regeln gehalten, sie haben ihr Herz und ihre Seele und ihre erste Ehe der Firma geopfert. Sie waren immer da, wenn man sie brauchte, verpaßten keine nächtliche »Denk-Session«, nahmen an jeder Wohltätigkeitsveranstaltung teil, die der Vorstandsvorsitzende und seine Freunde veranstalteten. Und dann, eines Tages … »Bob, hier ist die Adresse eines Arbeitsvermittlers. Wir haben ihn damit beauftragt, Ihnen bei Ihrem Stellenwechsel zu helfen, den wir Ihnen so leicht wie möglich machen wollen. Bitte geben Sie mir Ihre Schlüssel. Dieser Herr mit der Dienstmarke und der Pistole begleitet Sie jetzt in Ihr Büro, damit Sie Ihre persönlichen Sachen holen und das Gebäude binnen zwölf Minuten verlassen können.«

Es gibt keinen Abschwung. Verdienen die Unternehmen weniger als letztes Jahr? Natürlich. Wie könnte es anders sein? Die Konzerne haben in den neunziger Jahren surreale, völlig überzogene Gewinne gemacht, in einem einmaligen Goldrausch, der mit der Realität nichts mehr zu tun hatte. Vergleichen Sie diese Gewinne mit denen eines beliebigen normalen Jahres, und Sie vergleichen Elefanten mit Mäusen. Neulich las ich die Schlagzeile, der Gewinn von General Motors sei im Vergleich zum letzten Jahr um 73 Prozent gesunken. Das hört sich schlimm an – aber im Vorjahr hatte GM eine wahre Gewinnorgie gefeiert. Obwohl die Gewinne des Konzerns um 73 Prozent fielen, verkündete er in der ersten Hälfte des Jahres 2001 immer noch eine Gewinnerwartung von 835 Millionen Dollar.

Brechen überall Dot.coms zusammen? Aber sicher! Schlimme Sache. Aber das passiert bei jeder neuen, revolutionären Erfindung – Unternehmer stürzen sich scharenweise darauf, um ein Vermögen zu machen, und am Ende bleiben nur ein paar mittelmäßige, aber skrupellose übrig. Man nennt das K-A-P-I-T-A-L-I-S-M-U-S. Im Jahr 1919, 20 Jahre nach der Erfindung des Autos, gab es 108 Autohersteller in den Vereinigten Staaten. Zehn Jahre später war ihre Zahl auf 44 geschrumpft. Ende der fünfziger Jahre waren noch 8 übrig, und heute haben wir noch insgesamt 2 ½ US-amerikanische Autohersteller. So funktioniert das in unserem System. Wenn Ihnen das nicht paßt, können Sie ja abhauen, nach … nach … oh … verdammt, wo *kann* man denn heutzutage noch hin?

Ach ja, natürlich, auf die Bermudas!

FOUR

Los, killt die Weißen!

Ich weiß nicht, was es ist, aber jedesmal, wenn ich einen Weißen auf mich zukommen sehe, werde ich ganz schön nervös. Mein Herz schlägt plötzlich wie rasend und ich suche sofort nach einem Fluchtweg und einem Mittel zur Selbstverteidigung. Ich könnte mich selbst ohrfeigen, daß ich mich überhaupt noch nach Einbruch der Dämmerung in diesem Teil der Stadt herumtreibe. Sind mir denn die verdächtigen Gruppen von Weißen nicht schon früher aufgefallen, die an jeder Straßenecke herumlungern, ihren Starbucks-Kaffee trinken und ihre Bandenkleidung von Gap Turquoise oder J. Crew Mauve tragen? Was war ich doch für ein Idiot! Und jetzt kommt der Weiße immer näher – und dann – *uff!* Er geht vorbei, ohne mich zu behelligen, und ich atme ganz tief durch.

Weiße machen mir unheimlich angst. Es wird schwer für Sie sein, das zu verstehen, wenn man bedenkt, daß ich *auch* weiß bin – aber schließlich ermöglicht mir meine Hautfarbe auch einen gewissen Einblick. So finde ich *mich* ziemlich oft ganz schön unheimlich, deshalb weiß ich, wovon ich spreche. Sie können mir ruhig glauben: wenn Sie plötzlich merken, daß Sie von lauter Weißen umgeben sind, passen Sie besser gut auf! *Alles* kann dann passieren!

Als Weiße haben wir die Vorstellung, wir wären in der Gesellschaft anderer Weißer sicherer. Seit unserer Geburt hat man uns gelehrt, daß es die Leute mit der *anderen Hautfarbe* sind, vor denen wir uns in acht nehmen müssen. *Die* sind es, die uns die Kehle durchschneiden wollen!

Schaue ich aber auf mein Leben zurück, zeigt sich da ein seltsames, aber unverkennbares Muster. Definitiv *jede* Person, die mir in meinem Leben jemals weh getan hat – der Boss, der mich gefeuert hat, der Lehrer, der mich durchfallen ließ, der Direktor, der mich bestrafte, der Kerl, der mir einen großen Stein auf den Schädel schlug, der andere Kerl, der mit einer Pistole auf mich schoß, der Geschäftsführer, der den Vertrag für *TV Nation* nicht verlängerte, der Typ, der mich drei Jahre lang ständig verfolgte, der Buchhalter, der meine Steuern gleich doppelt abführte, der Betrunkene, der mein Auto rammte, der Einbrecher, der meine Stereoanlage stahl, die Freundin, die mich sitzen ließ, die nächste Freundin, die noch früher auf und davon ging, der Pilot des Flugzeugs, in dem ich saß, der den Lastwagen auf der Landebahn rammte (er hatte wahrscheinlich seit Tagen nichts mehr gegessen), der andere Pilot, der meinte, er müsse unbedingt durch einen Tornado fliegen, die Person im Büro, die Schecks aus meinem Scheckheft stahl und sie dann mit der Summe von 16 000 Dollar auf sich selber ausstellte – das waren ausschließlich Weiße! Und das soll Zufall sein? Das glaube ich einfach nicht.

Noch nie hat ein Schwarzer mich angegriffen, noch nie hat ein Schwarzer mich aus meiner Wohnung geworfen, niemals hat ein schwarzer Vermieter meine Kaution unterschlagen, außerdem *hatte* ich nie einen schwarzen Vermieter, niemals hatte ich ein Gespräch in einem Hollywood-Studio mit einem schwarzen leitenden Angestellten, noch nie habe ich in der Film- und Fernsehagentur, die mich vertrat, je einen schwarzen Agenten gesehen, nie hat ein Schwarzer meinem Kind den Zugang zum College seiner Wahl verweigert, nie hat ein schwarzer Teenager bei einem Mötley Crüe-Konzert mir ins Genick gekotzt, noch nie hat mich ein schwarzer Polizist angehalten, nie hat mir ein schwarzer Autohändler eine absolute Schrottgurke angedreht, außerdem habe ich noch nie einen schwarzen Autohändler *gesehen*, noch nie hat mir ein Schwarzer einen Bankkredit verweigert, noch nie hat ein Schwarzer versucht, meinen Film in der

Versenkung verschwinden zu lassen und nie habe ich einen Schwarzen sagen hören: »Wir werden hier zehntausend Arbeitsplätze abbauen – einen schönen Tag noch!«

Ich glaube nicht, daß ich der einzige weiße Typ bin, auf den dies alles zutrifft. Jedes gemeine Wort, jede grausame Tat, jeder Schmerz und jedes Leiden in meinem Leben verbindet sich für mich mit einem weißen Gesicht.

Also, warum sollte ich *ausgerechnet* vor Schwarzen Angst haben?

Ich schaue mich in der Welt um, in der ich lebe – und, liebe Leute, ich hasse es zwar, aus der Schule zu plaudern, aber es sind nicht die Afroamerikaner, die aus diesem Planeten einen solch traurigen und gruseligen Ort gemacht haben. Neulich war der Aufmacher der Titelseite des Wissenschaftsteils der *New York Times* die Schlagzeile: »Wer baute die Wasserstoffbombe?« Der folgende Artikel schilderte den Streit, der unter den Männern ausgebrochen war, die für sich das Verdienst in Anspruch nehmen, die erste Bombe gebaut zu haben. Ehrlich, das alles war mir ja so egal – denn ich kannte schon die einzige relevante Antwort: »ES WAR EIN WEISSER!« Kein Schwarzer hat je eine Bombe gebaut oder angewendet, die dazu dienen sollte, unzählige unschuldige Menschen zu töten, ob in Oklahoma City, in der Columbine High School oder in Hiroschima.

Nein, Freunde, es ist *immer* der weiße Typ. Machen wir doch mal ein kleines Frage- und Antwort-Spiel:

- Wer brachte uns die Pest? Ein Weißer.
- Wer erfand DDT, PVC, das Seveso-Gift und einen Haufen anderer Chemikalien, die uns umbringen können? Weiße.
- Wer hat jeden Krieg, den Amerika je führte, angefangen? Weiße.
- Wer ist verantwortlich für die Programmgestaltung des Fernsehsenders FOX? Weiße.
- Wer erfand die Lochkarten-Wahlmaschine in Florida? Ein Weißer.

- Wessen Idee war es, die Welt mit den Abgasen des Verbrennungsmotors zu verschmutzen? Natürlich die eines Weißen.
- Der Holocaust? Dieser Mann brachte die weiße Rasse *wirklich* schwer in Verruf (deswegen nennen wir ihn lieber einen Nazi und seine willigen Vollstrecker Deutsche).
- Der Völkermord an den amerikanischen Indianern? Der weiße Mann.
- Sklaverei? Die Weißen!
- Bisher haben im Jahr 2001 amerikanische Unternehmen über 700 000 Leute entlassen. Wer ordnete diese Entlassungen an? Weiße Firmenchefs.
- Wer schmeißt mich ständig aus meiner Internetverbindung raus? So ein blöder weißer Wichser, und wenn ich den je finde, ist er ein toter Weißer.

Nennen Sie mir das Problem, die Krankheit, das menschliche Leid oder das tiefe Elend, in dem viele Millionen leben müssen, und ich wette mit Ihnen um zehn Dollar, daß ich das weiße Gesicht, das dahintersteckt, schneller finde, als Sie alle Mitglieder der Band N'Sync aufzählen können.

Doch was sehe ich immer wieder, wenn ich abends die Nachrichten einschalte? *Schwarze* Männer, die angeblich töten, vergewaltigen, rauben, mit dem Messer zustechen, plündern, randalieren, mit Drogen dealen, als Zuhälter auffallen, herumkrakeelen, zu viele Babys in die Welt setzen, Babys aus Wohnungsfenstern werfen, vaterlos, mutterlos, gottlos, mittellos. »Der Verdächtige wird beschrieben als männlicher Schwarzer … der Verdächtige wird beschrieben als männlicher Schwarzer … DER VERDÄCHTIGE WIRD BESCHRIEBEN ALS MÄNNLICHER SCHWARZER …« Egal in welcher Stadt ich bin, die Nachricht ist immer dieselbe, der Verdächtige ist immer der noch nicht identifizierte Schwarze männlichen Geschlechts. Heute abend bin ich in Atlanta und ich schwöre, daß die polizeiliche Fahndungszeichnung des schwarzen männlichen Verdächtigen im Fernsehen genauso aussieht wie der schwarze männliche Verdächtige, den ich *gestern* abend in den Nachrichten in Denver und am Abend zuvor in L.A. gesehen habe. Auf jeder Zeichnung runzelt er die Stirn und sieht sehr bedrohlich aus – und er trägt dieselbe Wollmütze! Ist es möglich, daß derselbe schwarze Typ alle Verbrechen in Amerika begeht?

Ich glaube, wir haben uns schon so sehr an das Bild des Schwarzen als eines gefährlichen Raubtiers gewöhnt, daß wir durch diese Gehirnwäsche auf Dauer verblödet wurden. In meinem ersten Film *Roger & Me* schlägt eine weiße Sozialhilfeempfängerin ein süßes Kaninchen tot, damit sie es als »Stück Fleisch« anstatt als Haustier verkaufen kann. Ich wünschte, ich hätte jedesmal einen Fünfer bekommen, wenn in den letzten zehn Jahren jemand bei mir aufkreuzte und mir erzählte, wie »entsetzt« und »schockiert« er war, als er in dem Film mitansehen mußte, wie jenem »süßen armen kleinen Häschen« der Schädel eingeschlagen wurde. Sie sagten, bei der Szene sei ihnen richtig übel geworden. Einige mußten wegschauen oder sogar das Kino verlassen. Viele fragten sich, warum ich ausgerechnet eine solche Szene zeigen mußte. Die amerikanische Filmbehörde MPAA gab *Roger & Me* wegen dieser Schlachtszene erst ab 16 Jahren frei (was das TV-Magazin *60 Minutes* dazu bewog, einen Beitrag über die Idiotie des Filmkontrollsystems zu produzieren). Lehrer schreiben mir, daß sie diese Szene rausschneiden müssen, weil sie sonst Schwierigkeiten bekommen, wenn sie ihren Schülern meinen Film zeigen wollen.

Aber weniger als zwei Minuten nach der »Untat« der Kaninchen-Lady zeige ich in meinem Film die Szene, in der die Polizei der Stadt Flint das Feuer auf einen schwarzen Mann eröffnet, der einen Superman-Umhang trägt und eine Spielzeugpistole aus Plastik in der Hand hält. Der Mann wird erschossen. Nicht ein Mal – *genau, kein einziges Mal* – hat jemand zu mir gesagt: »Ich kann es einfach nicht glauben, daß Sie in Ihrem Film zeigen, wie ein Schwarzer erschossen wird! Wie schrecklich! Wie abscheulich! Ich konnte danach wochenlang nicht schlafen.« Schließlich und endlich war es ja nur ein männlicher Schwarzer und kein süßes, kuscheliges Häschen. Niemand regt sich auf, wenn man zeigt, wie ein Schwarzer vor laufender Kamera erschossen wird. (Am allerwenigsten die Filmkontrollabteilung der MPAA, die an dieser Szene überhaupt nichts auszusetzen hatte.)

Warum? Weil es schon lange niemanden mehr schockiert, wenn ein Schwarzer erschossen wird. Ganz im Gegenteil – es ist *normal*, die natürlichste Sache der Welt. Wir haben uns schon so sehr daran gewöhnt, in Filmen oder den Abendnachrichten zu sehen, wie Schwarze getötet werden, daß wir es jetzt für den allgemein anerkannten Umgang mit diesen Leuten halten. *Nichts Wichtiges, bloß ein toter Schwarzer mehr.* Das ist es doch, was Schwarze tun – töten und sterben. Mhm. Reich mir mal die Butter rüber.

Es ist seltsam, daß wir den Begriff »Verbrechen« mit schwarzen Gesichtern verbinden, obwohl doch die meisten Verbrechen von Weißen begangen werden. Fragen Sie irgendeinen Weißen, wen er fürchtet. Wer könnte in seine Wohnung einbrechen oder ihn auf der Straße angreifen? Er wird, wenn er ehrlich ist, zugeben, daß die Person, die er vor seinem geistigen Auge hat, ihm selbst nicht sehr ähnlich sieht. Der imaginäre Verbrecher in seinem Kopf sieht aus wie Mookie oder Hakim oder Karim, nicht wie der sommersprossige kleine Jimmy.

Warum produziert unser Gehirn diese Angst, obwohl doch alles, was wir sehen, auf das Gegenteil hindeutet? Gibt es eine bestimmte Schaltung im weißen Gehirn, die dafür sorgt, daß es eine Sache sieht, aber das Gegenteil davon glaubt, wenn es um die Rassenfrage geht? Wenn dem so ist, leiden dann alle Weißen an einer kollektiven leichten Geisteskrankheit? Wenn Ihnen Ihr Gehirn jedesmal, wenn die Sonne scheint und es angenehm, hell und klar ist, suggerierte, daß ein schwerer Sturm unmittelbar bevorsteht, nun, dann würden wir Ihnen wohl empfehlen, sich mal von einem Fachmann untersuchen zu lassen. Ist nicht der Fall des Weißen, der an jeder Straßenecke die schwarze Gefahr zu sehen wähnt, damit durchaus vergleichbar?

Es ist wohl Tatsache, daß man eher vor Menschen mit weißer Hautfarbe Angst haben muß, aber ganz gleich wie oft dies von den anderen Weißen bewiesen wird, es wird einfach nicht zur Kenntnis genommen. Jedesmal, wenn in den Fernsehnachrichten über eine weitere Schießerei an einer Schule berichtet wird, ist es ein weißer Junge, der das Massaker angerichtet hat. Jedesmal, wenn sie einen Massenmörder fangen, ist es ein verrückter Weißer. Jedesmal, wenn ein Terrorist ein Gebäude der Bundesbehörden in die Luft jagt, oder ein Geisteskranker vierhundert Leute dazu bringt, Frostschutzmittel zu trinken, oder ein übergeschnappter Sektierer ein halbes Dutzend hübsche junge Mädchen dazu verleitet, »alle Schweine« in den Hollywood Hills abschlachten zu wollen, weiß man, daß wieder einmal ein Mitglied der weißen Rasse sein ganzes Potential ausgeschöpft hat.

Warum also rennen wir nicht schnellstens weg, wenn wir einen Weißen auf uns zukommen sehen? Warum begrüßen wir den weißen Stellenbewerber nie mit den Worten: »Tja, tut mir leid, aber gerade ist bei uns keine einzige Stelle frei.« Warum werden wir nicht krank vor Sorge, wenn unsere Töchter weiße Jungs heiraten?

Und warum versucht der Kongreß nicht die grauenerregenden und obszönen Liedtexte von Johnny Cash (»Ich habe einen Mann in Reno erschossen/nur um ihn sterben zu sehen«), den Dixie Chicks (»Earl mußte sterben«) oder Bruce Springsteen (» … Ich tötete alles, was meinen Weg kreuzte/ich kann nicht sagen, daß mir das, was wir getan haben, leid tut«) zu verbieten. Warum richtet sich die ganze Aufmerksamkeit nur auf die Texte der Rap-Musik? Warum bringen die Medien nicht mal die Wahrheit und drucken Rap-Texte wie diese?

Ich verkaufte Flaschen voller Kummer,
dann entschied ich mich für Gedichte und Romane.

– WU-TANG-CLAN

Leute, benutzt lieber euern Verstand.

– ICE CUBE

Eine arme alleinerziehende Mutter mit Sozialhilfe …
sag mir mal, wie du das überhaupt geschafft hast.
– TUPAC SHAKUR

Ich versuche, mein Leben zu ändern,
denn ich will nicht als Sünder sterben.
– MASTER P

Afro-Amerikaner sitzen auf der untersten Sprosse der ökonomischen Leiter fest, seit dem Tag, an dem man sie in Ketten hierhergepeitscht und -geschleppt hat – und sie sind *niemals* über diese erste Sprosse hinausgekommen, keinen einzigen Tag. Alle anderen Einwanderergruppen, die hier gelandet sind, haben es geschafft, von ganz unten in die mittleren und oberen Schichten unserer Gesellschaft aufzusteigen. Selbst bei den Indianern, die zu den Ärmsten der Armen gehören, leben weniger Kinder unterhalb der Armutsgrenze als bei den Afro-Amerikanern.

Sie denken wahrscheinlich, daß sich die Lage der Schwarzen in unserem Land im allgemeinen doch verbessert hätte. Wenn man an all die Bemühungen und Programme denkt, die den Rassismus in unserer Gesellschaft beseitigen sollten, müßte man eigentlich annehmen, daß der Lebensstandard unserer schwarzen Mitbürger gestiegen sei. Im Juli 2001 machte die *Washington Post* eine Umfrage, die zeigte, daß 40 bis 60 Prozent aller Weißen meinen, es gehe dem durchschnittlichen Schwarzen so gut wie oder sogar besser als dem durchschnittlichen Weißen.

Darüber sollte man noch einmal nachdenken. Nach einer Studie der Wirtschaftswissenschaftler Richard Vedder, Lowell Gallaway und David C. Clingaman ist das Durchschnittseinkommen der schwarzen Amerikaner 61 Prozent niedriger als das der weißen Amerikaner. *Das ist derselbe prozentuale Unterschied wie im Jahre 1880!* Nichts, aber auch gar nichts hat sich in über 120 Jahren verändert.

Sie wollen noch mehr Beweise? Denken Sie mal über folgende Tatsachen nach:

- Ungefähr 20 Prozent der jungen männlichen Schwarzen im Alter zwischen sechzehn und vierundzwanzig gehen weder zur Schule noch haben sie Arbeit – bei den jungen weißen Männern sind es nur 9 Prozent.
- 1993 investierten weiße Haushalte fast dreimal soviel in Aktien, Fondsanteile und/oder staatliche Anleihen und Pfandbriefe wie schwarze Haushalte. Schwarze Herzanfall-Patienten erhalten sehr viel seltener als Weiße eine Katheterbehandlung, eine gebräuchliche und potentiell lebenserhaltende Methode, wobei die Hautfarbe ihrer Ärzte dabei keine Rolle spielt. Weiße und schwarze Ärzte zusammen überwiesen ungefähr 40 Prozent mehr weiße Patienten zur Katheterbehandlung als schwarze Patienten.
- Weiße haben eine fünfmal höhere Chance, bei einem Schlaganfall eine gerinnselauflösende Notfallbehandlung zu bekommen, als Schwarze.
- Schwarze Frauen haben ein viermal höheres Risiko, im Kindbett zu sterben, als weiße Frauen.
- Von 1954 bis heute war die schwarze Arbeitslosenrate stets annähernd doppelt so hoch wie die der Weißen.

Macht all das irgend jemanden wütend außer mir und Reverend Farrakhan, den Anführer der Black Muslims? Warum behandelt man die Schwarzen so, wenn sie doch an den Mängeln unserer Gesellschaft so wenig Schuld tragen? Warum bestraft man ausgerechnet sie? Wenn ich das nur wüßte.

Aber wie haben wir Weißen das geschafft, ohne alle wie Reginald Denny zu enden?*

Durch weiße Cleverness! Wissen Sie, früher waren wir ganz schön dämlich. Wie richtige Idioten stellten wir unseren Rassismus offen zur Schau. Was wir machten, war wirklich nicht zu übersehen. So brachten wir zum Beispiel Schilder an Toiletten-

* Der weiße Lastwagenfahrer, der bei den Rassenunruhen von 1992 in L.A. von Schwarzen aus seinem Führerhaus gezogen und fast totgeschlagen wurde.

türen an, auf denen stand NUR FÜR WEISSE. Über einen Trinkwassersiphon hängten wir dann ein Schild mit der Aufschrift FÜR FARBIGE. Früher mußten Schwarze ganz hinten im Bus sitzen. Wir verhinderten, daß sie in unsere Schulen gingen oder in unserer Nachbarschaft lebten. Sie kriegten nur die miesesten Jobs (in der Anzeige stand dann: NUR FÜR NEGER), und wir machten jedem klar, daß er, wenn er nicht weiß ist, weniger verdient.

Zugegeben, diese offene, übertriebene Rassentrennung brachte uns in allergrößte Schwierigkeiten. Ein Haufen hochnäsiger Anwälte ging vor Gericht – und zitierte ausgerechnet aus unserer eigenen Verfassung! Diese Schelme wiesen darauf hin, daß es der Vierzehnte Verfassungszusatz verbietet, *irgend jemanden* wegen seiner Rasse zu benachteiligen.

Am Ende, nach einer langen Reihe von verlorenen Prozessen, Demonstrationen und Tumulten haben wir es dann endlich begriffen: wir mußten es viel cleverer anstellen, wenn wir nichts von unserem Kuchen abgeben wollten. Wir lernten eine wichtige Lektion: ein erfolgreicher Rassist trägt stets ein breites Lächeln zur Schau!

AUSSCHNEIDEN UND AUFBEWAHREN

Ausschnitt aus dem 14. Verfassungszusatz

Absatz 1: Alle Personen, die in den Vereinigten Staaten geboren oder dort eingebürgert wurden und ihrer Rechtsprechung unterworfen sind, sind Bürger der Vereinigten Staaten und des Staates, in dem sie ihren Hauptwohnsitz haben. Kein Bundesstaat darf ein Gesetz erlassen oder durchführen, das die Privilegien oder Immunitäten von Bürgern der Vereinigten Staaten einschränkt; auch darf kein Staat einer Person ihr Leben, ihre Freiheit oder ihren Besitz nehmen, ohne den ordentlichen Rechtsweg einzuhalten; auch darf er keiner Person innerhalb seiner Jurisdiktion den gleichen gesetzlichen Schutz verweigern.

Und so lernten die Weißen dazu und hängten die Schilder ab, hörten auf, schwarze Männer nur deshalb zu lynchen, weil sie auf der Straße ein paar Worte mit weißen Frauen gewechselt hatten, verabschiedeten eine ganze Reihe von Bürgerrechtsgesetzen und hörten auf, Wörter wie *Nigger* in der Öffentlichkeit zu gebrauchen. Wir wurden sogar so großmütig, ihnen zu sagen: *Klar, ihr könnt hier in unserer Nachbarschaft wohnen; eure Kinder können auch die Schulen unserer Kinder besuchen. Warum auch nicht, zum Teufel? Wir wollten sowieso gerade wegziehen.* Wir lächelten, klopften dem schwarzen Amerika auf die Schulter – und zogen so geschwinde wie der Teufel in die Vororte. Dort haben wir nun exakt dieselben Verhältnisse, wie wir sie früher in den Innenstädten gewohnt waren. Wenn wir morgens vor die Tür gehen, um die Zeitung reinzuholen, schauen wir in der einen Richtung die Straße runter und sehen Weiße; schauen wir in die andere Richtung, dann raten Sie mal, was wir sehen – Richtig! Noch mehr Weiße!

Bei der Arbeit kriegen wir Weiße immer noch die guten Jobs, das doppelte Gehalt und einen schönen Vordersitz in dem Bus, der in Richtung Glück und Erfolg fährt. Jetzt schauen Sie aber mal den Gang entlang nach hinten, und Sie werden die Schwarzen auf ihren gewohnten Plätzen sitzen sehen, wo sie hinter uns aufräumen, uns bedienen und hinter dem Schalter unsere Wünsche entgegennehmen dürfen.

Um diese fortgesetzte Diskriminierung zu tarnen, halten wir an unseren Arbeitsplätzen Seminare über »kulturelle Unterschiede« ab und ernennen Beauftragte für »innerstädtische Beziehungen«, die uns helfen sollen, »Kontakte mit der Allgemeinheit der städtischen Bevölkerung« aufzunehmen. In unseren Stellenanzeigen kann man lesen, daß wir ein Unternehmen sind, »das gleiche Chancen für alle bietet«. Man fühlt sich glänzend dabei – und wir können dabei auch eine klitzekleine, klammheimliche Freude nicht unterdrücken, denn wir wissen genau, daß ein Schwarzer diesen Job nie im Leben kriegen wird. Nur vier Prozent der afro-amerikanischen Bevölkerung haben einen

College-Abschluß (bei den Weißen sind es neun, bei asiatischstämmigen Amerikanern sogar fünfzehn Prozent). Wir haben ein System geschaffen, das es von Geburt an garantiert, daß Schwarze in die schlechtesten öffentlichen Schulen gehen und somit keine Chancen haben, von den besten Colleges aufgenommen zu werden. So steht ihnen der Weg weit offen zu einem erfüllten Leben, in dem sie unseren Caffè latte zubereiten, unseren BMW waschen oder unseren Abfall einsammeln dürfen. Klar, ein paar schlüpfen doch durch – aber die müssen für dieses Privileg einen Extrapreis zahlen: der schwarze Arzt, der einen BMW fährt, wird von der Polizei dauernd kontrolliert, die schwarze Broadway-Schauspielerin wird erst mit stehenden Ovationen gefeiert und kriegt danach kein Taxi; der schwarze Börsenmakler ist der erste, der wegen seines »Dienstalters« entlassen wird.

Für diese geniale Methode sollten wir Weiße eigentlich einen Preis bekommen. Wir reden ständig über Integration, wir feiern den Geburtstag von Dr. Martin Luther King, und wir mißbilligen rassistische Witze; seit im Prozeß gegen O. J. Simpson der rassistische Polizeibastard Mark Fuhrman das Wort »Nigger« benutzte, haben wir zur Umschreibung sogar einen neuen Begriff geprägt – »das N-Wort«. Glauben Sie mir, Sie werden NIEMALS einen von uns dabei erwischen, wie er dieses Wort laut ausspricht – nicht heutzutage, da können Sie Gift drauf nehmen! Es ist nur dann erlaubt, wenn wir einen schwarzen Rap-Song laut mitsingen – erstaunlich, wie dieser Rap uns plötzlich gefällt!

Nie vergessen wir, Bemerkungen fallen zu lassen wie »mein Freund – er ist schwarz …«. Wir geben Geld an den »Vereinigten College-Fond für Neger«, respektieren den »Monat für schwarze Geschichte« und richten es so ein, daß der einzige schwarze Angestellte, den wir haben, am vorderen Tisch des Empfangs sitzt, damit wir Sätze sagen können wie: »Da sehen Sie selbst – wir diskriminieren niemanden! Wir *beschäftigen* sogar Schwarze.«

Ja, wir sind eine sehr schlaue, gerissene Rasse – und es wäre ja noch schöner, wenn wir damit nicht durchkommen würden!

Auch sind wir sehr geschickt darin, von der schwarzen Kultur zu lernen – und abzukupfern. Wir nehmen sie auf, jagen sie durch einen weißen Mixer, und schon gehört sie ganz uns. Benny Goodman hat es so gemacht, genauso wie Elvis und Lenny Bruce. Motown kreierte einen völlig neuen Sound und wurde dann dazu verführt, nach L.A. umzuziehen, wo das Label verschwand und den Großen Weißen Popstars Platz machen mußte. Eminem gibt zu, daß er Dr. Dre, Tupac und Public Enemy viel zu verdanken hat. Die Backstreet Boys und 'N Sync stehen künstlerisch tief in der Schuld von Smokey Robinson und den Miracles, den Temptations und den Jackson Five.

Schwarze erfinden es, und wir eignen es uns an. Comedy, Tanz, Mode, Sprache – wir lieben die Art, wie Schwarze sich ausdrücken, ob es nun darum geht, der Freundin »props«, d.h. Komplimente, für ein schmackhaftes Essen zu machen, oder mit den »peeps«, den Kumpels, rumzuhängen, oder auch alles zu tun, um »to Be Like Mike«, also absolut »cool« zu sein. Natürlich ist das entscheidende Wort »like«, man soll »*wie* Mike« sein, denn egal wie viele Millionen er verdient, tatsächlich Mike zu *sein* hieße, unzählige Male von der Polizei auf dem New Jersey Turnpike kontrolliert zu werden.

In den letzten drei Jahrzehnten dominierten Afro-Amerikaner den amerikanischen Profisport, mit Ausnahme des Eishockeys. Wir waren so großzügig, die ganze harte Arbeit, das ganze Training, die ganzen Strapazen den jungen schwarzen Männern zu überlassen, denn machen wir uns nichts vor, es macht viel mehr Spaß, in einem bequemen Fernsehsessel zu sitzen, Chips zu knabbern und ihnen dabei zuzusehen, wie sie dem Ball hinterherjagen. Und wenn wir ein wenig Bewegung brauchen, können wir immer noch ein bißchen Schweiß vergießen, indem wir eine Diskussionssendung bei einem Sportradio anrufen und dort herumjammern, wie »überbezahlt« diese Athleten seien. Denn mit anzusehen, daß Schwarze plötzlich so viel Geld haben, bereitet uns irgendwie ein gewisses – Unbehagen.

Aber wo findet man heutzutage den großen Rest der schwarzen Menschen, jene, die weder Basketball spielen noch uns als

Kellner bedienen? Da ich im Film- und Fernsehgeschäft tätig bin, sehe ich ganz selten welche. Wenn ich New York verlasse und ein paar Tage nach Los Angeles reise, um dort zu arbeiten oder Leute aus meiner Branche zu treffen, ist es oft so, daß ich tagelang keinen einzigen Afroamerikaner zu Gesicht bekomme, abgesehen von den Personen, denen ich Trinkgeld gebe. Das gilt für das Flugzeug, mit dem ich gereist bin, für das Hotel, in dem ich absteige. Das gilt auch für meinen Besuch bei meiner alten Künstleragentur und die Treffen mit leitenden Filmleuten, für die Drinks mit einem Produzenten in Santa Monica und für das Abendessen mit Freunden in West Hollywood. Wie ist so etwas überhaupt möglich? Als Zeitvertreib spiele ich jetzt ein Spiel mit mir selber und versuche die Zeit zu stoppen, wie lange es dauert, bis ich einem schwarzen Mann oder einer schwarzen Frau begegne, die keine Uniform tragen oder am Empfang sitzen (in L.A. ist der Neger-an-den-Empfang-Trick auch recht beliebt). Bei meinen letzten drei Reisen nach Los Angeles mußte ich die Stoppuhr überhaupt nicht anhalten: kein einziger Schwarzer ist mir begegnet. Daß ich bei einem tagelangen Aufenthalt in der zweitgrößten Stadt Amerikas nur Weiße, Asiaten und Hispanics und keinen einzigen Schwarzen gesehen habe – DAS ist nun wirklich eine unglaubliche Tatsache, ein überwältigendes Zeugnis für unsere feste Bindung an eine Gesellschaft mit Rassentrennung. Man muß sich einmal vorstellen, wieviel Energie aufgewendet werden muß, damit mich kein Schwarzer behelligen kann. Wie haben es die Weißen bloß geschafft, eine Million schwarzer Bürger von Los Angeles County vor meinen Blicken zu verbergen? Das zeugt von reiner, unverfälschter Genialität!

Ich weiß, es ist leicht, auf L.A. herumzuhacken. Denn man kann die Erfahrung, keine Schwarzen zu sehen oder zu hören, überall in Amerika machen. Und das nicht nur in der Welt von Film und Fernsehen. So würde es mich überraschen, wenn irgendwelche schwarzen Hände das Manuskript dieses Buches berührt hätten, seit es mein Büro verlassen hat (mit Ausnahme des Boten, der es quer durch die Stadt zum Verlag beförderte).

Einmal wenigstens möchte ich bei einem Spiel der New York Knicks einen Schwarzen auf einem Sitzplatz neben mir sehen – oder in einem Umkreis von zwanzig Reihen um mich herum in jeder Richtung (Spieler und Spike Lee ausgenommen). Einmal nur möchte ich in ein Flugzeug einsteigen und feststellen, daß nur Schwarze darin sitzen statt dieser nörgelnden weißen Trottel, die es offensichtlich für ihr gutes Recht halten, daß ich meinen Platz räume, damit sie sich darauf breit machen können.

Verstehen Sie mich nicht falsch. Ich bin kein Weißer voller Selbsthaß. Es ist nicht die weiße Hautfarbe der anderen, die bei mir Gänsehaut erzeugt. Was mich wirklich ärgert ist, daß es meine weißen Mitbrüder geschafft haben, einen Weg zu finden, wie man Schwarze zu Weißen macht! Als ich zum erstenmal den schwarzen Bundesrichter Clarence Thomas sprechen hörte, dachte ich bei mir: »Verdammt noch mal, gibt es denn nicht schon genug Weiße?« Alle Fernsehkanäle sind heutzutage voller Schwarzer, die damit beschäftigt sind, die weiße Sache zu befördern. Es verblüfft mich, wo die Sender solche Leute immer wieder hernehmen. Sie wenden sich gegen ein Quotensystem zugunsten von Minderheiten, obwohl viele von ihnen gerade *dank* eines solchen Programms überhaupt erst aufs College gehen konnten. Sie attakkieren in ihren Sendungen scharf Mütter, die von Sozialhilfe leben, obwohl genau das auf ihre eigene Mutter zutraf, die sich jahrelang in tiefer Armut abstrampeln mußte, um einen Sohn großzuziehen, damit der sie und ihre Leidensgenossinen jetzt öffentlich erniedrigen kann. Sie sprechen sich gegen Homosexuelle aus, obwohl die Aids-Sterberate der *schwarzen* Schwulen weit höher liegt als die jeder anderen Gruppe der Bevölkerung. Sie verachten Jesse Jackson, obwohl der viele Jahre lang immer wieder verhaftet wurde und sein Leben riskierte, damit sie jetzt die Freiheit genießen, sich in jedem Restaurant ein Essen bestellen zu dürfen, vom Recht, überall ihre Meinung frei äußern zu dürfen, ganz zu schweigen. Ich sage ja gar nicht, daß das schwarze Amerika nur mit einer politischen Stimme reden sollte; mich stoßen nur die Gehässigkeiten ab, die einige dieser »Konservativen« absondern.

Es tut weh, diesen armseligen Haufen moderner Onkel Toms ansehen zu müssen. Wieviel zahlt man wohl diesen traurigen Figuren? Ich hätte mal gerne gewußt, ob die weißen Fernsehleute Bill O'Reilly oder Chris Matthews oder Tucker Carlson, wenn das rote Licht an der Kamera mal aus ist, diesen gekauften Typen jemals sagen: »He, mein Nachbarhaus steht zum Verkauf – du könntest da einziehen!« oder »He, meine Schwester ist gerade solo, und du doch auch – wie wär's?« Ich weiß es nicht, vielleicht tun sie's ja. Vielleicht lädt mich der reaktionäre Rassist O'Reilly diesen Dezember zu sich ein, um mit mir Kwanzaa, das schwarze Weihnachten, zu feiern.

Ich frage mich, wie lang wir noch mit diesem Erbe der Sklaverei leben müssen. Ganz recht! Jetzt sind wir beim Thema. SKLAVEREI. Man kann schon fast das Aufstöhnen des weißen Amerikas hören, wenn man die Tatsache ausspricht, daß wir immer noch an den Nachwirkungen eines von der Regierung anerkannten und unterstützten Sklavensystems leiden.

So leid es mir tut, aber es ist nun einmal so, daß die Wurzeln der meisten sozialen Mißstände direkt auf dieses dunkle Kapitel unserer Geschichte zurückgehen. *Niemals* hatten Afro-Amerikaner die gleichen fairen Startchancen wie der Rest der Amerikaner. Ihre Familien wurden absichtlich zerstört. Sie wurden ihrer Sprache, ihrer Religion und Kultur beraubt. Ihre Armut wurde institutionalisiert, damit wir jemand hatten, der unsere Baumwolle pflückte und unsere Kriege focht, und damit unsere Supermärkte die ganze Nacht geöffnet bleiben konnten. Das Amerika, wie wir es kennen, hätte es so nie gegeben, wenn diese Millionen Sklaven nicht gewesen wären, die es erbauten und seine boomende Wirtschaft schufen – und wenn es nicht ihre Millionen von Nachkommen gäbe, die heute noch immer für die Weißen die Dreckarbeit erledigen.

»Mike, was soll das Gerede über die Sklaverei? Kein heute lebender Schwarzer war jemals ein Sklave. *Ich* habe jedenfalls keinen versklavt. Warum hörst du nicht endlich auf, all das auf eine längst vergangene Ungerechtigkeit zu schieben? Warum verlangst du nicht, daß die Schwarzen die Verantwortung für ihre eigenen Taten übernehmen?«

Na ja, es ist ja nicht so, als ob wir hier über das Rom der Antike reden, Leute. Mein Großvater wurde gerade mal *drei Jahre* nach dem Bürgerkrieg geboren.

Ganz recht, mein *Großvater*. Mein Großonkel wurde sogar noch *vor* dem Bürgerkrieg geboren. Und ich bin erst in meinen Vierzigern. Sicher, die Leute in meiner Familie scheinen spät zu heiraten und kriegen ihre Babys noch später, aber es bleibt doch wahr: Ich bin nur zwei Generationen von der Zeit der Sklaverei entfernt. Das, meine Freunde, ist nun wirklich NICHT »vor langer, langer Zeit«. Nimmt man die Gesamtheit der menschlichen Geschichte als Maßstab, war es sogar gestern. Erst wenn wir das einsehen und anerkennen, daß es in *unserer* Verantwortung liegt, das unmoralische System der Sklaverei, dessen Auswirkungen wir bis heute spüren, zu korrigieren, werden wir den schlimmsten Schandfleck auf der Seele unseres Landes beseitigen können.

Am zweiten Tag der Rassenunruhen in Los Angeles, als 1992 Chaos und Gewalt auf die weißen Nachbarviertel bei Beverly Hills und Hollywood übergriffen, trat bei der weißen Bevölkerung das Überlebens- und Notstandsprogramm in Kraft. Tausende, die an den Hängen oberhalb von Los Angeles leben, flohen. Aber Tausende blieben auch und holten ihre Gewehre aus den Schränken. Es schien, als ob das Rassen-Armageddon, das viele befürchtet hatten, unmittelbar bevorstünde.

Zu der Zeit arbeitetete ich gerade in einem Warner Brothers-Büro im Rockefeller Center in New York. Das Wort machte die Runde, daß jeder das Gebäude bis 13 Uhr verlassen haben müsse, um heimzugehen. Man fürchtete, daß die Schwarzen in New York vom »Rassenaufstands-Fieber« gepackt werden und danach total ausrasten könnten. Ich ging um 13 Uhr auf die Straße runter, und was ich da sah, glaube (und hoffe) ich, nie wieder sehen zu müssen: Zehntausende Weiße rannten die Bürgersteige runter, um den nächsten Vorortzug oder Bus stadtauswärts zu erwischen. Es war wie eine Szene aus dem Roman *Der Tag der Heuschrecke*, die Straßen waren voller Menschen in kollektiver Panik, die sich aus Angst um ihr Leben in einer einzigen großen Masse vorwärts wälzten.

Innerhalb einer halben Stunde waren alle Straßen verlassen. Leer. Es war unheimlich, gruselig. New York City, mitten am Tag, mitten in der Woche – und es sah aus wie am Sonntagmorgen um fünf Uhr.

Ich ging zu Fuß heim in mein Viertel. Da mein Kugelschreiber leer war, schaute ich mal in den Schreibwarenladen rein, der gegenüber meiner Wohnung liegt. Es war einer der wenigen Läden, die überhaupt noch aufhatten (die meisten waren geschlossen und hatten ihre Schaufenster verrammelt). Ich nahm ein paar Kulis und Papier und ging damit vor zur Ladenkasse, um zu bezahlen. Dort stand der schon etwas ältere Inhaber und hatte doch tatsächlich vor sich auf dem Tresen einen Baseballschläger liegen. Ich fragte ihn, wozu er den brauche.

»Nur so, für alle Fälle«, war seine Antwort, und er warf einen schnellen Blick raus auf die Straße, um zu sehen, was da gerade vorging.

»Für welchen Fall genau?« fragte ich ihn.

»Na ja, wenn *die* hier auch mit ihrem Aufstand anfangen.«

Er meinte nicht, daß die Aufständischen von L.A. sich in ein Flugzeug setzen und hier in Manhattan mit ihren mitgebrachten Molotow-Cocktails um sich werfen würden. An was er dachte – so wie jeder, der unbedingt den letzten Zug in die weißen Vororte noch kriegen wollte – war die Tatsache, daß wir unser Rassenproblem niemals richtig gelöst haben, und daß deshalb das schwarze Amerika eine ganze Menge angestauten Groll hegt über die erschreckende Ungleichheit zwischen dem Leben der Weißen und der Schwarzen in diesem Lande. Dieser Schläger auf dem Tresen sprach Bände über die eine unausgesprochene Urangst aller Weißen: früher oder später machen die Schwarzen einen Aufstand und rächen sich. Wir sitzen alle auf dem Pulverfaß des Rassismus und wir wissen auch, daß es besser ist, wenn wir uns darauf gefaßt machen, daß die Opfer unserer Habgier uns eines Tages die Rechnungen präsentieren werden.

Aber hallo, wollen wir *darauf* wirklich warten? Wollen Sie wirklich, daß es *so weit* kommt? Wollen Sie nicht lieber das Problem lösen, als um Ihr Leben rennen zu müssen, während hinter Ihnen Ihr Haus abbrennt? Also *ich* würde ersteres vorziehen!

Deshalb habe ich auch einige leicht zu befolgende Überlebenstips zusammengestellt, die Ihnen vielleicht helfen, Ihren weißen Arsch zu retten. Früher oder später – Sie wissen es und ich weiß es – werden Millionen von Rodney Kings an Ihre Tür klopfen, und diesmal werden es nicht die Schwarzen sein, die die Prügel einstecken müssen. (Rodney King wurde von Polizisten in Los Angeles brutal verprügelt; danach brachen die Rassenunruhen von 1992 aus.)

Wenn wir nicht endlich anfangen, entschlossene Maßnahmen zur Lösung unseres Rassenproblems zu ergreifen, werden wir alle in abgeschirmte Wohnsiedlungen ziehen müssen, die von privaten Wachmannschaften mit halbautomatischen Waffen geschützt werden. Würde Ihnen das wirklich Spaß machen?

Überlebenstips für das weiße Amerika

1. Beschäftigen Sie nur Schwarze

Ich höre auf damit, Weiße einzustellen. Ich habe natürlich nichts gegen sie persönlich. Sie sind verläßlich und arbeiten hart. Die Leute, die ich für meine Filme oder Fernsehsendungen eingestellt habe, waren alle ganz prima.

Aber sie sind *weiß*.

Denn wie kann ich so etwas schreiben wie in diesem Kapitel, wenn ich bisher wenig oder nichts getan habe, das Problem in meinem eigenen Hinterhof anzugehen? Sicher, ich könnte hundert Ausflüchte vorbringen, warum es so schwierig ist, in meiner Sparte geeignete Afro-Amerikaner zu finden – und alle würden stimmen. Na und? Es ist also schwierig? Enthebt mich das meiner Verantwortung? Ich sollte vor meinem eigenen Büro Streikposten aufstellen!

Die Weißen, denen ich einen Job gab – für viele war es der erste Job in dieser Branche überhaupt –, bekamen dadurch die Chance für den Berufseinstieg. Viele machten später erfolgreich Karriere in bekannten Fernsehserien oder in wichtigen Talkshows, wie z. B. der von David Letterman. Ein Dutzend andere frühere Mitarbeiter von mir arbeiten jetzt als freie Filmemacher. Drei gingen zu einem Spartenkanal für Comedy, während einige unserer Cutter beim Pay-TV HBO unterkamen. Einer machte auch den Schnitt für viele Filme des chinesisch-amerikanischen Regisseurs Ang Lee.

Ich freue mich für sie alle, aber es geht mir doch eine Frage immer wieder im Kopf herum: Was wäre gewesen, wenn ich die ganzen Jahre dasselbe für hundert *schwarze* Autoren, Cutter, Regieassistenten und Filmemacher getan hätte? Wo wären *sie* heute? Ich bin ziemlich sicher, daß Hunderte von Filmen und Fernsehshows durch ihr Talent bereichert worden wären und daß man ihre Stimmen gehört hätte. Und wir alle hätten davon was gehabt.

Außerdem, je mehr ich darüber nachdenke: Weiße Angestellte können auch ganz schön nerven. Im Moment läßt der weiße Typ im Büro neben mir eine Eagles-CD laufen. Diesen Typen muß ich feuern. Oft sind sie auch eine ganz schön faule Bande – vor allem die, die mit einem Haufen Geld aufgewachsen und auf die besseren Schulen gegangen sind. Diese Kerle haben das unmöglichste Zeug auf unsere Teppiche geschüttet, man sieht die riesigen, häßlichen Flecken bis heute, und sie haben auch alle unsere Möbel zerkratzt. Ihr genetisch codiertes Gefühl, zu den Privilegierten zu gehören, flüstert in ihren Köpfen: »Jemand anders (jemand Schwarzes?) wird hinter dir herräumen.« Eine andere Angestellte kam gerade herein und teilte mir mit, daß sie am Freitag Urlaub haben möchte, »um in die Berge zu fahren«. Sicher – und warum nicht den Rest des Lebens freinehmen, wenn wir schon dabei sind?

Dann müssen eben alle gehen. Ab sofort arbeitet Whitey hier nicht mehr.

Ich nehme an, daß irgendeine Regierungsbehörde mir deswegen einen Besuch abstatten wird, weil es mir gesetzlich verboten ist, den Mitgliedern einer ganzen Rasse die Beschäftigung zu verweigern. Aber das ist mir egal. Kommt nur her! Und schickt mir lieber keinen von diesen weißen Typen, sonst muß er mir Hamburger holen und mein Klo schrubben.

Also, wenn ihr Afro-Amerikaner seid und in der Medienbranche arbeiten wollt – oder, wenn ihr schon in der Branche seid und von diesem verdammten Empfangstisch wegkommen wollt –, schreibt mir mal ein paar Zeilen und schickt mir euren Lebenslauf. Unsere vereinsamte weiße Empfangsdame wird sich freuen, eure Fragen zu beantworten.

2. Wenn Sie Unternehmer sind, zahlen Sie Ihren Leuten ein Gehalt, von dem sie leben können, sorgen Sie für eine Kindertagesbetreuung und achten Sie darauf, daß alle Angestellten krankenversichert sind

Diesen Überlebenstip sollten vor allem jene beachten, die sich als Konservative verstehen und fest an die Werte des Kapitalismus glauben. Wenn ein Konservativer zu sein heißt, die Nummer Eins werden zu wollen, habe ich eine radikale, aber ganz einfache Idee, die Ihnen höhere Profite und eine engagiertere Belegschaft bescheren wird und obendrein Ärger mit der Gewerkschaft verhindert.

Unsere schwarzen Mitbürger sind auf unverhältnismäßige Weise auch unsere ärmsten Mitbürger. Aber wenn sie nicht die niedrigsten Arbeiten verrichten würden, würde das die ganze weiße Gesellschaft lahmlegen. Wollen Sie, daß sie noch härter arbeiten? Wollen Sie, daß sie Ihnen helfen, noch mehr Geld zu verdienen?

Dann müssen Sie folgendes tun:

Bezahlen Sie Ihre Angestellten so gut, daß es ihnen möglich ist, ein Haus zu kaufen, sich verläßliche Transportmittel zu leisten, in den Urlaub zu fahren und ihre Kinder aufs College zu schicken.

Wie führen höhere Löhne zu höheren Profiten für *Sie?*

Das läuft folgendermaßen: Je mehr Sie Ihren Arbeitern zahlen, desto mehr geben die aus. Denken Sie dran, sie sind nicht nur Ihre Arbeiter – sie sind auch Ihre Konsumenten. Wenn die Beschäftigten nämlich ihre Gehaltserhöhung ausgeben, um Ihre Waren zu kaufen, dann steigen auch Ihre Profite. Außerdem können sich Arbeitnehmer, die so viel verdienen, daß sie nicht ständig Angst haben müssen, Pleite zu gehen, besser auf ihre Arbeit konzentrieren. Sie sind dann viel produktiver. Mit weniger persönlichen Problemen und weniger Stress verlieren sie bei der Arbeit weniger Zeit, was mehr Profit für *Sie* bedeutet. Zahlen Sie ihnen genug, daß sie sich ein neueres Auto (also eines, das funktioniert) leisten können, und sie werden kaum noch zu spät zur Arbeit kommen. Und die Gewißheit, ihren Kindern ein besseres Leben bieten zu können, gibt ihnen nicht nur eine positivere Einstellung, es gibt ihnen neue Hoffnung und hebt die Motivation, für ihren Betrieb gute Arbeit zu leisten, denn je besser es dem Betrieb geht, desto besser wird es ihnen gehen.

Wenn Sie es natürlich so machen wie die meisten Firmen heutzutage – Sie kündigen Massenentlassungen an, kurz nachdem Sie Rekordgewinne bekanntgegeben haben –, dann zerstören Sie Vertrauen und Zuversicht der verbliebenen Belegschaft, und Ihre Angestellten werden voller Furcht zur Arbeit gehen. Die Produktivität wird sinken, und dadurch sinkt auch der Profit. Ihre Position im Markt wird schwächer. Fragen Sie nur die Leute von Firestone: Ford behauptet, diese Reifenfirma habe ihre bewährten, aber gewerkschaftlich organisierten Arbeiter entlassen und an deren Stelle ungelernte Streikbrecher eingestellt, die prompt Tausende von platzenden Reifen produzierten – und 203 tote Kunden später ging die ganze Firma den Bach runter.

Richten Sie in Ihrer Firma einen Kinderhort für Angestellte mit Kindern zwischen zwei und fünf ein.

Ich höre schon Ihre erste Reaktion: »Auf keinen Fall will ich, daß eine Bande von kleinen Gören hier rumrennt – DIES IST EINE FIRMA!« Ich kann Sie ja verstehen. Die lieben Kleinen können einem ganz schön auf den Geist gehen, speziell, wenn Sie gerade das große Geschäft mit der Deutschen Bank abschließen wollen und LaToya plötzlich auf Sie zuschießt und den kleinen Kaschim dabei wie ein Plüschtier an den Haaren hinter sich herzieht.

Aber denken Sie daran: Wenn Ihre Angestellten mit dem Kopf nicht ganz bei der Arbeit sind, weil sie sich um ihre Kinder sorgen, sinkt ihre Produktivität ganz gewaltig. Für Eltern werden ihre Kinder immer wichtiger sein als ihr Job. So ist nun einmal die menschliche Natur. Und gar die Alleinerziehenden? Die haben doch gar keine Wahl. Wenn so ein geplagter Mensch von der Arbeit wegmuß, um sein krankes Kind beim Babysitter abzuholen, oder Schlag fünf losspurten muß, weil die Kindertagesstätte ein Bußgeld verlangt, wenn man seinen Nachwuchs dort zu spät abholt, bleibt ihm gar nichts andres übrig, als seine Arbeit einfach liegenzulassen.

Jetzt stellen Sie sich mal vor, daß sich Ihre Angestellten bei der Arbeit keine Gedanken mehr über ihre Kinder machen müssen und sich stattdessen hundertprozentig darauf konzentrieren können, *für Sie Geld zu verdienen*? Wenn sie nicht mehr daheim bleiben müßten, bloß weil der Babysitter abgesagt hat, und jetzt den ganzen Tag *für Sie Geld verdienen könnten?*

Ein Kinderhort an der Arbeitsstelle ist gar nicht so teuer – und die meisten Eltern wären gern bereit, sich an den Kosten zu beteiligen, wenn sie nur die Sorgen um ihre Kinder los wären. Stellen Sie sich mal vor, wie entspannt Ihre Arbeiter wären, wenn sie wüßten, daß ihre Kinder gut aufgehoben sind – und das ganz in ihrer Nähe! Mann, die würden sich dumm und dußlig für Sie arbeiten!

Anders ausgedrückt: Mehr Kies für SIE!

Schließen Sie für alle Angestellten eine Krankenversicherung ab und gewähren Sie allen genug bezahlte Krankheitstage.

Muß ich zu diesem Punkt überhaupt noch etwas sagen? Wieviel Leistung geht jedes Jahr verloren, wenn Angestellte krank zur Arbeit kommen, weil sie es sich nicht leisten können, zum Arzt zu gehen oder es erst dann tun, wenn sie kurz vor dem Zusammenbruch stehen. So bringen sie eben ihre Viren mit zur Arbeitsstelle – und stecken jeden an, der ihnen begegnet. Es ist viel günstiger, für alle Angestellten eine Krankenversicherung zu bezahlen, damit sie schnell wieder gesund werden und sich für Sie die Seele aus dem Leib schuften können. Nur eine gesunde Belegschaft ist eine produktive Belegschaft. Hat man eine Krankenversicherung, nimmt man sich nur einen Nachmittag frei, geht zum Arzt, läßt sich schnell untersuchen, erhält ein Rezept, und – siehe da! – *nach ein paar Tagen* kann man wieder arbeiten. Hat man keine, bleibt man eine oder zwei Wochen zuhause, bis man wieder auf dem Damm ist.

Die gute Nachricht dabei ist, all diese Vorschläge von mir wirken sich positiv auf Ihre Bilanz aus. Man braucht dazu keinen herzzerreißenden, geldvergeudenden Liberalismus. Sie können so reaktionär und geldgierig bleiben wie bisher – das ist mir ganz egal. Denn wenn es bedeutet, daß das Leben für einige Millionen Afroamerikaner endlich besser wird, die bisher hart arbeiten mußten für geringen Lohn, fast keine Beihilfen und ohne jede Sicherheit, dann bin ich schon ganz zufrieden.

3. Kaufen Sie keine Schußwaffe

Was für einen Sinn hat es, eine Waffe im Haus zu haben? Wenn Sie Jäger sind, dann ist es einfach: bewahren Sie Ihre Büchse oder Schrotflinte bis zum Anbruch der Jagdsaison ungeladen in einem abgeschlossenen Schrank in Ihrer Dachkammer auf.

Wenn Sie jedoch daran denken, sich zu Ihrem Schutz eine Waffe zu kaufen, dann habe ich ein paar Statistiken für Sie. Das Risiko, daß ein Mitglied Ihrer Familie an einer Schußwunde stirbt, ist zweiundzwanzigmal so hoch, wenn Sie eine Waffe im Haus haben. Das Ding schützt Sie nicht, es ist eine Gefahr! Untersucht man alle Einbrüche, bei denen die Eigentümer zuhause waren und geschossen wurde, dann stellt sich heraus, daß nur in zwei Prozent der Fälle Schüsse auf den Einbrecher abgegeben wurden. Bei den anderen 98 Prozent der Einbrüche erschießen die Bewohner ihre Angehörigen, sich selber – oder die Einbrecher nehmen ihnen die Waffe ab und töten sie damit.

Und trotzdem bewahren wir fast eine *viertel Milliarde* Waffen in unseren Häusern auf.

In Amerika kaufen und besitzen die Weißen die meisten Waffen. Jedes Jahr werden 500 000 Schußwaffen gestohlen – meist von anderen Weißen aus denselben Vororten. Und die allermeisten dieser Waffen landen in den Innenstädten, gekauft oder eingetauscht gegen legale oder illegale Güter oder Dienstleistungen.

Diese weißen Waffen haben den Schwarzen unendlich viel Leid und Tod gebracht. Schußverletzungen sind die Todesursache Nummer Eins bei jungen Schwarzen. Schwarze Männer im Alter von 15 bis 24 Jahren werden sechsmal häufiger erschossen als gleichaltrige weiße Männer.

Keine Waffenfirma gehört einem Afro-Amerikaner. Fahren Sie doch mal durch das Schwarzenviertel Ihrer Stadt: Es gibt dort keine Waffenfabriken. Bei Preisen von ein paar hundert bis zu ein paar tausend Dollar können es sich die meisten Afroamerikaner gar nicht leisten, eine Glock, Beretta, Luger, Colt oder Smith & Wesson zu kaufen. Und kein Schwarzer besitzt ein Flugzeug, mit dem automatische Waffen ins Land geschmuggelt werden.

All das machen Weiße. Aber früher oder später werden Tausende dieser legal gekauften Waffen in den Händen verzweifelter Leute landen, die in Armut und in ihren eigenen Ängsten leben. Waffen in diese unsichere Umwelt reinzubringen – zu deren Verbesserung wir Weißen bisher nicht gerade viel unternommen haben –, ist ein tödliches Unterfangen.

Also, wenn Sie weiß sind und helfen wollen, die Todesursache Nummer Eins bei jungen schwarzen Männern zu bekämpfen, habe ich hier die Antwort für Sie: Kaufen Sie keine Waffe. Bewahren Sie keine Waffe in Ihrem Haus oder Ihrem Auto auf. Wenn keine Waffen mehr herumliegen, kann man sie auch nicht mehr stehlen und in armen schwarzen Vierteln wieder verkaufen. Wo auch immer Sie leben, wahrscheinlich war dort die Verbrechensrate noch nie so niedrig wie heute. Bleiben Sie cool, lehnen Sie sich zurück und genießen Sie das gute Leben, das Sie auch einer gewißen Ungleichheit der Chancen zu verdanken haben. Wenn Sie etwas Wirksames zu Ihrem Schutz tun wollen, dann schaffen Sie sich einen Hund an. Böse schwarze Jungs gehen normalerweise einem verrückten, bellenden Tier mit scharfen Zähnen aus dem Weg.

Sie brauchen keine Waffe.

4. Hören Sie mit dem liberalen »Engagement« für die Schwarzen auf!

Ehrlich. Die Schwarzen haben uns durchschaut. Sie wissen, daß wir Dinge sagen und tun, um vorzutäuschen, es habe schon einen ansehnlichen Fortschritt gegeben. Sie sehen, wie wir verzweifelt den Anschein erwecken wollen, wir hätten aber auch gar keine Vorurteile mehr. Hören Sie auf damit! Wir haben keine wirklichen Fortschritte gemacht. Wir sind immer noch selbstgerechte und intolerante Rassisten – und die Schwarzen wissen es.

Hören Sie auf mit dem Stuß über Ihre »schwarzen Freunde«. Sie *haben* keine schwarzen Freunde. Ein Freund ist einer, der regelmäßig zum Essen kommt, einer, mit dem Sie in den Urlaub fahren, einer, den Sie zu Ihrer Hochzeit einladen, einer, mit dem Sie am Sonntag in die Kirche gehen, einer, den Sie öfters anrufen und ihm Ihre intimsten Geheimnisse anvertrauen. *Das* ist ein Freund.

Ihre schwarzen »Freunde« wissen, daß die Wahrscheinlichkeit, daß Sie Ihre kleinen Kinder bei *ihnen* in *ihrem* Teil der Stadt lassen, wenn Sie am Wochenende einen Ausflug machen, genau so groß ist wie die Wahrscheinlichkeit, daß sie eingeladen werden, bei diesem Ausflug mitzukommen.

Ich habe Liberale dummes Zeug reden hören wie »In der Fernsehserie *Friends* spielen gar keine Schwarzen mit«. Ich finde es *gut*, daß es keine schwarzen Freunde bei *Friends* gibt, denn auch im wirklichen Leben haben solche Freunde *keine* schwarzen Freunde. Es ist also eine ehrliche, glaubwürdige Serie.

Machen Sie Schluß mit diesem verlogenen Blödsinn, daß Schwarze und Weiße heute alle in dem großen Schmelztiegel vereint wären, den wir Amerika nennen. Wir leben in unserer Weit, sie leben in ihrer. Und das finden wir doch auch ganz bequem, ob es einem nun paßt oder nicht. Das alles wäre nicht so schlimm, wenn die Welt der Schwarzen auf dem gleichen finanziellen und sozialen Niveau wäre wie unsere. Wenn dem so wäre, könnten wir nach Lust und Laune miteinander verkehren oder auch nicht – von gleich zu gleich, so wie wir es mit anderen Weißen tun. Ich habe zum Beispiel keine große Lust, mit jungen Republikanern rumzuhängen. Das ist auch ganz okay, denn die kommen sehr gut ohne mich zurecht, und meine Entscheidung, nichts mit ihnen zu tun haben zu wollen, berührt in keiner Weise ihren Lebensstandard oder ihre Lebensqualität. (In der Tat verbessern die sich dadurch eher noch.)

Sollten wir nicht damit aufhören, uns gegenseitig mit der Selbsttäuschung zu beruhigen, die Afroamerikaner seien endlich Teil des Mainstreams geworden? Ist es nicht klüger, den Schleier falscher Hoffnung endlich zu lüften, den wir den Afroamerikanern bisher vorgehalten haben, damit dieser Selbstbetrug endlich aufhört? Wenn du das nächste Mal mit einem deiner »schwarzen Freunde« sprichst, solltest du ihm nicht erzählen, wie sehr dich die neue CD von Jay-Z anmacht, sondern du solltest deinen Arm um ihn legen und ihm sagen: »Ich liebe dich, Mann, du weißt das, deshalb erzähl ich dir jetzt ein kleines Geheimnis über uns Weiße: Deine Leute werden es nie so gut haben wie wir. Und wenn du glaubst, daß harte Arbeit und der Versuch, dich anzupassen, dir einen Sitz im Vorstand verschaffen werden – nun, lieber Freund, wenn du Gleichheit und Aufstieg willst, dann versuch's mal in Schweden.«

Je eher wir anfangen, so zu reden, desto ehrlicher wird die Gesellschaft werden, in der wir alle leben.

5. Schauen Sie in den Spiegel

Wenn Sie weiß sind und wirklich was tun wollen, um die Verhältnisse zu ändern, warum fangen Sie dann nicht mit sich selber an? Nehmen Sie sich ein bißchen Zeit und besprechen Sie mit Ihren weißen Brüdern, wie man die Welt sowohl für die Weißen wie die Afroamerikaner ein kleines bißchen besser machen könnte. Fallen Sie dem nächsten Weißen, der in Ihrem Beisein eine dumme rassistische Bemerkung macht, ins Wort und sagen Sie ihm die Meinung. Hören Sie auf, über die Ungerechtigkeit des die Schwarzen bevorzugenden Quotensystems zu jammern. Kein Schwarzer wird je Ihr Leben ruinieren, weil er den Job kriegt, den eigentlich *Sie* verdient gehabt hätten. Die Tür wird für Sie immer offenstehen. Ihre einzige Pflicht ist, die Tür auch für die Menschen offenzuhalten, die schlechtere Chancen haben als Sie, nur weil sie keine Weiße sind.

6. Heiraten Sie auf keinen Fall eine/n Weiße/n

Wenn Sie weiß sind und Ihnen meine Ideen nicht gefallen oder wenn Sie denken, daß sie sich kaum realisieren lassen, gibt es für Sie immer noch einen todsicheren Weg, bei der Schaffung einer farbenblinden Welt mitzuhelfen – heiraten Sie eine/n Schwarze/n und zeugen Sie ein paar Kinder. Wenn Schwarze und Weiße einander lieben – und nicht Weiße Schwarze einfach vögeln – werden wir am Ende eine Nation mit nur einer Hautfarbe werden. (Und Hispanics und Asiaten können da auch mitspielen!) Wer ist dein Papa? Alle!

Und wenn wir alle nur noch eine Farbe haben, dann gibt es nichts mehr, weswegen wir uns hassen müßten – mal abgesehen von denen, die immer noch hinter diesen verdammten Empfangstischen hocken.

Überlebenstips für Schwarze

1. Über die Schwarzen am Steuer

- Bieten sie künftig Rassisten keine Gelegenheit mehr, über schwarze Raser zu schimpfen. Sie brauchen nur eine lebensgroße, aufblasbare, weiße Puppe auf den Beifahrersitz zu setzen (eine von denen, die die Leute sonst benutzen, um auf der für Fahrgemeinschaften reservierten Express-Spur fahren zu können). Die Bullen denken dann wahrscheinlich, Sie wären der Chauffeur, und lassen Sie in Frieden.
- Wenn Sie als Schwarzer fahren, versuchen Sie, keine zusätzliche Aufmerksamkeit auf sich zu ziehen. Halten Sie das Lenkrad in der klassischen »10- und 2-Uhr-Position«. Legen Sie Ihren Sicherheitsgurt an; Sie sollten in der Tat *alle* Sicherheitsgurte schließen, egal ob noch ein anderer im Auto mitfährt oder nicht. Entfernen Sie Autoaufkleber wie »Hupe, wenn du auch Schwarz bist!«; gut ist statt dessen beispielsweise »Ich liebe Eishockey!«.
- Vermeiden Sie, ein Auto zu fahren oder zu mieten mit einem Kennzeichen der Staaten New Hampshire, Utah oder Maine. Weil in diesen Staaten kaum schwarze Amerikaner leben, wird man natürlich annehmen, daß Sie einen *gestohlenen* Wagen fahren und/oder Drogen bei sich haben und/oder eine Waffe tragen. Wenn ich allerdings darüber nachdenke, gebe ich zu, daß die Polizei dasselbe auch von schwarzen Fahrern aus Staaten mit einem großen schwarzen Bevölkerungsanteil annimmt. Also nehmen Sie besser den Bus.

2. Shopping als Schwarzer

- Wenn Sie vermeiden wollen, daß Ihnen ständig Ladeninhaber auf den Fersen sind, weil sie annehmen, Sie wollten klauen oder ihnen eine Pistole an den Kopf halten und die Ladenkasse ausrauben, dann gibt es eine ganz einfache Lösung: *Versandhauskataloge und Einkaufen im Internet.* Das Angenehme dabei? Sie müssen Ihre gemütliche Wohnung nicht mehr verlassen, und auch die Parkplatzsuche in den Einkaufszentren entfällt.
- Wenn Sie denn mal in einen Laden reinmüssen, lassen Sie um Gottes willen Ihren Mantel draußen! Alle Taschen werden *garantiert* spätestens an der Kasse nach gestohlenen Waren durchsucht werden – so fordern Sie Ihre Verhaftung geradezu heraus. Natürlich müssen Sie auch auf Handtaschen, Einkaufsbeutel und Rucksäcke verzichten. Am besten machen Sie Ihre Einkäufe einfach nackt. Sicher, auch dann können Sie noch in eine jener Leibesvisitationen mit Untersuchung aller Körperöffnungen geraten, aber damit zahlen Sie doch nur einen kleinen Preis für Ihr gottgegebenes Recht, als schwarzer Amerikaner einkaufen zu dürfen und einen kleinen Teil zu den 572 Milliarden Dollar beizutragen, die aus schwarzen Taschen jedes Jahr in die weiße Wirtschaft fließen.

3. An der Wahlurne als Schwarzer

- Die Weißen haben unsere Wahlen manipuliert. Sie stellten die veralteten, schlecht funktionierenden Wahlmaschinen alle in den schwarzen Wahlbezirken der Stadt auf. Deshalb sollten Sie das Wahllokal erst verlassen, wenn Sie mit eigenen Augen gesehen haben, wie Ihre Stimmkarte so, wie Sie es wollten, markiert und in die verschlossene Wahlurne geworfen wurde. Wenn Sie eine Wahlmaschine benutzen, bitten Sie den Wahlhelfer, nach Ihrer Stimmabgabe die Maschine zu überprüfen und sicherzustellen, daß Ihre Stimme auch gezählt wird.

- Bringen Sie alles mit, von dem Sie glauben, daß Sie es für eine gültige Stimmabgabe brauchen werden: einen Bleistift Nr. 2, einen schwarzen Filzstift, eine Stricknadel (um sicherzugehen, daß Sie den Wahlzettel nicht nur leicht anritzen, sondern die Löcher völlig durchstoßen sind), ein Mehrzweck-Haushaltsöl, eine Beißzange, ein Vergrößerungsglas, eine Kopie der örtlichen Wahlgesetze, eine Kopie Ihrer Wählerregistrierungskarte, eine Kopie Ihrer Geburtsurkunde; eine Kopie Ihres Abschlußzeugnisses der zweiten Klasse, als Beweis, daß Sie lesen und schreiben können; jedes andere Beweismittel, das Sie noch haben, das beweist, daß Sie leben; eine Kamera, um alles, was Ihnen seltsam erscheint, aufzunehmen; eine Lokalreporterin, der Sie aus erster Hand zeigen können, daß Sie keine Witze machten, als Sie erklärten, daß die Ausrüstung des Wahllokals tatsächlich direkt aus Bolivien hergebracht worden sei; Isolierband, Faden, Paraffin, einen Bunsenbrenner, Tipp-ex, einen Fleckenentferner, einen Anwalt, einen Pfarrer, einen Bundesrichter. Wenn Sie das alles dabeihaben, haben Sie eine passable Chance, daß Ihre Stimme auch gezählt wird.
- In den Wahlen von 2002 sollten Sie für den Kongreßkandidaten der Demokraten oder der Grünen stimmen. Mit fünf Sitzen mehr werden die Demokraten nicht nur das Repräsentantenhaus kontrollieren, sondern es werden auch neunzehn schwarze Kongreßabgeordnete Vorsitzende in ihrem Ausschuß oder Unterausschuß werden. Neunzehn! Das ist eine schwarze Übernahme des Repräsentantenhauses! (Wo Kandidaten der Grünen eine Gewinnchance haben oder in Distrikten, wo sich der Demokrat wie ein Republikaner aufführt, wird eine gewählte Abgeordnete von der Grünen Partei in der Wahlversammlung mit den Demokraten stimmen, um deren Mehrheit zu sichern.) Erzählt das bloß nicht zu

vielen Weißen – die Idee eines »schwarzen Parlaments« könnte ihnen einen Riesenschreck einjagen!

4. Wie man als Schwarzer was zu lachen hat

- Holen Sie diese alten NUR FÜR WEISSE-Schilder aus den fünfziger Jahren wieder heraus. Hängen Sie die, wenn mal keiner hinguckt, an die Tür von Unternehmen, die keine Schwarzen beschäftigen.
- Legen Sie eines auch ganz nonchalant auf den vordersten Sitz in der Ersten Klasse, wenn Sie das nächste Mal in ein Flugzeug steigen.
- Hängen Sie eines im Hauptbüro eines Football-Clubs der Major League auf oder legen Sie es auf einen der besseren Plätze bei einem NBA-Basketballspiel.
- Stecken Sie eines in den Rasen vor dem Obersten Gericht der Vereinigten Staaten, und wenn der schwarze Bundesrichter Clarence Thomas vorbeigeht, werfen Sie nur Ihre Hände in die Luft und rufen: »Was ist das?«

AUSSCHNEIDEN UND AUFBEWAHREN

Ausschnitt aus dem Bundeswahlgesetz von 1965
(läßt sich in eine Folie einschweißen und in der Brieftasche mitnehmen)

Absatz 2: Keine Wahlqualifikation oder Wahlvoraussetzung oder Wahlregeln dürfen von irgendeinem Staat oder einer politischen Unterabteilung auferlegt oder angewandt werden, die das Wahlrecht irgendeines Bürgers der Vereinigten Staaten auf Grund seiner Rasse oder Hautfarbe verhindern oder beschränken.

5. Wie man als Schwarzer mal durchatmen kann

Sie werden es vielleicht irgendwann nicht mehr aushalten – die Schikanen, die Diskriminierung, das Ressentiment, das überdeutliche Gefühl, nicht zu einer Nation zu gehören, die so tief in ihrer Intoleranz gefangen ist. Sie werden vielleicht das Gefühl haben, es sei an der Zeit, endlich abzuhauen und in ein Land zu ziehen, wo man als Schwarzer nicht zu einer Minderheit gehört – ein Ort, wo man sich heimisch fühlen könnte.

Afrika? Das sollten Sie sich zweimal überlegen.

Folgendes stellt Amnesty International über Afrika fest: »Bewaffnete Konflikte, Massenvertreibungen, Folter, Mißhandlungen und eine allgemeine Gesetzlosigkeit grassieren in vielen afrikanischen Staaten.« Und 52 Prozent im Afrika südlich der Sahara leben von weniger als einem Dollar am Tag. 1998 betrugen die durchschnittlichen monatlichen Ausgaben nur 14 Dollar pro Person. Das IST schlimmer, als in Detroit leben zu müssen.

Die Lebenserwartung in der Region beträgt höchsten 57 Jahre – aber nur, wenn Sie in Ghana leben. Wenn Sie in Mosambik festsitzen, können Sie im Schnitt mit dem biblischen Alter von 37,5 Jahren rechnen.

Verbinden Sie all das mit der ewigen Trockenheit, dem Hunger und einem überwältigenden Prozentsatz der weltweiten Aids-Fälle (und Aids-Toten), und es scheint plötzlich die viel einfachere Lösung zu sein, ein paar alte Nacktphotos des Fraktionschefs der Republikaner im Senat, Trent Lott, auszugraben, die in einer Schwulenbar aufgenommen wurden, und ihn dadurch zum Rücktritt zu zwingen. (Photos von anderen republikanischen Größen täten es genauso.)

Amy McCampbell, eine der zahlreichen Afro-Amerikaner, die ich eingestellt habe, seit ich an diesem Kapitel schreibe (fünf meiner letzten fünf Einstellungen sind Schwarze – hey, stellen Sie dieses Buch ja nicht zu Ihren anderen Witzbüchern, ich albere hier nicht bloß rum!), ist der Ansicht, daß es für die, die zu ihren »schwarzen Wurzeln« zurückkehren möchten, nur ein Ziel geben kann – die Karibik! Sie sagt: »Wie wärs mit Barbados? Es ist ein tropisches Paradies; die Leute sind friedlich und es gibt keine Kriminalität. Die Lebenserwartung ist über 70 Jahre. 80 Prozent der Bevölkerung sind Afrikaner, und so fühlen wir uns dort sofort daheim. Sie sprechen sogar Englisch! Und jetzt kommt das Allerbeste – Königin Elisabeth ist unser Staatsoberhaupt.«

Klingt gut, stimmt's?

Aber noch schöner wäre es, wenn wir es schaffen würden, daß sich Amy und andere hier, wo sie geboren wurden, auch ein bißchen mehr zu Hause fühlten. Ich bin dankbar für jede Anregung…

FIVE

Nation der Dummköpfe

Haben Sie auch das Gefühl, in einem Staat voller Idioten zu leben?

Zum Trost über das Ausmaß der Dummheit in Amerika habe ich mir früher immer eingeredet: *Selbst wenn in diesem Land 200 Millionen ausgemachte Idioten leben, bleiben immer noch mindestens 80 Millionen, die kapieren, was ich sage – und das ist mehr als die Bevölkerung von Großbritannien und Island zusammen!*

Dann kam der Tag, an dem ich mich im gleichen Büro wie die ESPN-Quizshow *Two-Minute Drill* wiederfand. Wie es dazu kam, weiß ich selbst nicht. Das ist die Show, in der nicht einfach nur abgefragt wird, wer auf welcher Position für welches Team spielt, sondern wer was und auf welcher Position in dem Baseballspiel von 1925 zwischen Boston und New York getroffen hat oder wer der beste Neuling des Jahres 1965 in der ehemaligen American Basketball Association war oder was Baseballstar Jake Wood am 12. Mai 1967 zum Frühstück gegessen hat.

Ich kann keine einzige dieser Fragen beantworten, aber aus irgendeinem Grund weiß ich noch Jake Woods Trikotnummer: 2. Warum um alles in der Welt merke ich mir so nutzloses Zeug?

Ich weiß es nicht, aber seit ich scharenweise Männer beim Warten auf einen Test für die Teilnahme an der Quizshow beobachtet habe, habe ich vielleicht etwas über die Intelligenz und die Denkweise der Amerikaner gelernt. Ganze Herden dieser Sportcracks und Volltrottel lungern in unserem Flur herum und warten auf ihren großen Augenblick. Im Kopf gehen sie noch einmal

Hunderte von Fakten und Statistiken durch und prüfen sich gegenseitig mit Fragen, von denen ich beim besten Willen nicht weiß, weshalb irgend jemand außer unserem allwissenden Vater sie beantworten können sollte. Wenn man sich diese mit Testosteron vollgepumpten Bodybuilder ansieht, könnte man meinen, man hätte einen Haufen Analphabeten vor sich, die froh sein müssen, wenn sie das Etikett auf ihren Bierdosen lesen können.

In Wirklichkeit sind sie wahre Genies. Sie können alle 30 trivialen Fragen in weniger als 120 Sekunden beantworten. Das sind vier Sekunden für jede Frage – einschließlich der Zeit, die der Sportstar für das Vorlesen der Frage braucht.

Der Linguist und politische Autor Noam Chomsky hat einmal gesagt: »Wenn man einen Beweis dafür sucht, daß das amerikanische Volk nicht dumm ist, so braucht man sich nur einmal anzuhören, was für eine unglaubliche Fülle von Fakten in einer Sportsendung im Radio genannt wird. Das ist wahrhaft erstaunlich und zugleich ein Beweis dafür, daß der amerikanische Verstand noch frisch und munter ist. Er beschäftigt sich nur nicht mit interessanten oder wichtigen Dingen. *Unsere* Aufgabe ist es, einen Weg zu finden, Politik genauso faszinierend und packend zu gestalten wie Sport. Wenn wir das erreichen, dann werden wir erleben, daß die Amerikaner nur noch darüber sprechen, wer wem in der WTO was angetan hat.«

Doch dazu müßten sie zuerst einmal die Buchstaben *WTO* lesen können. Sage und schreibe 44 Millionen Amerikaner sind nicht imstande, Texte zu lesen und zu schreiben, die auf dem Niveau der vierten Schulklasse liegen – mit anderen Worten, sie sind faktisch Analphabeten.

Woher habe ich wohl diese statistische Angabe? Ich habe sie ganz einfach *gelesen.* Und jetzt haben Sie sie auch gelesen. Damit haben wir schon einen beträchtlichen Teil der 99 Stunden im *Jahr* verbraucht, die der Durchschnittsamerikaner mit dem Lesen von Büchern verbringt – im Vergleich zu 1460 Stunden vor dem Fernseher.

Ich habe auch gelesen, daß sich nur elf Prozent der Amerikaner die Mühe machen, eine Tageszeitung zu *lesen,* abgesehen von den Witzseiten und den Gebrauchtwagenannoncen.

Wir leben also in einem Land, in dem 44 Millionen nicht lesen können – und an die 200 Millionen zwar lesen können, es aber in der Regel nicht tun –, da muß einem doch angst und bange werden. Eine Nation, die nicht nur am laufenden Band ungebildete Studenten hervorbringt, sondern sich alle Mühe gibt, unwissend und dumm zu bleiben, sollte nicht gerade den Anspruch erheben, Weltpolizei zu spielen – zumindest nicht, solange die Mehrheit ihrer Bürger das Kosovo (oder ein anderes Gebiet, das sie bombardiert hat) nicht auf der Karte findet.

Ausländer hat es deshalb auch überhaupt nicht überrascht, daß die Amerikaner, die gerne in ihrer Dummheit schwelgen, einen Präsidenten »gewählt« haben, der fast nichts liest – nicht einmal seine eigenen Anweisungen – und Afrika für einen Staat hält, nicht für einen Kontinent. Ein Dummkopf an der Spitze einer Nation der Dummköpfe. In unserem glorreichen Land des Wohlstands ist weniger schon immer mehr gewesen, wenn es darum ging, auch den letzten Winkel des Gehirns mit der Aufnahme von Fakten und Zahlen, kritischem Denken oder dem Begreifen von Zusammenhängen zu strapazieren, außer beim ... Sport.

Unser Oberdummkopf bemüht sich nicht einmal, seine Unwissenheit zu verbergen – er prahlt sogar mit ihr. In seiner Eröffnungsrede vor dem Jahrgang 2001 von Yale verkündete George W. Bush stolz, daß er nur ein mittelmäßiger Student von Yale war. »Und all den mittelmäßigen Studenten sage ich jetzt, auch ihr könnt Präsident der Vereinigten Staaten werden!« Daß man dazu auch einen Ex-Präsidenten als Vater, einen Bruder als Gouverneur eines Staates, in dem noch ein paar Stimmen fehlen, und einen Obersten Gerichtshof voller Duz-Freunde des eigenen Papas braucht, hat er natürlich nur deshalb nicht erwähnt, weil das für eine so kurze Ansprache viel zu kompliziert gewesen wäre.

Wir Amerikaner können auf eine lange Tradition zurückblikken, in der wir immer wieder von ignoranten hohen Regierungsmitarbeitern repräsentiert wurden. Im Jahr 1956 war Präsident

Dwight D. Eisenhowers Kandidat für den Botschafterposten in Ceylon (heute Sri Lanka) nicht imstande, bei der Anhörung im Senat den Regierungschef des Landes oder die Hauptstadt zu nennen. Kein Problem – Maxwell Gluck wurde trotzdem als Botschafter bestätigt. Im Jahr 1981 gab William Clark, Präsident Ronald Reagans Kandidat für den Posten des Vize-Außenministers, bei der Anhörung offen zu, daß sein Wissen über die Weltpolitik sehr lückenhaft sei. Clark hatte keine Ahnung, was unsere Alliierten in Westeuropa über die Stationierung amerikanischer Atomraketen auf ihren Territorien dachten, und er kannte die Namen der Regierungschefs von Südafrika oder Simbabwe nicht. Kein Grund zur Beunruhigung, auch er wurde bestätigt. Damit wurde lediglich der Weg frei gemacht für Bush junior, der die Namen der Staatsführer Indiens oder Pakistans immer noch nicht auswendig gelernt hat – immerhin zwei der sieben Staaten, die über Atomwaffen verfügen.

Dabei war Bush in Yale *und* in Harvard.

Vor kurzem wurde einer Gruppe von 556 Examenskandidaten an 55 angesehenen amerikanischen Universitäten (u. a. Harvard, Yale, Stanford) ein Multiple-Choice-Test mit Fragen vorgelegt, die angeblich »High-School-Niveau« hatten. Es wurden 34 Fragen gestellt. Diese Spitzenstudenten konnten nur 53 Prozent davon korrekt beantworten. Ein einziger beantwortete alle Fragen richtig.

Beängstigende 40 Prozent wussten nicht einmal, wann der Sezessionskrieg stattgefunden hatte – und das, obwohl sie aus großzügig bemessenen Zeiträumen wählen konnten: A. 1750–1800, B. 1800–1850, C. 1850–1900, D. 1900–1950, E. nach 1950. *(Die richtige Antwort lautet C.)* Bei folgenden beiden Fragen war die Trefferquote am höchsten: (1) Wer ist Snoop Doggy Dog? (98 Prozent beantworteten die Frage richtig) und (2) Wer sind Beavis und Butt-head? (99 Prozent wußten das). Mit meinen TV-Gebühren stellten Beavis und Butt-head einige der besten amerikanischen Satiresendungen der Neunziger auf die Beine,

AUSSCHNEIDEN UND AUFBEWAHREN

Präsidentenspickzettel

Staats- und Regierungschefs der 50 größten Länder
(geordnet nach Einwohnerzahl)

1. CHINA
   Präsident Jiang Zemin
2. INDIEN
   Präsident Kocheril Raman Narayanan
3. VEREINIGTE STAATEN
   »Präsident« George W. Bush
4. INDONESIEN
   Präsidentin Megawati Sukarnoputri
5. BRASILIEN
   Präsident Fernando Henrique Cardoso
6. RUSSLAND
   Präsident Wladimir Putin
7. PAKISTAN
   General Pervez Musharraf
8. BANGLADESCH
   Präsident Shahabuddin Ahmed
9. JAPAN
   Ministerpräsident Junichiro Koizumi
10. NIGERIA
    Präsident Olusegun Obasanjo
11. MEXIKO
    Präsident Vicente Fox Quesada
12. DEUTSCHLAND
    Bundeskanzler Gerhard Schröder
13. PHILIPPINEN
    Präsidentin Gloria Macapagal-Arroyo
14. VIETNAM
    Präsident Trân Duc Luong
15. ÄGYPTEN
    Präsident Mohamed Hosni Mubarak
16. TÜRKEI
    Präsident Ahmed Necdet Sezer
17. IRAN
    Ajatollah Sayed Ali Khamenei, Präsident Mohammed Khatami
18. ÄTHIOPIEN
    Präsident Negasso Gidada
19. THAILAND
    Ministerpräsident Thaksin Shinawatra
20. GROSSBRITANNIEN
    Premierminister Anthony C. L. Blair
21. FRANKREICH
    Präsident Jacques Chirac
22. ITALIEN
    Ministerpräsident Silvio Berlusconi
23. KONGO (KINSHASA)
    Präsident Joseph Kabila
24. UKRAINE
    Präsident Leonid D. Kutschma
25. SÜDKOREA
    Präsident Kim Dae-jung

geht noch weiter

AUSSCHNEIDEN UND AUFBEWAHREN

Präsidentenspickzettel

Staats- und Regierungschefs der 50 größten Länder
(geordnet nach Einwohnerzahl)

26. SüDAFRIKA
Präsident Thabo Mbeki
27. MYANMAR
General Than Shwe
28. SPANIEN
Ministerpräsident Jose Maria Aznar
29. KOLUMBIEN
Präsident András Pastrana Arango
30. POLEN
Präsident Aleksander Kwasniewski
31. ARGENTINIEN
Präsident Fernando de la Rúa
32. TANSANIA
Präsident Benjamin William Mkapa
33. SUDAN
Generalleutnant Omar al-Bashir
34. KANADA
Premierminister Jean Chretien
35. ALGERIEN
Präsident Abdelaziz Bouteflika
36. KENIA
Präsident Daniel arap Moi
37. MAROKKO
Ministerpräsident Abderrahman Youssoufi
38. PERU
Präsident Alejandro Toledo
39. AFGHANISTAN
Interimschef Hamid Karsai
40. USBEKISTAN
Präsident Islam Karimow
41. NEPAL
König Gyanendra, Ministerpräsident Sher Bahadur Deuba
42. VENEZUELA
Präsident Hugo Chávez Friás
43. UGANDA
Generalleutnant Yoweri Museveni
44. IRAK
Präsident Saddam Hussein
45. RUMÄNIEN
Präsident Ion Iliescu
46. TAIWAN
Präsident Chen Shui-bian
47. SAUDI-ARABIEN
König Fahd Ibn Abdel-Aziz al Saud
48. MALAYSIA
Ministerpräsident Mahathir bin Mohamad
49. NORDKOREA
Präsident Kim Jong-il
50. GHANA
Präsident John Agyekum Kufuor

und Snoop und seine Rapper-Kollegen haben viel über Amerikas soziale Ungerechtigkeit zu sagen, deshalb werde ich hier nicht in das allgemeine Lamento einstimmen und MTV die Schuld für die Unwissenheit der Studenten in die Schuhe schieben.

Allerdings frage *ich* mich in der Tat, weshalb Politiker wie Senator Joe Lieberman aus Connecticut und Herbert Kohl aus Wisconsin MTV an den Pranger stellen, obwohl *sie* selbst die Verantwortung tragen für das erschreckende Versagen des amerikanischen Schulwesens. Gehen Sie mal in eine staatliche Schule, mit großer Wahrscheinlichkeit treffen Sie dort überfüllte Klassenzimmer, undichte Decken und demoralisierte Lehrer an. In jeder vierten Schule »lernen« die Schüler aus Lehrbüchern, die in den achtziger Jahren – oder noch früher – erschienen sind.

Woran liegt das? Die Politiker – und die Leute, die sie wählen – haben beschlossen, daß es wichtiger ist, einen neuen Bomber zu entwickeln, als unsere Kinder zu erziehen. Sie veranstalten lieber Podiumsdiskussionen über die Unmoral von Fernsehsendungen wie *Jackass* als über ihre eigene Unmoral, weil sie unsere Schulen und Kinder vernachlässigen und nichts gegen den Ruf unternehmen, wir wären das dümmste Volk der Erde.

Ich schreibe diese Worte nicht gern. Ich *liebe* dieses riesige, tolpatschige Land und die verrückten Menschen, die darin leben. Aber wenn mir, wie ich es in den achtziger Jahren erlebt habe, in einem abgelegenen Dorf in Mittelamerika eine Bande zwölfjähriger Jungs einen Vortrag über ihre Angst vor der Weltbank halten kann, dann habe ich das Gefühl, daß *irgend etwas* in den Vereinigten Staaten von Amerika nicht stimmt.

Unser Problem ist nicht nur, daß unsere Kinder nichts wissen, sondern daß die Erwachsenen, die ihre Ausbildung bezahlen, gerade so unwissend sind. Ich frage mich, was bei einem Test des Kongresses herauskäme, mit dem geklärt werden soll, wieviel unsere Abgeordneten wissen. Warum machen wir nicht mit den Kommentatoren, die unsere Fernseher und Radios mit ihrem pausenlosen Geplapper erfüllen, mal ein Quiz? Wie viele Fragen würden *sie* richtig beantworten?

Vor einiger Zeit nahm ich mir vor, genau das herauszufinden. Es war an einem der Sonntagmorgen, an dem man im Fernsehen die Wahl hat zwischen der Immobiliensendung *Parade of Homes* und der Polit-Talkshow *McLaughlin Group.* Wenn man Freude an dem Gekicher von gedopten Hyänen hat, wählt man natürlich *McLaughlin.* An diesem Sonntagmorgen, vielleicht zur Strafe, weil ich nicht in die Kirche gegangen bin, mußte ich mir anhören, wie der Kolumnist Fred Barnes (heute ein Redakteur des rechten *Weekly Standard* und Co-Moderator der Nachrichtensendung *The Beltway Boys* von Fox) über den ach so schrecklichen Zustand der amerikanischen Bildung jammerte und den Lehrern sowie ihrer üblen Gewerkschaft die Schuld an dem schlechten Abschneiden der Schüler gab.

»Diese Kids wissen nicht einmal, was die *Ilias* und die *Odyssee* sind!« brüllte er, und die anderen Diskussionsteilnehmer nickten voller Bewunderung für Freds noble Klage.

Am nächsten Morgen rief ich Fred Barnes in seinem Büro in Washington an. »Fred«, sagte ich, »kannst du mir sagen, was die *Ilias* und die *Odyssee* sind?«

Er druckste herum. »Also, das sind ... ähm ... du weißt doch ... äh ... okay, du hast mich ertappt – ich weiß nicht, worum es da geht. Zufrieden?«

Nein, keineswegs. Du gehörst zu den besten TV-Meinungsmachern in Amerika, du bist jede Woche in deiner eigenen Show und in unzähligen anderen zu sehen. Munter teilst du deine »Weisheit« Hunderttausenden ahnungslosen Bürgern mit und stellst schadenfroh andere wegen ihrer Unwissenheit an den Pranger. Dabei haben du und deine Gäste selbst keine Ahnung. Werde endlich erwachsen, schnapp dir ein paar Bücher und verzieh dich in ein stilles Kämmerlein.

Yale und Harvard, Princeton und Dartmouth, Stanford und Berkeley. Mit einem Abschluß von einer dieser Universitäten hat man ausgesorgt. Was ist aber, wenn, in dem genannten Test von Examenskandidaten, 70 Prozent der Studenten an diesen Eliteschulen noch nie von dem amerikanischen Wahlgesetz, dem

Voting Rights Act, oder von Präsident Lyndon Johnsons Losung »Great Society« gehört haben? Wer interessiert sich schon für solche Kleinigkeiten, wenn man in seiner Villa in der Toskana sitzt, den Sonnenuntergang genießt und kurz mal checkt, wie das eigene Aktienpaket sich heute entwickelt hat?

Was heißt es also, wenn *keine einzige* dieser Spitzenuniversitäten, die unsere unwissenden Studenten besuchen, verlangt, daß sie vor dem Examen mindestens einen Kurs in amerikanischer Geschichte belegt haben? Wer braucht denn Geschichte, wenn wir schon morgen die Herrscher des Universums sein werden?

Wen kümmert es, daß 70 Prozent der Examenskandidaten an amerikanischen Colleges keine Fremdsprache lernen müssen? Spricht denn nicht die ganze Welt inzwischen Englisch? Und wenn nicht, dann sollen sich doch diese blöden Ausländer endlich NACH UNS RICHTEN!

Und wer schert sich denn darum, daß von 70 Studienplänen für englische Literatur an 70 amerikanischen Universitäten nur noch 23 von Anglistikstudenten verlangen, wenigstens eine Veranstaltung zu Shakespeare zu belegen? Kann mir jemand erklären, was Shakespeare und Englisch miteinander zu tun haben? Was nützen denn schon ein paar verstaubte Dramen fürs Business?

Vielleicht bin ich auch nur eifersüchtig, weil ich kein College-Examen habe. Jawohl, ich, Michael Moore, bin ein Studienabbrecher.

Genaugenommen habe ich mein Studium nie *offiziell* abgebrochen. Eines schönen Tages kurvte ich in meiner Collegezeit auf der verzweifelten Suche nach einem Parkplatz über das Campusgelände in Flint. Es war ganz einfach kein Platz mehr frei – jede Lücke war belegt, und niemand fuhr weg. Nachdem ich eine Stunde lang vergeblich meinen 69er Chevrolet Impala durch die Blechkolonnen bugsiert hatte, rief ich zum Fenster hinaus: »Okay, das war's, ich gehe!« Ich fuhr nach Hause und sagte meinen Eltern, ich hätte das College geschmissen.

»Warum?« fragten sie.

Wichtige Daten der Geschichte

19. Juni 1865: »Juneteenth«. Obwohl die Sklaven schon zwei Jahre zuvor in der Emanzipationserklärung befreit wurden, hatte sich das im Süden noch nicht überall herumgesprochen. An diesem Tag traf ein General der Nordstaaten in Galveston, Texas, ein und teilte den Sklaven mit, daß sie frei seien. Bis heute feiern die Schwarzen diesen Tag als das Ende der Sklaverei.

29. Dezember 1890: Massaker am Wounded Knee. Während des Kampfes gegen den letzten Indianeraufstand wurden US-Soldaten ausgeschickt, um Big Foot zu verhaften, den Häuptling der Sioux. Mitglieder des Stammes wurden gefangengenommen, mußten ihre Waffen abgeben und kamen in ein Lager, das von US-Truppen umstellt war. Am Morgen des 29. Dezember eröffneten die Soldaten das Feuer auf das Indianerlager und töteten 300 wehrlose Sioux, darunter Big Foot. Das war die letzte Schlacht in dem 400jährigen Völkermord an den Eingeborenen Amerikas.

18. Mai 1896: In dem Verfahren *Plessy gegen Ferguson* entschied das Oberste Gericht, daß minderwertige Räumlichkeiten für Schwarze in Eisenbahnwaggons nicht gegen den Gleichheitsgrundsatz der Verfassung verstoßen. Die Entscheidung machte den Weg frei für die militante Rassentrennung nach dem Motto »getrennt, aber gleich«, an deren Ende die Jim-Crow-Gesetze standen. (Der Name Jim Crow ist in Amerika ein Synonym für militante Rassentrennung, so heißt der Schwarze in einem Lied von Thomas Ryce. Auf Jahrmärkten färbte Ryce sich schwarz und äffte zur Belustigung des Publikums Neger nach. A. d. Ü.)

14. April 1914: Das Massaker von Ludlow. Kohlearbeiter in Colorado streikten, nachdem sie jahrelang vergeblich versucht hatten, eine Gewerkschaft zu gründen. Die Streikenden und ihre Familien wurden aus den werkseigenen Häusern gejagt und bauten auf staatlichem Land eine Zeltstadt auf. Am Morgen des 14. April schossen Bürgerwehren und andere Streikbrecher mit Gewehren in das Lager und brannten die Zelte nieder. Zwanzig Menschen, überwiegend Frauen und Kinder, wurden getötet.

22. März 1947: Präsident Truman verabschiedete die Executive Order 9835, um die »Infiltration der Regierung mit illoyalen Personen« aufzudecken. Die McCarthy-Ära war geprägt von Angst, Paranoia und der Jagd auf Kommunisten oder Personen, die sich »unamerikanischer Umtriebe« schuldig machten. Über sechs Millionen Menschen wurden überprüft und 500 verloren ihrer »zweifelhaften Loyalität« wegen ihren Job.

1. Dezember 1955: Die müde Näherin und Bürgerrechtlerin Rosa Parks weigerte sich in Montgomery, Alabama, einem Weißen in einem Bus Platz zu machen. Mit dieser Tat wurde der 381-tägige Busboykott von Montgomery begonnen, in dessen Verlauf Martin Luther King jr. zum Anführer der schwarzen Bürgerrechtsbewegung aufstieg. Der Boykott endete, nachdem das Oberste Gericht entschieden hatte, daß Segregationsgesetze in öffentlichen Verkehrsmitteln rechtswidrig sind.

30. April 1975: Der Fall Saigons. Die amerikanischen Bodentruppen hatten sich offiziell zwar schon zwei Jahre zuvor aus Vietnam zurückgezogen, doch erst an diesem Tag ging der grausame Krieg zu Ende. Ein wochenlanges Chaos vor der bevorstehenden kommunistischen Machtübernahme fand in dem verzweifelten Schauspiel seinen Höhepunkt, als die letzten amerikanischen Rettungshubschrauber mit wenigen Flüchtlingen an Bord vom Dach der amerikanischen Botschaft abhoben.

»Ich fand keinen Parkplatz«, antwortete ich, schnappte mir eine Erdbeerlimo und widmete mich dem Rest meines Lebens. Seither habe ich nie wieder eine Schulbank gedrückt.

Meine Abneigung gegen die Schule begann schon im zweiten Monat der ersten Schulklasse. Meine Eltern hatten mir – und Gott segne sie dafür – mit vier Jahren Lesen und Schreiben beigebracht. Als ich in die St. John's Elementary School kam, mußte ich also dasitzen und Interesse heucheln, während die anderen Kinder wie Roboter sangen: »A-B-C-D-E-F-G… Jetzt kenne ich das ABC, sag mir, was hältst du von mir!« Jedes Mal wenn ich diese Zeile hörte, hätte ich am liebsten geschrieen: »Ich will euch sagen, was ich von euch halte: Hört auf, dieses dämliche Lied zu singen! Ein Königreich für ein Nußhörnchen!«

Ich langweilte mich unsäglich. Die Nonnen, das muß man ihnen lassen, merkten das, und eines Tages nahm Schwester John Catherine mich beiseite und sagte, sie hätten beschlossen, mich in die zweite Klasse zu versetzen, und zwar sofort. Als ich nach Hause kam, verkündete ich ganz aufgeregt meinen Eltern, daß ich schon nach dem ersten Monat eine Klasse hinter mir gelassen hätte. Sie schienen alles andere als begeistert über diesen weiteren Beweis meines Genies. Statt dessen entfuhr ihnen ein »Was zum…«, dann gingen sie in die Küche und machten die Tür hinter sich zu. Ich hörte, daß meine Mutter der Oberschwester am Telefon erklärte, ihr kleiner Michael werde *auf keinen Fall* eine Klasse besuchen, in der größere und ältere Kinder sind. Deshalb, Schwester, versetzen Sie ihn bitte schön wieder in die erste Klasse zurück.

Ich war am Boden zerstört. Meine Mutter erklärte mir, daß ich, wenn ich die erste Klasse überspringe, in allen Klassen meiner Schulzeit immer das jüngste und kleinste Kind wäre (in diesem Punkt sollte sie später allerdings der Trägheit und der Fast-food-Mentalität wegen unrecht haben). Es hatte keinen Sinn, sich an meinen Vater zu wenden. Er überließ fast alle Entscheidungen zur Erziehung meiner Mutter, die in ihrem High-School-Jahrgang damals die Ehre hatte, die Abschlußrede zu halten. Ich versuchte ihr beizubringen, daß es, wenn ich wieder in die erste

Klasse zurückversetzt wurde, so aussehen würde, als wäre ich schon am ersten Tag in der zweiten Klasse *durchgefallen* – damit lief ich Gefahr, daß die Erstkläßler mich windelweich prügelten, von denen ich mich mit den Worten »Und tschüß, ihr Trottel!« verabschiedet hatte. Doch darauf fiel Mama nicht herein; damals lernte ich, daß nur ein Mensch mehr Autorität hatte als die Schwester Oberin, nämlich Mutter Moore.

Am nächsten Tag beschloß ich, alle Anweisungen meiner Eltern zu ignorieren und nicht wieder in die erste Klasse zu gehen. Morgens mußten sich alle Schüler vor dem Ertönen der Schulglocke mit ihren Klassenkameraden in Reih und Glied aufstellen und dann im Gänsemarsch das Schulhaus betreten. Heimlich, aber wild entschlossen stellte ich mich in die Reihe der zweiten Klasse und betete, daß Gott die Nonnen mit Blindheit schlagen möge, damit sie nicht sahen, in welcher Reihe ich stand. Es läutete – und niemand hatte mich gesehen! Die Reihe der zweiten Klasse setzte sich in Bewegung, und ich mit ihr. *Ja!,* dachte ich. *Wenn ich es schaffe, wenn es mir nur gelingt, ins Klassenzimmer der zweiten Klasse zu kommen und mich auf meinen Platz zu setzen, dann bringt mich dort keiner wieder weg.* Gerade als ich durch die Tür treten wollte, spürte ich eine Hand am Kragen meines Mantels. Es war Schwester John Catherine.

»Ich glaube, du bist in der falschen Reihe, Michael«, sagte sie bestimmt. »Du bist jetzt wieder in der ersten Klasse.« Ich protestierte lautstark: meine Eltern hätten »überhaupt nichts verstanden«, oder »das sind nicht meine *richtigen* Eltern«, oder ...

In den folgenden zwölf Jahren saß ich im Klassenzimmer, machte meine Aufgaben und beschäftigte mich ständig mit der Suche nach Möglichkeiten für einen Ausbruch. In der vierten Klasse gründete ich eine Untergrundschulzeitung. Sie wurde verboten. In der sechsten startete ich die Zeitung noch einmal. Wieder wurde sie verboten. In der achten Klasse startete ich nicht nur die Zeitung wieder, sondern überredete die Schwestern, mich ein Stück schreiben zu lassen, das unsere Klasse bei der Weihnachtsfeier aufführen sollte. In dem Stück ging es darum, wie viele Ratten im Pfarrhaus wohnten und weshalb die Ratten aus dem ganzen Land zu ihrem »Rattenkonvent« in das Pfarrhaus von St. John's gekommen waren. Der Pfarrer stoppte das Stück und verbot die Zeitung abermals. Statt dessen sollten meine Freunde und ich auf der Bühne drei Weihnachtslieder singen und danach stumm wieder abgehen. Die Hälfte der Klasse brachte ich dazu, auf die Bühne zu treten und keinen Piep zu sagen. So standen wir auf der Bühne und weigerten uns, die Weihnachtslieder zu singen – ein stummer Protest gegen die Zensur. Beim zweiten Lied stimmten die meisten Protestierenden, eingeschüchtert von den drohenden Blicken der Eltern, in den Gesang ein – beim dritten kapitulierte auch ich und sang »Stille Nacht, heilige Nacht« mit. Ich schwor mir allerdings, den Kampf nicht aufzugeben.

Die amerikanische High School ist, wie wir alle wissen, eine krankhafte, sadistische Strafe für Kinder, die sich Erwachsene ausgedacht haben. Sie wollen sich dafür rächen, daß sie selbst nicht mehr rund um die Uhr das unbeschwerte Leben eines Vagabunden führen können, das junge Erwachsene so genießen. Wie ließen sich sonst die vier grausamen Jahre voller demütigender Bemerkungen verstehen, voller physischer Gewalt und überschattet von der Überzeugung, daß man der einzige in der Klasse ist, der noch keinen Sex hatte?

Kaum hatte ich die High School betreten – und damit das staatliche Schulwesen –, da war mein ganzes Murren über die Unterdrückung durch die Schwestern von St. John vergessen. Mit einem Mal kamen sie mir wie Gelehrte und Engel vor. Ich schritt jetzt durch die Korridore einer Zuchtanstalt mit über 2000 Insassen. Während die Nonnen ihr ganzes Leben dem Unterricht gewidmet hatten, kannten die Lehrkräfte der staatlichen Schule nur einen Auftrag: »Jagt diese kleinen Plagegeister wie Hunde, sperrt sie dann in einen Käfig, bis ihr ihren Willen gebrochen habt! Was dann noch von ihnen übrig ist, schickt in die Leimfabrik!« Tu dies, tu das, laß das bleiben, stopf dein Hemd in die Hose, verkneif dir dein dreckiges Lachen, sag mir das Paßwort: Das ist das falsche Paßwort! Du – Arrest!!

Leitfaden zu Schülerrechten

Während seiner Schulzeit erfährt ein amerikanischer Schüler vermutlich nicht allzuviel über die amerikanische Verfassung oder über seine Bürgerrechte. Deshalb füge ich hier einen knappen Leitfaden ein, der sich auf Informationen der American Civil Liberties Union (ACLU) stützt. Nähere Einzelheiten zu Studentenrechten oder zu Themen von der Kleiderordnung über die Schülerzahlen bis hin zur Diskriminierung aufgrund der sexuellen Neigungen erhält man bei den Organisationen der ACLU in den Bundesstaaten oder auf der Website www.aclu.org/students/slfree.html.

- Der erste Zusatzartikel garantiert das Recht auf Rede- und Versammlungsfreiheit. Und laut einer Entscheidung des Obersten Gerichtshofs gelten diese Rechte sogar für euch, nichtswürdige Schüler – zumindest gelegentlich.
- Im Jahr 1969 entschied das Oberste Gericht (in *Tinker gegen Des Moines Independent Community School District),* daß der erste Zusatzartikel für Schüler in staatlichen Schulen gilt. Private Schulen haben einen größeren Spielraum für ihre eigenen Vorschriften zur freien Meinungsäußerung, weil sie nicht von der Regierung finanziert werden.
- Schüler an staatlichen Schulen dürfen ihre Meinung mündlich und schriftlich frei äußern (auf Flugblättern, Buttons, Armbändern oder T-Shirts), solange sie nicht »materiell oder substantiell« den Unterricht oder andere Schulaktivitäten stören.
- Bedienstete der Schule können Schülern zwar verbieten, »ordinäre oder ungebührliche Ausdrücke« zu gebrauchen, aber sie dürfen bei einer Auseinandersetzung nicht einseitig Partei ergreifen.

geht noch weiter

- Wenn ihr gemeinsam mit anderen Schülern eine Zeitung herausgeben und in der Schule verteilen wollt, so darf die Verwaltung die Zeitung nicht zensieren oder die Ausgabe verbieten (sofern sie nicht »sittenwirdrig« ist oder ihre Ausgabe schulische Aktivitäten behindert).
- Die Verwaltung *darf* jedoch zensieren, was in der offiziellen Schulzeitung (die mit Schulgeldern finanziert wird) publiziert wird. In dem Urteil von 1988 im Prozeß *Hazelwood School District gegen Kuhlmeier* entschied das Oberste Gericht der Vereinigten Staaten, daß die Verwaltung staatlicher Schulen Ansprachen von Schülern in offiziellen Veröffentlichungen oder bei Aktivitäten zensieren darf (wie ein Schultheater, eine Ausstellung, ein Jahrbuch oder eine Zeitung), wenn die Vertreter der Auffassung sind, die Schüler würden etwas Unpassendes oder gar Schädliches sagen – auch wenn es nicht ordinär ist und schulische Aktivitäten nicht stört.
- In einigen Staaten – darunter Colorado, Kalifornien, Iowa, Kansas und Massachusetts – gelten sogenannte »High School Free Expression«-Gesetze, die den Schülern größere Freiheiten einräumen. Am besten fragt ihr bei der jeweiligen ACLU an, ob es in eurem Staat solche Gesetze gibt.

Eines Tages kam ich aus der Schule nach Hause und las in der Zeitung die Schlagzeile: »26. Zusatzartikel verabschiedet – Wahlalter auf 18 gesenkt.« Darunter stand eine andere Schlagzeile: »Vorsitzender des School Boards vor Pensionierung, melden Sie sich zur Wahl.«

Hm. Ich rief die Sekretärin des Countys an.

»Äh, in ein paar Wochen werde ich Achtzehn. Wenn ich wählen darf, heißt das, daß ich auch für ein Amt kandidieren darf?«

»Da muß ich nachschlagen«, antwortete die Dame. »Das hat noch niemand gefragt!«

Sie blätterte einige Unterlagen durch und kam zurück zum Telefon. »Ja«, sagte sie, »Sie können kandidieren. Sie müssen lediglich 20 Unterschriften sammeln, damit Ihr Name auf dem Stimmzettel aufgeführt wird.«

20 Unterschriften? Das ist alles? Ich hätte nie gedacht, daß es so einfach ist, für ein Amt zu kandidieren. Ich brachte die 20 Unterschriften zusammen, reichte den Antrag ein und begann den Wahlkampf. Mein Wahlprogramm? »Werft den Rektor und den Vizerektor der High School raus!«

Alarmiert von der Vorstellung, daß ein High-School-Schüler tatsächlich ein legales Mittel finden könnte, den eigenen Schulleiter abzusetzen, der ihm einst den Hintern versohlt hatte, meldeten sich fünf einheimische »Erwachsene« ebenfalls und wurden auf dem Stimmzettel aufgeführt.

Natürlich wurde die Wählerschaft der älteren Erwachsenen am Ende zersplittert und ich gewann, da ich die Stimmen aller Wahlberechtigten im Alter von 18 bis 25 Jahren erhielt (denen, auch wenn einige vermutlich nie wieder zu einer Wahl gingen, der Gedanke gefiel, ihren Schulleiter in den Hintern zu treten).

Nach meinem Wahlsieg schlenderte ich durch den Flur in der Schule (ich mußte noch eine Woche als Schüler absitzen) und ging an dem Vizerektor vorbei, mein T-Shirt hing stolz aus der Hose.

»Guten Morgen, Mr. Moore«, sagte er knapp. Gestern hatte er mich noch »He, du da!« tituliert. Jetzt war ich sein Vorgesetzter.

In den ersten neun Monaten nach meinem Amtsantritt in der Behörde reichten der Rektor und der Vizerektor ihre »Rücktrittsgesuche« ein, so wahrt man wenigstens das Gesicht, wenn man »gebeten« wird, zurückzutreten. Einige Jahre danach starb der Rektor an einem Herzinfarkt.

Ich kannte diesen Mann, den Rektor, seit Jahren. Mit acht Jahren hatte er mich und meine Freunde auf dem kleinen Teich neben seinem Haus Schlittschuh laufen und Eishockey spielen lassen. Er war nett und großzügig und ließ immer die Tür offen, falls sich einer von uns Schlittschuhe anziehen wollte oder falls uns kalt wurde und wir uns aufwärmen wollten. Jahre später sollte ich in einer Band Kontrabaß spielen, aber ich hatte keinen eigenen Kontrabaß. Er lieh mir den Kontrabaß seines Sohnes aus.

Ich schreibe dies, um mir zu vergegenwärtigen, daß alle Menschen in ihrem Innersten gut sind, und um mich daran zu erinnern, daß ein Mensch, mit dem ich so manchen Streit ausgefochten habe, immer eine Tasse heißen Kakao für uns bibbernde Strolche aus der Nachbarschaft bereit hatte.

Lehrer sind heute die beliebtesten Sündenböcke der Politiker. Wenn man sich Chester Finn und Konsorten anhört, einen ehemaligen Mitarbeiter im Bildungswesen der Regierung Bush senior, dann könnte man meinen, alle Übel in unserer Gesellschaft seien auf zu nachlässige, faule und unfähige Lehrer zurückzuführen. »Wenn man eine Liste der zehn meistgenannten Leute aufstellen würde, die das amerikanische Schulwesen zugrunde richten, dann weiß ich nicht, wer weiter oben auf der Liste stehen müßte: die Lehrergewerkschaft oder die Bildungseinrichtungen«, sagte Finn.

Freilich gibt es viele Lehrer, die sich einen faulen Lenz machen und die sich besser für Telefonmarketing von Amway eignen würden. Die große Mehrzahl sind jedoch engagierte Pädagogen, die einen Beruf gewählt haben, bei dem sie weniger verdienen als viele ihrer Schüler mit dem Verkauf von Ecstasy. Und für dieses Opfer wollen wir sie auch noch bestrafen. Ich weiß nicht, wie es Ihnen geht, aber ich möchte, daß die Menschen, die tagtäglich mehr Stunden unmittelbar mit meinem Kind verbringen als ich selbst, mit einer liebevollen Sorgfalt behandelt werden. Immerhin »bereiten« sie meine Kinder auf diese Welt vor, warum um alles in der Welt sollte ich sie also beschimpfen?

Man sollte meinen, daß die Gesellschaft sich auf den Standpunkt stellt:

Lieber Lehrer, vielen Dank dafür, daß Sie Ihr Leben meinem Kind gewidmet haben. Kann ich IRGEND ETWAS für Sie tun? Brauchen Sie IRGEND ETWAS? Ich bin für Sie da. Warum? Weil Sie meinem Kind – MEINEM SCHATZ – lernen und wachsen helfen. Sie sind nicht nur weitgehend für seine Fähigkeit verantwortlich, sich einen Lebensunterhalt zu verdienen, sondern Ihr Einfluß wird sich auch sehr stark darauf auswirken, wie es die Welt betrachtet, was es von anderen Völkern auf dieser Welt weiß und wie es über sich selbst denkt. Ich möchte, daß mein Kind glaubt, es könne alles erreichen – daß ihm keine Türen verschlossen, keine Träume in weiter Ferne sind. Ich vertraue Ihnen den kostbarsten Menschen in meinem Leben sieben Stunden jeden Tag an. Folglich sind Sie einer der wichtigsten Menschen in meinem Leben! Ich danke Ihnen.

Statt dessen bekommen Lehrer folgendes zu hören:

- »Man kann sich nur wundern über Lehrer, die behaupten, die Interessen des Kindes voranzustellen – und dann danach trachten, mit Gehaltsforderungen das System zu melken.« *(New York Post,* 26. 12. 2000)
- »Schätzungen zum Anteil der schlechten Lehrer reichen von 5 Prozent bis zu 18 Prozent von insgesamt 2,6 Millionen.« (Michael Chapman, *Investor's Business Daily,* 21. 9. 1998)
- »Die meisten Menschen, die beruflich mit Erziehung zu tun haben, gehören einer verschworenen Gemeinde begeisterter Adepten an ..., die sich an populären Weltanschauungen orientiert, statt zu untersuchen, was wirklich funktioniert.« (Douglas Carminen, zitiert in *Montreal Gazette,* 6. 1. 2001)
- »Die Lehrergewerkschaften haben sich gleichermaßen für Schurken unter den Lehrern eingesetzt, die ihre Schüler sexuell mißbraucht hatten, wie auch für Lehrer, die schlichtweg nicht unterrichten können.« (Peter Schweizen, *National Review,* 17. 8. 1998)

Welche Priorität räumen wir in Amerika der Bildung ein? Natürlich steht sie auf der Liste der staatlichen Zuschüsse irgendwo ganz unten zwischen der Behörde für Sicherheit und Gesundheit am Arbeitsplatz (OSHA) und den Fleischbeschauern. Der Mensch, der sich jeden Tag um unser Kind kümmert, erhält jährlich im Durchschnitt 41 351 Dollar. Ein Abgeordneter des Repräsentantenhauses, dessen einzige Sorge es ist, welcher Lobbyist der Tabakindustrie ihn heute abend zum Essen einlädt, bekommt 145 100 Dollar.

Ist es ein Wunder, daß so wenige diesen Beruf wählen, wenn man sich vor Augen führt, wofür die Lehrer in unserer Gesellschaft Tag für Tag den Kopf hinhalten müssen? Der landesweite Lehrermangel ist inzwischen so akut, daß einige Schulbehörden Lehrer außerhalb der Vereinigten Staaten anwerben. Chicago hat erst vor kurzem Lehrer aus 28 verschiedenen Ländern eingestellt, darunter China, Frankreich und Ungarn. Wenn das neue Schuljahr beginnt, gehen in New York 7 000 Lehrer in den Ruhestand – und 60 Prozent der als Ersatz eingestellten Lehrer haben kein Examen abgelegt.

Doch das ist in meinen Augen die Krönung: 163 Schulen in New York City haben das Schuljahr 2000/2001 *ohne einen Rektor* begonnen! Sie haben richtig gelesen – eine Schule ohne einen Menschen, der die Verantwortung trägt. Scheinbar experimentieren der Bürgermeister und die Schulbehörde mit der Chaostheorie – man stecke 500 Kinder in ein baufälliges Gebäude und sehe zu, wie die Dinge sich naturgemäß entwickeln! In der Stadt, von der aus weltweit der größte Reichtum gesteuert wird und in der mehr Millionäre pro Quadratmeter leben als Kaugummis auf dem Gehsteig kleben, haben wir aus unerfindlichen Gründen nicht genügend Geld, einem frischgebackenen Lehrer mehr als 31 900 Dollar jährlich zu zahlen. Und dann wundern wir uns, wenn niemand diesen Job will.

Dabei sind nicht nur die Lehrer vernachlässigt worden, amerikanische Schulgebäude fallen *buchstäblich* auseinander. Im Jahr 1999 meldete ein Viertel aller amerikanischen staatlichen Schulen, daß mindestens eines ihrer Gebäude in desolatem Zustand sei. Im Jahr 1997 mußte in ganz Washington, D.C., der Schulstart um drei Wochen verschoben werden, weil fast *ein Drittel* der Schulgebäude als unsicher galt.

An rund 10 Prozent der staatlichen Schulen sind so viele Schüler gemeldet, daß die Aufnahmekapazität ihrer Räumlichkeiten um mehr als 25 Prozent überschritten wird. Der Unterricht muß im Flur, im Freien, in der Turnhalle oder in der Cafeteria gehalten werden. Einmal stattete ich einer Schule einen Besuch ab, in der sogar im Hausmeisterhäuschen unterrichtet wurde. Das soll nicht etwa heißen, daß die Hausmeisterhäuschen sonst als Besenkammern benützt werden. In New York haben fast 15 Prozent der 1100 staatlichen Schulen keinen fest angestellten Hausmeister, so daß Lehrer ihre Fußböden selbst wischen und Schüler ohne Klopapier auskommen müssen. Unsere Kinder gehen schon mit Schokoriegeln hausieren, damit ihre Schule neue Musikinstrumente kaufen kann. Was kommt als nächstes? Auto waschen, um Geld fürs Klopapier zu verdienen?

Ein weiterer Beweis dafür, wie sehr uns unsere Kinder am Herzen liegen, ist die Zahl der öffentlichen und sogar schulischen Bibliotheken, die schließen oder die Öffnungszeiten reduzieren mußten. Das letzte, was wir heute noch brauchen, sind Kinder, die mit Büchern ihre Zeit totschlagen!

»Präsident« Bush stimmt dem anscheinend zu: In seinem ersten Haushaltsentwurf schlug er vor, die Bundesausgaben für Bibliotheken um 39 Millionen Dollar zu kürzen, auf 168 Millionen Dollar – eine Kürzung um fast 19 Prozent. In der Woche davor hatte seine Frau, die ehemalige Bibliothekarin Laura Bush, noch eine landesweite Kampagne zur Unterstützung der amerikanischen Bibliotheken ins Leben gerufen und nannte sie »die Schatztruhe der Gemeinschaft, die mit einem Reichtum an Informationen gefüllt sei, der jedem in gleicher Weise zur Verfügung« stehe. Die Mutter des Präsidenten, Barbara Bush, steht an der Spitze der Foundation for Family Literacy, einer Stiftung zur Leseförderung. Erfahrungen mit Analphabetismus in der eigenen

Familie sind eben doch die besten Voraussetzungen, um Menschen für Ehrenämter in gemeinnützigen Organisationen zu gewinnen.

Für Kinder, die zu Hause Bücher haben, ist es bedauerlich, wenn ihre Schulbücherei geschlossen wird. Aber für Kinder aus Milieus, in denen die Menschen nicht lesen, ist der Verlust einer Bücherei eine Katastrophe. Sie entdecken womöglich nie den Spaß am Lesen, oder sie erwerben nie das nötige Wissen, das über ihren Platz im Leben entscheidet. Jonathan Kozol, seit Jahrzehnten ein Anwalt benachteiligter Kinder, hat beobachtet, daß Schulbüchereien »immer noch das beste Fenster zu einer Welt nichtkommerzieller Freuden und Anregungen sind, die sonst die meisten Kinder in armen Wohngegenden niemals kennenlernen würden«.

Kinder, denen der Zugang zu guten Bibliotheken genommen wird, werden auch daran gehindert, den richtigen Umgang mit Informationen zu lernen, den sie an Arbeitsplätzen brauchen, die wiederum zunehmend auf Informationen angewiesen sind. Die Fähigkeit, Recherchen selbständig durchzuführen, ist »vermutlich die wichtigste Fähigkeit, die [Schüler heute] haben sollten«, sagt Julie Walker, die leitende Direktorin der amerikanischen Vereinigung der Schulbüchereien. »Das Wissen, das [Schüler] in der Schule erwerben, wird ihnen nicht für ihr ganzes Leben reichen. Viele werden vier oder fünf berufliche Karrieren in ihrem Leben durchlaufen. Vor allem ihre Fähigkeit, sich in der Informationsflut zurechtzufinden, wird entscheidend für Erfolg oder Mißerfolg sein.«

Wer ist schuld am Niedergang der Bibliotheken? Was die Schulbüchereien angeht, so müßte man als erstes mit dem Finger auf Richard Nixon zeigen (genau, mit *diesem* Finger). Seit den sechziger Jahren bis ins Jahr 1974 erhielten Schulbüchereien Zuschüsse von der Regierung. Aber im Jahr 1974 änderte die Nixon-Administration die Bestimmungen und legte fest, daß Bundesgelder für die Bildung »in Blöcken« zugeteilt werden, welche die Staaten nach Belieben aufteilen konnten. Nur wenige Staaten gaben das Geld für Bibliotheken aus, und das war der Anfang vom Ende. Nicht zuletzt deshalb stammt das Material in vielen Schulbüchereien heute aus den sechziger und Anfang der siebziger Jahre, bevor die Mittel umgeleitet wurden. (»Nein, Sally, die Sowjetunion ist nicht unser Feind. Die Sowjetunion gibt es seit zehn Jahren nicht mehr…«)

Der folgende Bericht von 1999 eines Reporters der Zeitschrift *Education Week* über die »Bücherei« an einer Grundschule in Philadelphia dürfte auf eine beträchtliche Zahl ähnlich vernachlässigter Schulen zutreffen:

> Selbst die besten Bücher in der Bücherei an der T. M. Pierce Elementary School sind veraltet, zerfleddert und vergilbt. Die schlimmsten – viele kurz vor der Auflösung – sind schmutzig, stinken und hinterlassen einen modrigen Geruch an Händen und Kleidern. Stühle und Tische sind alt, kaputt oder passen nicht zueinander. Und kein Computer weit und breit. […] Veraltete Fakten und Theorien und beleidigende Klischees springen einem auf den doktrinären Seiten der Enzyklopädien und Biographien, der Bände mit Romanen und Sachbüchern sofort ins Auge. In all den Wälzern, die in den Regalen stehen, wird ein Schüler schwerlich genaue Informationen über AIDS oder über andere Krankheiten unserer Zeit finden, so wenig wie über Erkundungen des Mondes und des Mars oder über die letzten fünf US-Präsidenten.

Der groteske Witz bei der ganzen Sache ist, daß genau dieselben Politiker, die sich weigern, ausreichend Gelder für die Bildung in Amerika bereitzustellen, sich jetzt furchtbar darüber aufregen, daß unsere Kinder hinter die Deutschen, Japaner und fast jedes andere Land mit fließendem Wasser und einer Wirtschaft, die nicht gerade auf dem Verkauf von Kaugummis beruht, zurückgefallen sind. Auf einmal fordern sie »Rechenschaft«. Sie wollen die Lehrer dafür verantwortlich machen und prüfen lassen. Und sie wollen, daß die Kinder getestet werden – immer und immer wieder.

Es spricht grundsätzlich nichts dagegen, mit standardisierten Tests zu überprüfen, ob Kinder Lesen, Schreiben und Rechnen lernen. Aber allzu viele Politiker und Bildungsbeamte haben geradezu einen Narren gefressen an den Tests, als ob alle Mängel in unserem Bildungswesen wie von Zauberhand behoben wären, wenn es uns nur gelänge, höhere Punktzahlen zu erzielen.

Dabei müßten eigentlich die sogenannten politischen Führer getestet werden (abgesehen von den quasselnden Meinungsmachern). Wenn Sie das nächste Mal Ihren Senator oder Abgeordneten im Repräsentantenhaus treffen, dann überreichen Sie ihm das folgende Quiz – und weisen Sie ihn darauf hin, daß künftige Erhöhungen der Diäten von seiner Punktzahl abhängen:

1. Wie hoch ist das Durchschnittseinkommen Ihrer Wähler?
2. Wie hoch ist der Anteil der Kinder unter Sozialhilfeempfängern?
3. Wie viele bekannte Tier- und Pflanzenarten sind vom Aussterben bedroht?
4. Wie groß ist das Loch in der Ozonschicht?
5. Welche afrikanischen Länder haben eine niedrigere Kindersterblichkeitsrate als Detroit?
6. In wie vielen amerikanischen Städten gibt es noch zwei konkurrierende Zeitungen?
7. Wie viele Unzen ergeben eine Gallone?
8. Welche Todesart ereilt Schüler mit einer höheren Wahrscheinlichkeit: in der Schule erschossen oder vom Blitz erschlagen zu werden?
9. Wie heißt die einzige Hauptstadt eines amerikanischen Bundesstaates, in der es kein McDonald's gibt?
10. Fassen Sie den Stoff der *Ilias* oder der *Odyssee* zusammen.

Antworten

1. 28 548 Dollar
2. 67 Prozent
3. 11 046 Arten
4. 10,5 Millionen Quadratkilometer
5. Libyen, Mauritius, Seychellen
6. 34 Städte
7. 128 Unzen
8. Die Wahrscheinlichkeit, vom Blitz erschlagen zu werden, ist doppelt so hoch wie die Wahrscheinlichkeit, in der Schule erschossen zu werden.
9. Montpelier im Staat Vermont
10. Die *Ilias* ist ein altgriechisches Epos von Homer über den Trojanischen Krieg. Die *Odyssee* ist ein zweites Epos von Homer, das die zehnjährige Irrfahrt des Odysseus, König Ithakas, von Troja in seine Heimat erzählt.

Aller Wahrscheinlichkeit nach kann der geniale Mensch, der Sie im Kongreß vertritt, nicht einmal 50 Prozent der genannten Fragen beantworten. Aber eines ist tröstlich: Sie können ihn schon in ein oder zwei Jahren aus dem Kongreß rauswerfen.

Es gibt jedoch eine Gruppe in unserem Land, die nicht nur über all die belämmerten Lehrer jammert – eine Gruppe, die sich sehr intensiv um die Schüler kümmert, die irgendwann die Welt der Erwachsenen betreten. Man könnte sogar sagen, sie haben ein ureigenes Interesse an diesem für den Eigenbedarf bestimmten Millionenheer junger Menschen … oder an den Milliarden Dollar, die sie Jahr für Jahr ausgeben. (Allein amerikanische Teenager gaben letztes Jahr mehr als 150 Milliarden Dollar aus.) Genau, es ist die amerikanische Geschäftswelt, auch Corporate America genannt, deren Großzügigkeit gegenüber den Schulen unseres Landes nur ein weiterer Beweis für ihre aufopferungsvolle, patriotische Arbeit ist.

Aber wie sehr liegen unsere Kinder diesen Unternehmen wirklich am Herzen?

Nach Zahlen des Zentrums für die Analyse der Kommerzialisierung des Schulwesens (CACE) ist ihre selbstlose Spendenbereitschaft seit 1990 in die Höhe geschnellt. Im letzten Jahrzehnt sind die Fördermittel von Unternehmen für schulische Programme und Aktivitäten um 248 Prozent gestiegen. Als Gegenleistung für das Sponsoring lassen die Schulen es zu, daß die Unternehmen ihre Namen mit den Veranstaltungen verknüpfen.

Beispielsweise sponsert Eddie Bauer die letzte Runde des Schülerwettbewerbs National Geography Bee. Buchumschläge mit Anzeigen von Calvin Klein und Nike werden an die Schüler verteilt. Nike und andere Schuhhersteller fördern städtische High-School-Basketballteams, immer auf der Suche nach den Stars von morgen.

Pizza Hut rief seine Werbekampagne »Book-It!« ins Leben. Wenn die Schüler ein bestimmtes Lesepensum im Monat erreichen, werden sie mit einem Gutschein für eine Pizza ihrer Wahl belohnt. Der Geschäftsführer gratuliert den Kindern im Restaurant und überreicht ihnen einen Sticker und eine Urkunde. Pizza Hut schlägt den Rektoren vor, eine Liste aller Ehrenträger der »Pizza Hut Book-It!«-Aktion in der Schule auszuhängen.

General Mills und Campbell's Soup haben sich etwas noch Raffinierteres ausgedacht. Statt Gutscheine zu verteilen, belohnen sie Schulen dafür, daß sie Eltern dazu bringen, ihre Produkte zu kaufen. Bei der Werbekampagne »Box Tops for Education« von General Mills erhält die Schule 10 Cents für jedes Logo von einem Schachteldeckel, das sie einschickt. Bis zu 10 000 Dollar im Jahr kann sie damit verdienen. Das bedeutet 100 000 verkaufte Produkte von General Mills. Das Programm »Labels for Education« von Campbell's Soup ist nicht besser. Der Suppenkocher prahlt großartig damit, »Amerikas Kindern kostenlos Schulausrüstung zu beschaffen!«. Schulen können sich einen »kostenlosen« Apple iMac-Computer verdienen, wenn sie schlappe 94950 Suppenetiketten sammeln. Campbell's rät den Schulen, ein tägliches Sammelziel für jeden Schüler vorzugeben. Bei der vorsichtigen Schätzung von fünf Etiketten pro Woche und Schüler braucht man nur noch eine Schule mit 528 Kindern, um den kostenlosen Computer zu kriegen.

Aber Schulen haben nicht nur über diese Form des Sponsoring mit der Geschäftswelt zu tun. In den neunziger Jahren stieg die Zahl der Exklusivverträge zwischen Schulen und Getränkeherstellern um sage und schreibe 1384 Prozent. 240 Schuldistrikte in 31 Staaten haben das exklusive Vertriebsrecht an einen der drei großen Getränkekonzerne verkauft (Coca-Cola, Pepsi, Dr. Pepper) und deren Produkte in den Schulen verstärkt angeboten. Wundert sich da noch jemand, daß mehr Kinder Übergewicht haben als jemals zuvor? Oder daß mehr junge Frauen an Kalziummangel leiden, weil sie zuwenig Milch trinken? Laut Bundesgesetz ist zwar in Schulen der Verkauf von Limonaden vor der Mittagspause verboten, doch in manchen überfüllten Schulen beginnt die »Mittagspause« bereits am Vormittag. Künstlich aromatisiertes Zuckerwasser mit Kohlensäure – das Frühstück für Champions! (Im März 2001 reagierte der Coca-Cola-Konzern auf den öffentlichen Druck und kündigte an, daß er Wasser, Saft und andere zuckerfreie, koffeinfreie und kalziumreiche Alternativen in den Getränkeautomaten anbieten werde.)

Solche Zugeständnisse dürften sich die Konzerne ohne weiteres leisten können, wenn man sich den Deal im Schuldistrikt von Colorado Springs vor Augen führt. Colorado hat auf dem Feld der Zusammenarbeit zwischen Schulen und Getränkeherstellern echte Pionierarbeit geleistet. In Colorado Springs erhält der Distrikt im Laufe von zehn Jahren 8,4 Millionen Dollar von Coca-Cola – und sogar noch mehr, wenn er die »Quote« übertrifft: Es müssen nur 70000 Kisten mit Coca-Cola-Produkten jährlich verkauft werden. Damit die Menge auch tatsächlich erreicht wird, drängten Vertreter des Schuldistrikts die Rektoren, den Schülern unbegrenzt Zugang zu den Automaten zu gewähren und es den Schülern zu erlauben, im Klassenzimmer Cola zu trinken.

Coca-Cola ist kein Einzelfall. Im Schuldistrikt von Jefferson County, Colorado (Heimat der Columbine High School), steuerte Pepsi 1,5 Millionen Dollar zum Bau eines neuen Sportstadions bei. Einige Schulen führten einen wissenschaftlichen Test durch, der zum Teil von Pepsi selbst entwickelt wurde und »Der Hersteller kohlensäurehaltiger Getränke« heißt. Die Schüler machten Geschmackstests verschiedener Cola-Limos, analysierten Cola-Proben, sahen sich auf einem Video eine Getränkefabrik von Pepsi an und fuhren zu einer Fabrik in der Nähe.

Der texanische Schuldistrikt in Wylie unterschrieb 1996 einen Vertrag, nach dem das Verkaufsrecht für Limonaden in Schulen zwischen Coke und Dr. Pepper aufgeteilt wurde. Jedes Unternehmen zahlte jährlich 31 000 Dollar. Im Jahr 1998 überlegte das County es sich plötzlich anders und unterschrieb einen Vertrag mit Coke in Höhe von 1,2 Millionen Dollar über einen Zeitraum von 15 Jahren. Dr. Pepper verklagte das County wegen Vertragsbruchs. Der Schuldistrikt kaufte sich von dem Vertrag mit Dr. Pepper frei. Kostenpunkt: 160 000 Dollar plus 20 000 Dollar Gerichtskosten.

Aber nicht nur Unternehmen werden manchmal rausgeworfen. Schülern, die es am nötigen Gemeinschaftsgeist fehlen lassen, drohen harte Strafen. Als Mike Cameron am »Coke Day« an der Greenbrier High School in Evans, Georgia, ein T-Shirt von Pepsi trug, wurde er für einen Tag der Schule verwiesen. Der »Coke Day« wurde anläßlich des landesweiten Wettbewerbs »Team Up With Coca-Cola« gefeiert, in dessen Rahmen die High School mit dem besten Einfall für die Verteilung von Cola-Rabattkarten 10 000 Dollar als Spende erhielt. Vertreter der Greenbrier High School gaben an, Cameron sei nach Hause geschickt worden, weil er »gestört und versucht habe, das Ansehen der Schule zu schädigen«. Er zog angeblich ein T-Shirt aus und darunter kam dann das Pepsi-Shirt zum Vorschein, während die Schüler sich zu einem Gruppenbild aufstellten, auf dem das Wort *Coca-Cola* zu lesen sein sollte. Cameron sagte, er habe das T-Shirt den ganzen Tag über getragen, er habe jedoch erst Schwierigkeiten bekommen, als sie sich für das Foto aufstellen sollten. Pepsis Marketing-Abteilung reagierte prompt und schickte dem Rektor eine Schachtel mit Pepsi-T-Shirts und -Kappen.

Als wäre es nicht schlimm genug, aus Schülern Reklametafeln zu machen, funktionieren Schulen und Unternehmen manchmal gleich das ganze Schulhaus zu einer riesigen Neon-Reklame für die Konzerne Amerikas um. Die Gestaltung des Schulraums, einschließlich der Anzeigetafeln, Dächer, Wände und Lehrbücher, durch Logos und Werbung für Unternehmen ist um mehr als das Fünffache gestiegen.

Colorado Springs hat sich nicht damit begnügt, sich an Coca-Cola zu verkaufen, sondern auch noch die Schulbusse mit Werbeplakaten für Burger King, Wendy's und andere große Unternehmen beklebt. Kostenlose Buchumschläge und Stundenpläne mit Anzeigen für das Toastgebäck von Kellogg's Pop-Tarts und Bildern von TV-Stars des Senders Fox werden ebenfalls an die Schüler verteilt.

Nachdem Mitglieder des Schuldistrikts von Grapevine-Colleyville Independent in Texas beschlossen hatten, keine Werbung in den Klassenzimmern zu erlauben, genehmigten sie, daß Logos von Dr. Pepper und 7-Up auf die Dächer von zwei High Schools gemalt wurden. Die beiden Schulen lagen, und das ist kein Zufall, in der Einflugschneise des Flughafens von Dallas.

Die Schulen halten nicht nur nach Werbemöglichkeiten Ausschau, sie achten auch auf die Wahrnehmung verschiedener Produkte durch ihre Schüler. Aus diesem Grund führen Unternehmen in manchen Schulen während der Schulzeit Marktforschungsstudien durch. Das kanadische Institut Education Market Resources berichtet, daß »Kinder offen und bereitwillig auf Fragen und Anregungen« in der Umgebung des Klassenzimmers reagieren. (Natürlich wird genau das von ihnen im Klassenzimmer *erwartet* – aber zu ihrem eigenen Nutzen und nicht, um die Arbeit eines kommerziellen Meinungsforschers zu erleichtern.) Das Ausfüllen von Marketingfragebögen (statt Unterricht) dürfte wohl kaum zu den Aufgaben von Schulen gehören.

Die Unternehmen haben inzwischen auch entdeckt, daß sie dieses Publikum erreichen können, indem sie Bildungsmaterial »sponsern«. Diese Praxis hat, genau wie die anderen, seit 1990 um 1 875 Prozent zugenommen.

Lehrer zeigen ein Video von Shell Oil, in dem die Schüler erfahren, daß man nur dann ein echtes Naturerlebnis hat, wenn man in die Wildnis fährt – natürlich nach dem Auftanken des Jeeps an einer Shell-Tankstelle. ExxonMobil arbeitete Lektionen über die blühende Natur im Prinz-William-Sund aus, dem Schauplatz einer ökologischen Katastrophe: dort wurde das Erdöl des havarierten Tankers *Exxon Valdez* angetrieben. In einem Rechenbuch für die dritte Klasse müssen die Schüler die Bonbons Tootsie Rolls zählen. Ein von Hershey gesponserter Lehrplan, der in vielen Schulen verwendet wird, arbeitet mit einer »Chocolate Dream Machine«. Sie enthält Lektionen in Rechnen, Naturwissenschaften, Geographie – und Ernährung.

An vielen High Schools wird der Wirtschaftsunterricht von General Motors gefördert. GM schreibt und liefert die Lehrbücher sowie den Lehrplan des Kurses. Die Schüler lernen am Beispiel von GM die Vorzüge des Kapitalismus und wie man ein Unternehmen leitet – eins wie GM.

Gibt es überhaupt einen besseren Weg, den Kindern ein Unternehmenslogo einzuhämmern, als es über das Fernsehen und Internet direkt ins Klassenzimmer zu senden? Das elektronische Marketing hat um 139 Prozent zugenommen: Ein Unternehmen stellt Schulen Programme oder Ausrüstung zur Verfügung als Gegenleistung für das Recht, in der Schule zu werben.

Ein Beispiel ist das Unternehmen ZapMe!, das Schulen kostenlos ein Computerlabor einrichtet und Zugang zu voreingestellten Websites gewährt. Im Gegenzug verpflichtet sich die Schule, daß das Labor mindestens vier Stunden täglich genutzt wird. Der Clou? Beim Browser von ZapMe! werden ständig Werbeanzeigen eingeblendet – außerdem kann das Unternehmen Informationen über die Surfgewohnheiten der Schüler sammeln, und diese Informationen verkauft es dann auch an andere Unternehmen.

Der wohl schlimmste elektronische Vermarkter ist Channel One Television. Acht Millionen Schüler in 12 000 Klassenzimmern sehen sich täglich Channel One an, ein internes Nachrichten- und *Werbeprogramm.* (Sie haben richtig gelesen: TÄGLICH.) In fast 40 Prozent der amerikanischen Mittel- und Oberstufenklassen verbringen die Kinder im Jahr insgesamt sechs volle Schultage mit dem Programm von Channel One. Verlorene Unterrichtszeit allein wegen der Werbung? Ein ganzer Tag im Jahr. Die jährlichen Kosten für den Steuerzahler belaufen sich damit auf über 1,8 Milliarden Dollar.

Freilich sind sich Ärzte und Pädagogen einig, daß unsere Kinder gar nicht zuviel fernsehen können. Und vermutlich eignen sich manche Fernsehsendungen durchaus für die Schule – ich weiß noch, daß wir uns den Start der Astronauten in einem Fernsehapparat ansahen, der extra in den Festsaal der Grundschule gerollt wurde. Aber von Channel Ones täglichen zwölfminütigen Sendungen befaßt sich nur ein Fünftel der Sendezeit mit Meldungen über Politik, Wirtschaft oder kulturelle und soziale Themen. Damit bleiben vier Fünftel für Werbung, Sportnachrichten, Wetter, Features und Veranstaltungen von Channel One.

Channel One wird ungleich öfter in Schulen von Gemeinden mit einem niedrigen Einkommen und einem hohen Minderheitenanteil gezeigt. Diese Gemeinden haben am wenigsten Geld für die Bildung und geben die geringsten Beträge für Lehrbücher und andere Lernmaterialien aus. Die Regierung hat eindeutig versagt. Doch solange diese Gemeinden oder Stadtviertel Broschüren und Lernmittel von Unternehmen erhalten, wird vermutlich wenig unternommen werden, um den Schulen ausreichende Mittel zur Verfügung zu stellen.

Die meisten Amerikaner betreten nur dann eine High School, wenn sie das Wahllokal ihres Wahlbezirks ist. (Ironie der Geschichte: Wir nehmen Teil an dem hehren Ritual der repräsentativen Demokratie, während 2 000 Studenten im selben Gebäude eine Form der totalitären Diktatur ertragen müssen.) In den Gängen schlurfen dichtgedrängt ausgebrannte Teenager von einem

Bist Du ein potentieller Amokläufer?

Das FBI hat eine Liste von »Risikofaktoren« bei Schülern zusammengestellt, bei denen eine erhöhte Wahrscheinlichkeit besteht, daß sie Gewaltakte begehen könnten. Hüte Dich also vor jedem Schüler, der folgende Anzeichen aufweist:

- schwache Konfliktverarbeitung
- Zugang zu Waffen
- depressiv
- Drogen- und Alkoholmißbrauch
- Entfremdung
- narzißtisch
- abwegiger Humor
- unbegrenzter, unbeaufsichtigter TV- und Internetkonsum

Da diese Symptome auf Euch alle zutreffen, verlasse sofort die Schule. Hausunterricht kommt als Alternative auch nicht in Frage, weil Du Dich sogar vor Dir selbst schützen mußt.

Klassenzimmer ins nächste. Wie betäubt und verwirrt fragen sie sich, was um alles in der Welt sie hier eigentlich verloren haben. Sie lernen, Antworten herunterzuspulen, die der Staat von ihnen erwartet, und wer versucht, Individualität zu beweisen, wird sofort mißtrauisch für ein Mitglied der Trenchcoat-Mafia gehalten. Neulich war ich in einer Schule. Ein paar Schüler fragten mich, ob mir aufgefallen sei, daß sie und die anderen Schüler alle weiße oder unscheinbare Kleider tragen würden. Niemand traut sich, schwarz zu tragen oder gar ausgefallene Kleidung. Wer das tut, wird mit Sicherheit in das Zimmer des Rektors bestellt – dort wartet der Schulpsychologe auf den Abweichler und wägt ab, ob das Shirt seiner Lieblingsband Limp Bizkit zu bedeuten hat, daß er die Absicht hat, in der vierten Stunde in Geometrie bei Miss Nelson herumzuballern.

Auf diese Weise lernen die Kinder, jede persönliche Note zu unterdrücken. Sie lernen, daß es besser ist, sich anzupassen, damit man vorankommt. Sie lernen, daß Unruhestifter Gefahr laufen, von der Schule zu fliegen. Stell nie eine Autorität in Frage. Tu, was dir gesagt wird. Denk nicht nach, tu einfach, was man dir sagt.

Ach ja, und führe ein erfülltes und produktives Leben als aktives, wohldressiertes Mitglied unserer blühenden Demokratie!

Ratschläge für aufmüpfige statt unterwürfige Schüler

Es gibt unzählige Möglichkeiten, an der High School zurückzuschlagen, und sie machen auch noch Spaß. Als erstes mußt Du sämtliche Vorschriften lernen sowie Deine Rechte nach dem Gesetz und nach der Politik des Schuldistrikts. Dann kommst Du nie in unnötige Schwierigkeiten.

Außerdem könnte es Dir ein paar coole Annehmlichkeiten einbringen. David Schankula, ein College-Student, der mir bei diesem Buch geholfen hat, entdeckte in seiner High-School-Zeit in Kentucky gemeinsam mit seinen Freunden ein ominöses Staatsgesetz, nach dem jeder Schüler Anspruch auf einen freien Tag hat, um auf den Jahrmarkt zu gehen. Das Gesetz wurde vermutlich vor vielen Jahren verabschiedet, damit ein Farmerkind sein preisgekröntes Mastschwein zum Jahrmarkt treiben konnte und von der Schule nicht wegen Schwänzens bestraft wurde. Aber es stand immer noch im Gesetzbuch und räumte jedem Schüler das Recht ein, sich für den Jahrmarkt einen Tag freizunehmen – aus welchem Grund auch immer. Ihr könnt euch vorstellen, was für ein Gesicht der Rektor machte, als David und seine Freunde einen schulfreien Tag beantragten – und er konnte nichts dagegen tun.

Aber ich habe noch mehr auf Lager:

1. Veräppelt die Wahlen

Wahlen zur Schülermitverantwortung und zum Klassensprecher sind der größte Bluff, den es in der ganzen Schule gibt. Dabei wird die Illusion erweckt, daß Ihr tatsächlich bei der Leitung der Schule mitzureden habt. Die meisten Schüler, die für diese Ämter kandidieren, nehmen die ganze Scharade entweder viel zu ernst oder denken ganz einfach, daß es sich bei der Bewerbung zum College gut machen wird.

Warum kandidiert Ihr also nicht selbst? Kandidiert schon allein deshalb, um die ganze Prozedur lächerlich zu machen. Gründet eine eigene Partei mit einem eigenen, möglichst blöden Namen.

Zieht mit den wildesten Versprechen in den Wahlkampf: *Wenn ich gewählt werde, mache ich die Amöbe zu unserem neuen Schulmaskottchen,* oder *Wenn ich gewählt werde, bestehe ich darauf, daß der Rektor jeden Tag als erster das Mittagessen kostet, bevor es den Schülern serviert wird.* Hängt Transparente mit coolen Wahlsprüchen auf: »Wählt mich – einen echten Loser!«

Solltet Ihr tatsächlich gewählt werden, so könnt Ihr Eure ganze Energie den kleinen Dingen widmen, die die Verwaltung zum Wahnsinn treiben werden, Euren Mitschülern aber helfen (Verteilung von kostenlosen Kondomen fordern, Bewertungen der Lehrer durch die Schüler, weniger Hausaufgaben, damit Ihr endlich vor Mitternacht ins Bett kommt, usw.).

2. Gründet einen Schulclub

Das ist Euer gutes Recht. Sucht Euch einen sympathischen Lehrer, der das Projekt unterstützt, etwa den Pro-Choice Club, den Free Speech Club, den Integrate Our Town Club. Ernennt alle Mitglieder zu »Vorsitzenden« des Clubs, damit sie alle bei ihren Collegebewerbungen damit Pluspunkte machen können. Eine Schülerin versuchte, einen Feministischen Club zu gründen, aber der Rektor ließ das nicht zu mit dem Argument, er wäre dann gezwungen, auch einen Chauvinistischen Männerclub zu genehmigen. Auf derart idiotische Denkweisen werdet Ihr stoßen, doch laßt Euch nicht entmutigen.

(Zum Kuckuck, wenn Euch das gleiche passiert, dann sagt einfach »Prima« und schlagt dem Rektor vor, er soll den Chauvinistischen Club unterstützten.)

3. Startet Eure eigene Zeitung oder Euer Web-Magazin

In der Verfassung wird Euch das Recht garantiert, eine Zeitung zu gründen. Solange Ihr darauf achtet, keine obszönen oder verleumderischen Texte zu schreiben, oder den Institutionen keinen anderen Grund gebt, sie zu verbieten, ist eine Zeitung für Euch ein großartiges Werkzeug, um herauszufinden, was wirklich an der Schule abgeht. Schreibt witzig. Die Schüler werden das Blatt lieben.

4. Beteiligt Euch am Gemeinschaftsleben

Geht zu den Treffen der Schulbehörde und sagt ihnen, was in der Schule vor sich geht. Bittet sie, die Mißstände zu beseitigen. Sie werden versuchen, Euch zu ignorieren oder Euch in einer langweiligen Sitzung schmoren lassen, bis Ihr endlich zu Wort kommt. Aber sie müssen euch anhören.

Schreibt Briefe an den Chefredakteur der örtlichen Tageszeitung. Erwachsene haben nicht die geringste Ahnung, was sich in Eurer High School abspielt. Schenkt ihnen reinen Wein ein. Aller Wahrscheinlichkeit nach findet Ihr Menschen, die Euch unterstützen.

Jeder einzelne dieser Ratschläge wird zu einem wahren Tohuwabohu führen, aber Ihr habt Helfer, die Euch notfalls zur Seite stehen. Nehmt Kontakt zur Ortsgruppe der American Civil Liberties Union auf, wenn die Schule zurückschlägt. Droht mit einer Klage – Schulverwaltungen HASSEN dieses Wort wie die Pest. Denkt immer daran: Es gibt keine größere Genugtuung als das dummme Gesicht Eures Rektors, wenn Ihr gewonnen habt. Laßt Euch das nicht entgehen.

Und denkt immer daran:
Auch Schulakten sind nicht für die Ewigkeit!

SIX

Netter Planet, aber keiner da

Ich möchte dieses Kapitel gerne mit einer Enthüllung beginnen. Ich kenne eine der größten Bedrohungen für unsere Umwelt. Mich.

Richtig – ich bin ein wandelnder ökologischer Alptraum.

Ich bin die Mutter aller Bhopals!

Beginnen wir damit: Ich recycle nicht.

Recyceln läßt sich meiner Meinung nach mit dem sonntäglichen Kirchgang vergleichen – man kreuzt einmal in der Woche auf, fühlt sich gut und hat seine Pflicht erfüllt. Dann kann man sich wieder den Freuden der Sünde zuwenden!

Ich will Ihnen eine Frage stellen: Wissen Sie ganz ehrlich, wohin die Zeitungen gebracht werden, nachdem Sie den Packen am Recyclinghof abgegeben haben? Wo landen Ihre Einwegflaschen? Sie werden irgendwohin gebracht, wo sie recycelt werden? Wer sagt das? Sind Sie je dem Lastwagen hinterhergefahren, der die Sachen zum Recyceln abholt? Kümmert es Sie überhaupt? Genügt es Ihnen, daß Sie Glas von Plastik und Papier von Metall trennen, und den Rest überlassen Sie gerne den anderen?

Ich werde nie aufhören, die lemminghafte Natur des Menschen und seinen blinden Gehorsam gegenüber Autoritäten zu bestaunen. Wenn es heißt, wir sollten recyceln, dann tun wir das und gehen davon aus, daß alles im Sammel-Container recycelt wird. Wenn der Container grün ist, halten wir das für eine todsichere Garantie, daß die grünen Flaschen und Gläser, die wir hineinwerfen, zerstoßen, eingeschmolzen und zu neuen grünen Flaschen verarbeitet werden.

Hm, denken Sie noch einmal darüber nach.

Eines Abends kam ich spät von der Arbeit heim und sah, wie die Müllmänner die Säcke mit Altglas zusammen mit dem anderen Müll hinten in den Zerkleinerer auf ihrem Müllauto warfen. Ich fragte den Hausmeister, ob das normal sei.

»Die müssen viel Müll einsammeln«, antwortete er. »Manchmal haben sie keine Zeit, das Zeug getrennt abzuholen.«

Ich fragte mich, ob das die Ausnahme oder die Regel war. Folgende Fakten habe ich herausgefunden:

Mitte der neunziger Jahre entdeckten indische Umweltschützer, daß Pepsi für einen Müllskandal in ihrem Land verantwortlich war. Benutzte Pepsiflaschen aus Plastik, die in den USA gesammelt worden waren, wurden nach Indien verfrachtet, wo sie zu neuen Pepsiflaschen oder anderen Plastikbehältern recycelt werden sollten. Aber der Manager der Fabrik Futura Industry bei Madras, wo der Müll abgeladen wurde, gab zu, daß so gut wie nichts davon recycelt wurde. Und es kam noch viel schlimmer: Als die Wahrheit über das »Recycling« herauskam, gab das Unternehmen gleichzeitig bekannt, es werde eine Fabrik in Indien eröffnen, in der – natürlich – Einwegflaschen für den Export in die USA und nach Europa hergestellt werden würden. Die bei der Produktion entstehenden Gifte sollten in Indien bleiben. Indien muß also die Schäden für Gesundheit und Umwelt tragen, während die Verbraucher in den industrialisierten Ländern weiterhin Plastikprodukte verwenden, ohne einen Nachteil in Kauf nehmen zu müssen. Und die ganze Zeit sind wir Verbraucher glücklich und zufrieden, weil wir schließlich unseren Beitrag zum Umweltschutz leisten und »recyceln«.

In einem anderen Fall beauftragte ein Verlag in San Francisco eine Firma für Papierrecycling, jeden Monat das weiße Papier abzuholen. Eines Tages folgte ein Mitarbeiter dem Müllmann und sah, daß das Papier, das recycelt werden sollte, zusammen mit schmutzigen McDonald's-Verpackungen und Pappbechern von Starbucks auf den Laster geworfen wurde. Als der Verlag beim Entsorgungsunternehmen nachhakte, stritt dieses alles ab.

Der amerikanische Kongreß veranlaßte 1999 eine Untersuchung, was mit dem von ihm produzierten Müll (hier können Sie Ihren eigenen Witz einfügen) geschieht. Es stellte sich heraus, daß 71 Prozent der insgesamt 2 670 Tonnen Papier, die in jenem Jahr von der Legislative verbraucht wurden, nicht recycelt wurden, weil sie mit Essensresten und anderen nicht wiederverwertbaren Materialien verunreinigt waren. Im gleichen Jahr wurden 5 000 Tonnen Glasflaschen, Aluminiumdosen, Kartons und anderer recycelbarer Müll vom Capitol Hill einfach auf einer Mülldeponie abgeladen, Fragen wurden keine gestellt. Hätte der Kongreß diesen Müll ordentlich recycelt, hätte er dem Steuerzahler Ausgaben von 700 000 Dollar erspart.

Jedesmal stellte sich das gleiche heraus. Ein richtiges Recycling fand nicht statt. Wir werden reingelegt. Also hörte ich mit dem Recyceln auf. Ich bin zu dem Schluß gekommen, daß ich mir mit dem Recycling nur ein reines Gewissen verschaffe. Solange ich meine Pflicht beim Trennen von Papier, Glas und Plastik erfülle, muß ich nichts anderes zur Rettung unseres Planeten tun. Wenn meine Flaschen, Dosen und Zeitungen erst einmal im Sammelcontainer gelandet sind, kann ich mein Gewissen auf Null stellen und darauf vertrauen, daß andere die Sache für mich erledigen. Aus den Augen, aus dem Sinn. Und ich kann mich gemütlich im Sitz meines benzinfressenden Minivan zurücklehnen.

Ja, ich habe einen Minivan. Er verbraucht etwa 19 Liter auf 100 Kilometer, 6 Liter mehr als angegeben. Ich liebe diesen Minivan. Er ist geräumig, fährt sich leicht und man sitzt darin etwas erhöht, so daß ich über die Autos vor mir hinwegsehe und alles überblicke.

Ich weiß, daß manche Leute sagen, wir Amerikaner seien von den im Vergleich zu anderen Ländern niedrigen Benzinpreisen verwöhnt, denn anderswo bezahlt man mitunter das *Dreifache.* Aber hey, wir sind hier nicht in Belgien, wo man das ganze

Tips zum Benzinsparen

- **Trampen:** Kostet nichts, man lernt neue Leute kennen und führt interessante Gespräche. Zusatzbonus: hohe Wahrscheinlichkeit, daß man (in einer tragenden Rolle) in *America's Most Wanted* (dem amerikanischen *Aktenzeichen XY ungelöst*) auftritt oder als Vorlage für einen Fernsehfilm der Serie »Frauen in Gefahr« dient.
- **Ziehen Sie in eine Stadt mit einem gut ausgebauten öffentlichen Verkehrsnetz.** Aber kommen Sie bitte nicht nach New York, die Stadt ist bereits übervölkert. Versuchen Sie es in einer anderen amerikanischen Stadt mit einem zuverlässigen, gut ausgebauten Nahverkehrsnetz wie... wie... äh..., ach, vergessen Sie's, kommen Sie nach New York. Ich habe noch ein Zimmer, da können Sie wohnen.
- **Saugen Sie von an Flughäfen geparkten Autos Benzin ab.** Die Autos stehen dort doch nur rum. Es ist eine Schande, wenn das gute Benzin verdirbt, schließlich leben wir in einer Zeit, in der man nichts verkommen lassen soll. Außerdem ist das Benzin ein Sicherheitsrisiko: Stellen Sie sich nur vor, was passieren könnte, wenn ein Flugzeug auf einen Parkplatz beim Flughafen stürzt – all die Autos, deren Tanks bis zum Einfüllstutzen mit hochexplosivem Benzin gefüllt sind! Aber verschlucken Sie sich nicht beim Ansaugen des Schlauchs.
- **Fahren Sie im Windschatten von großen Sattelschleppern.** Sicherheitsexperten raten Ihnen vielleicht von dieser Methode ab, aber sie funktioniert. Sie können den Tempomat einstellen und brauchen sich dann nur noch zurückzulehnen und die Landschaft zu genießen. Nachteil: Eventuell landen Sie in einer abgelegenen Fernfahrerkneipe und ein Typ, der »mach mich nicht an« auf die Stirn tätowiert hat, prügelt Ihnen die Seele aus dem Leib.

- **Leben Sie in Ihrem Büro oder an Ihrem Arbeitsplatz.** Damit sind Sie sowohl das benzinverschlingende Pendeln als auch die lästigen monatlichen Mietzahlungen los. Zusätzlicher Vorteil: Sie beeindrucken Ihren Chef, weil Sie immer der erste bei der Arbeit sind und der letzte, der nach Hause geht.

Land in etwa 35 Minuten durchqueren kann. Wir leben in einem *riesigen* Land. Wir müssen mobil sein! Wir haben immer und überall etwas zu erledigen. Die Welt muß verstehen, daß sie von unserer Mobilität profitiert. Wie soll ein schwer arbeitender Amerikaner von seinem ersten Job am Tag zu seinem Zweitjob in der Nacht kommen – Jobs, die Teil eines größeren Plans zur Förderung der Weltwirtschaft sind –, wenn er keine eigenen vier Räder hat?

Schauen Sie, ich stamme aus Flint in Michigan – der Vehicle City, wie man so schön sagt, nicht zu verwechseln mit der Motor City Detroit. Wir liegen eine Stunde nördlich von Detroit, und einst wurden in meiner Heimatstadt sämtliche Buicks gebaut. Heute werden dort gar keine Autos mehr gebaut.

Wenn man in einer Autokultur aufwächst, betrachtet man sein Auto als eine Verlängerung des eigenen Ichs. Das Auto ist Musikzimmer, Eßzimmer, Schlafzimmer, Kinosessel, Lesezimmer und der erste Ort, an dem man all das im Leben macht, was wirklich wichtig ist.

Als ich erwachsen war, beschloß ich, daß ich kein Auto von General Motors wollte – vor allem, weil die Autos häufiger zusammenbrachen als ich selbst. Also kaufte ich mir VWs und Hondas und fuhr stolz damit durch die Stadt. Wenn mich jemand fragte, warum ich kein »amerikanisches Erzeugnis« kaufte, forderte ich ihn auf, die Motorhaube an seinem Auto zu öffnen, und zeigte ihm das Schildchen mit MADE IN BRAZIL auf dem Motor, MADE IN MEXICO auf dem Kühler oder den Aufdruck

MADE IN SINGAPORE auf dem Radio. Worauf konnte er, abgesehen von dem Aufkleber am Armaturenbrett, auf dem behauptet wurde, das Auto sei komplett in Amerika gefertigt, verweisen? Er sicherte niemandem in Flint einen Job.

Mein Honda Civic ließ mich nie im Stich. Nach acht Jahren und 185 000 Kilometern hatte ich ihn, abgesehen von der Inspektion, nie in die Werkstatt bringen müssen. Als sein Ende nahte, war ich pleite und arbeitslos und fuhr gerade auf der Pennsylvania Avenue einige Hundert Meter vom Weißen Haus entfernt. Ich stieg einfach aus, schob ihn über die Böschung, schraubte die Nummernschilder ab und verabschiedete mich.

Neun Jahre lang kaufte ich mir kein Auto. Weil ich meistens in New York arbeitete, brauchte ich dank des guten Verkehrsnetzes und den verläßlichen Taxifahrern keinen Wagen. Aber weil ich auch viel Zeit zu Hause in Michigan verbrachte, hatte ich irgendwann genug davon, bei Avis einen Wagen zu mieten. Ich wurde schwach und kaufte mir einen Chrysler-Minivan. So viel kann ich jetzt schon sagen – ich werde mich nie wieder wie eine Sardine in eine dieser kleinen Blechbüchsen quetschen!

Der Verbrennungsmotor hat mehr zur globalen Erwärmung beigetragen als jede andere Erfindung auf diesem Planeten. Fast die Hälfte der Schadstoffe in der Luft stammt von Autoabgasen – und diese Luftverschmutzung ist der Grund für 200 000 Todesfälle im Jahr. Die globale Erwärmung treibt die Durchschnittstemperaturen auf der Erde Jahr für Jahr immer weiter in die Höhe, was für einige Länder ein erhöhtes Dürrerisiko bedeutet und gefährliche Auswirkungen auf die Landwirtschaft und die Gesundheit von Mensch und Tier haben kann. Wir stehen kurz vor der Katastrophe, wenn wir nichts gegen die Erwärmung unternehmen.

Aber Sie sollten sehen, wie sich dieser Minivan fährt! Und im Innenraum ist es so leise – das heißt, bis ich meine neue CD von Korn auf der Autostereoanlage mit ihren acht Lautsprechern aufdrehe. Ich kann damit 640 Kilometer bei voll aufgedrehter Musik und voll aufgedrehter Klimaanlage fahren; die Freisprecheinrichtung fürs Handy ist bereit und wartet nur darauf, den wichtigen Anruf von Rupert Murdoch anzunehmen, der mir für die hervorragende Arbeit an diesem Buch dankt und mir mitteilt, daß meine Hinrichtung auf Donnerstag verlegt wird, damit sich die Übertragung nicht mit *Die verrücktesten Amokläufe in Amerikas Schulen* überschneidet.

Detroit hat bewiesen, daß man heute Autos in Massenproduktion fertigen kann, die 6 Liter auf 100 Kilometer brauchen, und Lastwagen und Lieferwagen, die 8 Liter auf 100 Kilometer benötigen. Den niedrigsten Durchschnittsverbrauch mit 10,9 Liter pro Auto meldete die Autoindustrie 1987 – unter der Regierung von Ronald Reagan. Nach acht Jahren unter dem Umweltfreund Bill Clinton – der versprach, daß am Ende seiner Präsidentschaft der Verbrauch auf 7 Liter sinken würde – *stieg* der Verbrauch auf 11,4 Liter. General Motors veranstaltete zu Clintons Amtseinführung 1993 eine großzügige Party. Ich vermute, es ist auch für Präsidenten unhöflich, den Gastgeber einer Party zu verärgern, die er ihm zu Ehren veranstaltet hat.

Clintons größtes Geschenk an die großen drei Automobilbauer war die Befreiung der Geländewagen von den Auflagen beim Verbrauch, wie sie für normale Pkw gelten. Aufgrund dieser Ausnahmeregelung verbrauchen die bulligen Benzinschlucker *jeden Tag* zusätzliche 280 000 Barrel Treibstoff. Dieser Treibstoffbedarf ist einer der Gründe dafür, warum die Regierung Bush im Naturschutzgebiet Arctic National Preserve in Alaska nach Öl bohren will. Laut Bush gewinnen wir durch die Bohrungen zusätzliche 580 000 Barrel Öl pro Tag. Damit könnte man die Zahl der Geländewagen auf unseren Straßen glatt verdoppeln.

Überlegen Sie mal: Wenn Clinton durchgesetzt hätte, daß Geländewagen den gleichen Verbrauchsvorschriften unterliegen würden wie mein Minivan (eine Verbrauchsminderung um wenige Zentiliter), hätte Bush keine Rechtfertigung, in Alaska nach Öl zu bohren.

Bei all den vielen Geländewagen auf der Straße kann ich nicht mehr über das Auto vor mir blicken. Sie sind so groß und furchteinflößend wie geschrumpfte Sattelschlepper. Was für einen Sinn hat ein Geländewagen? Ursprünglich wurden sie dazu entwikkelt, daß man sich in gottverlassenen Gegenden im Gelände fortbewegen kann. Ich sehe ein, daß das vielleicht in Montana einen Sinn ergibt, aber was in aller Welt haben die ganzen Yuppies mit diesen Kästen vor, die eine dicht befahrene Straße in Manhattan entlangbrausen?

Im Juni 2001 vermeldete ein Gremium führender amerikanischer Wissenschaftler, daß die globale Erwärmung ein großes Problem darstelle und sich verschlimmere. In ihrer Untersuchung – die übrigens von Bush II. in Auftrag gegeben worden war – kamen die elf namhaften Klimaforscher (darunter auch einige, die das Problem zuvor eher skeptisch betrachtet hatten) zu dem Schluß, daß der Mensch für die Erwärmung der Erdatmosphäre verantwortlich ist – und daß wir folglich in ernsten Schwierigkeiten stecken.

Die Veröffentlichung der Studie brachte George-»ich schlafe gut«-Bush ganz schön in die Bredouille. Er und die anderen Regierungsmitglieder hatten bewußt die Formulierung »globale Erwärmung« vermieden und wiederholt Zweifel daran geäußert, daß die Luftverschmutzung die Atmosphäre gefährlich aufheize. Bush brachte im Juli 2001 die internationale Politik gegen sich auf, weil er das Kyoto-Abkommen ablehnte, das über 160 Staaten (darunter ursprünglich auch die USA) zur Reduzierung der globalen Erwärmung ausgehandelt hatten.

Und nun verkündeten Bushs eigene Wissenschaftler, daß die Erde auf eine Katastrophe zusteuere.

Tja, ich weiß nicht. Vielleicht hat Georgie-Boy ja irgendwie recht. Schließlich *mag* ich es auch gerne warm. Ich stamme aus Michigan, dem Land mit grimmigen Wintern und dreiwöchigen Sommern, da gefällt mir dieses »gemäßigtere« Klima natürlich. Man braucht doch nur die Leute zu fragen, ob sie lieber einen netten, brütend heißen Tag am Strand mögen oder einen bitterkalten Eissturm, bei dem ihnen die Zunge an den Zähnen festfriert, und ich wette, neun von zehn Amerikanern haben bereits die Sonnenbrille auf und den tragbaren Grill im Kofferraum verstaut. Was soll's, wenn man bald Sonnencreme mit Lichtschutzfaktor 50 braucht?

Letzten Sommer allerdings passierte etwas, das mich leicht schockiert hat. Die *New York Times* meldete, daß zum ersten Mal in der Geschichte der Nordpol ... *geschmolzen* sei. Eine Schiffsladung Wissenschaftler war direkt zum Nordpol gefahren – und das Eis war weg! Die Nachricht rief eine solche Panik hervor, daß die *Times* rasch eine Richtigstellung brachte, die uns beruhigen sollte: Der Nordpol war nicht *richtig* weggeschmolzen, er war nur ein bißchen matschig. *Sicher.* Ich erinnere mich noch an das letzte Mal, als die Journalisten die Leute beruhigen wollten – damals in den neunziger Jahren, als sie uns von dem großen Asteroiden berichteten, der auf die Erde zusteuerte und in den nächsten 20 Jahren mit ihr zusammenstoßen werde. Wieder wurde die Geschichte sofort zurückgenommen, aber die Medienleute sollten wissen, daß wir diese Form der Meinungsmache durchschauen. Die jeweiligen Meinungsmacher werden uns angesichts einer drohenden Massenpanik und Kündigungswelle der Abonnenten nie sagen, wann das Ende nahe ist.

Die letzte Eiszeit war die Folge einer Temperaturveränderung um nur *9 Grad*. Wir sind schon auf dem halben Weg. Einige Experten sagen einen Temperaturanstieg von 10,4 Grad im nächsten Jahrhundert voraus. In Venezuela sind vier der sechs Gletscher des Landes geschmolzen. Der berühmte Schnee am Kilimandscharo ist fast weg. Als 1870 der Leuchtturm auf Cape Hatteras gebaut wurde, stand er 450 Meter vom Wasser entfernt, heute plätschern die Wellen bereits in 45 Meter Entfernung, und der Leuchtturm mußte weiter ins Landesinnere versetzt werden.

Ein Schmelzen der Polkappen könnte die Meere um 9 Meter steigen lassen und damit alle Küstenstädte der Erde überfluten – und den kompletten Staat Florida (mitsamt Wahllokalen und allem) auslöschen. Städte wie New York und Los Angeles könnten meiner Meinung nach zwar eine gründliche Reinigung vertragen, aber ich denke dabei nicht an Salzwasser, das ganz Manhattan bis zum dritten Stock überschwemmt.

Da wir gerade von Florida sprechen: Auch für dieses Elend kann man den Sonnenscheinstaat verantwortlich machen. Warum? Fragen Sie Thomas Midgley, den Erfinder des Kältemittels Freon. Vor der Erfindung der Klimaanlage waren Florida und der übrige Süden nur dünn besiedelt. Die Hitze und die Luftfeuchtigkeit waren unerträglich. Ich meine, man kann sich bei 37 Grad in Texas *kaum* bewegen. In New Orleans ist die feuchte und heiße Luft so stickig, daß man kaum atmen kann. Kein Wunder, daß die Leute unten im Süden mit einem so unverständlich schleppenden Akzent sprechen. Es war einfach zu heiß, um anständige Vokale und Konsonanten zu bilden. Meiner Ansicht nach ist diese brutale, lähmende Hitze auch der Grund dafür, daß aus dem Süden nie irgendwelche große Erfindungen, neue Ideen oder Beiträge kamen, die unsere Zivilisation voranbrachten (mit einigen bemerkenswerten Ausnahmen: die Schriftsteller Lillian Hellman und William Faulkner sowie R.J. Reynolds, der Begründer des gleichnamigen Tabakkonzerns). Wer kann bei dieser Hitze denken, geschweige denn lesen?

Wie überlebt man die globale Erwärmung?

- Überlegen Sie, welche gewöhnlichen Haushaltsartikel beim Schmelzen der Polkappen als Floß dienen könnten. Konzentrieren Sie sich vor allem auf Artikel aus synthetischem Material, denn das ist im allgemeinen wasserbeständig.
- Auch ein Blick nach draußen kann nützlich sein – die aufblasbaren Liegen mit eingebautem Getränkehalter werden im Ozean genauso gut schwimmen wie in Ihrem Swimmingpool. Wer behauptet, daß eine Katastrophe nicht auch Spaß machen kann?
- Studieren Sie die topographischen Karten Ihrer Umgebung und ermitteln Sie die höchste Erhebung; legen Sie die kür-

zeste Route dorthin fest. Veranstalten Sie Evakuierungsübungen.
- Investieren Sie in Plastikbeutel mit Reißverschluß und diese gelben wasserfesten Kameras.
- Erkundigen Sie sich beim örtlichen Sportverein nach Schwimmkursen. Nehmen Sie Unterricht. *Jetzt.* Seien Sie besonders aufmerksam, wenn es ums Wassertreten geht.
- Verlegen Sie Ihr Urlaubsziel von Florida nach Montana. Sagen Sie Ihren Kids, sie sollen in Zukunft ihre Besäufnisse nicht mehr am Strand, sondern in den Bergen veranstalten.

Dann wurde die Klimaanlage erfunden – und plötzlich konnte man es im Süden zu etwas bringen. Wolkenkratzer schossen in die Höhe – und die Nordstaatler, die genug vom Winter hatten, kamen in hellen Scharen. Sie stellten fest, daß man in seinem Auto mit Klimaanlage zur Arbeit fahren, den ganzen Tag in seinem Büro mit Klimaanlage arbeiten oder stundenlang im College mit Klimaanlage studieren kann. Abends kehrte man in sein von der Klimaanlage gekühltes Haus zurück und plante, wo man am Wochenende ein Kreuz in Brand steckte oder ein Barbecue mit dem Ku-Klux-Klan veranstaltete.

Ohne daß wir es merkten, hat sich der Süden erhoben und kontrolliert nun das Land. Die konservative Ideologie, die ursprünglich aus dem konföderierten Süden stammt, hat die Nation fest im Griff. Man verlangt, daß die Zehn Gebote öffentlich ausgehängt werden, die Evolutionstheorie wird geleugnet, in den Schulen soll gebetet werden, Bücher werden verboten, der Haß gegen die Bundesregierung im Norden wird geschürt, soziale und staatliche Einrichtungen sollen abgebaut werden, man lechzt danach, sich jederzeit in einen Krieg zu stürzen, und will jedes Problem mit Gewalt lösen – das alles sind Kennzeichen der gewählten Volksvertreter aus dem »Neuen« Süden. Bei genauerem Nachdenken begreift man, daß die Konföderierten schließlich doch den Sezessionskrieg gewonnen haben – ein lange erwarteter Sieg, der damit errungen wurde, daß man die dummen Yankees mit dem Versprechen von einer Durchschnittstemperatur von 24 Grad und einer eingebauten Eismaschine in den Süden lockte.

Nun herrscht der Süden unangefochten – und wenn Sie es immer noch nicht glauben, brauchen Sie sich nur die letzten vier Präsidentschaftswahlen anzusehen. Wenn man gewinnen wollte, mußte man aus dem Süden kommen oder zumindest dort wohnen. Tatsächlich gewann bei den letzten *zehn* Präsidentschaftswahlen (oder Ernennungen zum Obersten Richter) der Kandidat, der mit beiden Beinen fest im Süden oder Westen stand. Wenn man aus dem Norden kommt, kann man gar nicht mehr zum Präsidenten gewählt werden.

Dinge, bei denen der Süden recht hatte

Damit meine Darstellung des Südens als das Land schweißbedeckter Ku Klux-Klan-Anhänger und Tummelplatz aufstrebender Konzerne nicht ganz so einseitig ausfällt, wurde ich gebeten, eine Liste mit Dingen zu erstellen, für die wir dem Süden dankbar sind. Hier ist sie:

- Beef Jerky (Dörrfleisch in Streifen, leckerer Snack)
- Limonade
- Kostümfeste
- Gute Manieren
- Country Musik
- Nickerchen in der Hängematte
- Schönheitsköniginnen
- Michael Jordan
- Wal-Mart
- Alligator-Ringen
- Disney World

Das alles machte die Klimaanlage möglich. Nachdem der Politik à la Südstaaten und den Gefilden des Dixie Tür und Tor geöffnet sind, will man nun dieses schwüle Klima in die ganze Welt exportieren – indem man das Loch in der Ozonschicht vergrößert. Das Loch befindet sich über der Antarktis – und es ist zweieinhalbmal so groß wie *Europa!*

Die Ozonschicht in der Erdatmosphäre schützt uns vor ultravioletter Strahlung, die Krebs verursacht und uns töten kann. Das Loch, das wir in die Hülle gerissen haben, wird von Fluorchlorkohlenwasserstoffen verursacht (FCKW), die in Klimaanlagen, Kühlschränken und als Treibstoff in Spraydosen verwendet werden. Wenn FCKW in die Atmosphäre gelangt und dort von energiereicher elektromagnetischer Strahlung, wie etwa der UV-Strahlung, getroffen wird, bilden sich Verbindungen, die das Ozon zerstören. Und wer verursacht besonders viel ozonzerstörende FCKWs? Die Klimaanlagen in Autos – der liebste Reisebegleiter der Amerikaner.

Das erinnert mich an ein weiteres unentbehrliches Accessoire für hippe junge Amerikaner auf Reisen: Mineralwasserfläschchen. Warum soll man kostenlos Wasser aus dem Hahn oder aus einem Brunnen trinken, wenn man auch 1,20 Dollar dafür bezahlen kann – *und noch dazu gratis* eine Plastikflasche bekommt, die man später recyceln darf?

Früher trank ich in New York kein Mineralwasser. Ich glaubte tatsächlich an die Volkssage, daß die Trinkwasserversorgung in New York eine der saubersten der Welt sei. Das Wasser, so erfuhr

Wie sorgt man für sauberes Trinkwasser?

- Setzen Sie sich mit Hilfe von Lobbys beim Kongreß dafür ein, daß Mineralwasser in Flaschen das offizielle Getränk der Nation wird.
- Führen Sie die städtischen Wasserleitungen direkt zu den Quellwasservorkommen, die von kommerziellen Mineralwasserabfüllern benutzt werden. Wenn das bedeutet, daß man Zuleitungsrohre unter dem Atlantik durchführen muß, um reines Wasser aus den Alpen anzuzapfen, dann muß das eben sein. Wir können Telefonleitungen unter dem Ozean verlegen – dann können wir daneben sicher auch eine Wasserleitung entlangführen, um unseren Durst zu löschen.

ich, wird in 22 offenen Reservoirs in den Catskill Mountains und am Oberlauf des Hudson River gesammelt und mit einem ausgeklügelten Leitungssystem nach New York geführt. Das klang alles so unberührt und rein.

Aber eines Abends bemerkte ein Bekannter bei der Party eines Freundes, er und seine Familie würden bei jeder Gelegenheit »zu unserem Häuschen am Croton Reservoir hinauffahren«.

»Wie können Sie ein Häuschen am Ufer unserer Trinkwasservorräte haben?« fragte ich.

»Oh, es liegt nicht direkt am Reservoir. Es liegt auf der anderen Straßenseite.«

»Sie meinen, da führt eine *Highway* am Wasser entlang, und wir trinken das Wasser? Was ist mit dem Abwasser von der Straße, dem Öl und Reifenabrieb und dem ganzen Zeug?«

»Ach, wenn das Wasser in New York ist, wird es doch sterilisiert.«

»Man kann nicht alles sterilisieren«, protestierte ich. »Wenn es in New York ist, enthält es bereits jedes von Menschenhand geschaffene keimtötende Mittel in voller Aggressivität.«

Er schwärmte ungerührt weiter, wie wundervoll es sei, mit dem Motorboot über das Reservoir zu fahren.

»BOOT?« schrie ich. »Sie fahren mit dem Boot in meinem Trinkwasser?«

»Aber klar, wir angeln auch. Der Staat erlaubt uns, daß wir das Boot direkt am Ufer vertäuen.«

Und so hielten die Kisten mit Evian Einzug in meinem Apartment.

Der Nachteil am importierten Mineralwasser (abgesehen von den haarsträubenden Kosten) ist, daß es mich wie das Recycling davon abhält, mich eingehend mit dem Zustand des Trinkwassers in Amerika zu beschäftigen. Solange ich genug Bücher verkaufe, um mein »französisches« Quellwasser zu finanzieren, brauche ich doch meine Zeit nicht damit zu vergeuden, mir Sorgen wegen des PCB zu machen, das General Electric im Hudson River entsorgt? Schließlich warfen die Indianer vor Hunderten von Jahren auch ihren Abfall in den Hudson, und die ersten weißen Siedler benutzten den Fluß als stetig plätschernden Abwasserkanal. Und sehen Sie sich doch die großartige Metropole an, die unsere Vorfahren geschaffen haben!

In Manhattan bekommt man übrigens hervorragende Steaks. Bis vor wenigen Jahren gab es seit ich erwachsen bin kaum einen Tag, an dem ich kein Rindfleisch gegessen hätte – oft sogar zweimal am Tag. Dann hörte ich ohne einen bestimmten Grund von einem Tag auf den anderen damit auf. Ganze vier Jahre lang rührte ich keinen Fitzel Rindfleisch an. Ich muß sagen, das waren die gesündesten Jahre meines Lebens. (Anmerkung: Leute wie ich definieren *gesund* als »ich starb nicht«.)

Vielleicht war der Grund, daß Oprah Winfrey 1996 in ihrer Talkshow sagte, sie »hörte sofort auf und hat nie mehr einen Burger gegessen«. Natürlich mußte Oprah es damals mit einer Bedrohung aufnehmen, die mindestens genauso gefährlich war: die texanischen Rinderzüchter, die sie (und den ehemaligen Rindermä-

Meine Vorstellungen von Wasserzusätzen

Derzeit wird dem Trinkwasser Fluor zugesetzt, viele Unternehmen stellen Produkte auf Wasserbasis her, denen Koffein, Vitamine, Fruchtgeschmack und mikroskopisch kleine krankheitserregende Organismen beigefügt sind. Aber könnte man das nicht noch verbessern? Warum geben wir uns mit etwas zufrieden, das laut Zahnärzten gut für uns ist? Außerdem enthält bereits die Zahnpasta Fluoride! Warum bieten wir nicht Wasser in den folgenden Geschmacksrichtungen an:

- Bouillon
- Tex-Mex
- Mit Prozac, das hilft gegen Depressionen
- Feurige Salsa!
- Karamel auf Sojabasis
- Fruchtiger Tomatengeschmack
- Cool Barbecue (light)

Wo ist das Beef? Nirgends! Wie wird man Hindu?

Der Übertritt zum Hinduismus erfordert traditionell nicht viel mehr, als hinduistische Vorstellungen anzunehmen und entsprechend zu leben. Dazu gehört auch, daß die Kuh wegen ihrer nahrhaften Milch als Mutter aller Dinge verehrt wird. Kühe zu schlachten ist daher ein Sakrileg.
Die wichtigen Schritte auf dem Weg zum Hindu sind:

- Schließen Sie sich einer hinduistischen Gemeinde an (im Internet unter www.hindu.org/temples-ashrams/ oder in Deutschland unter www.hinduismus.de).
- Belegen Sie einen Volkshochschulkurs, in dem der Hinduismus mit anderen Religionen verglichen wird.
- Diskutieren Sie mit Vertretern Ihres früheren Glaubens über Ihre neue Religion. Besorgen Sie sich, wenn nötig, einen Dispens von Ihrer ehemaligen Kirche.
- Nehmen Sie im Rahmen einer Zeremonie einen Hindu-Namen an.
- Setzen Sie drei Tage lang in die Lokalzeitung eine Bekanntmachung, in der Sie erklären, daß Sie sich von Ihrem früheren Glauben losgesagt und einen neuen Namen angenommen haben.
- Besorgen Sie sich ein Zertifikat, das bestätigt, daß ein autorisierter Hindu-Priester Ihren Übertritt zum Hinduismus genehmigt hat.

ster und Rindfleisch-Lobbyisten, der bei ihr in der Show war und über die Gefahren des Rinderwahnsinns sprach) auf 12 Millionen Dollar verklagten. Sie behaupteten, daß Oprah und Howard Lyman gegen ein texanisches Gesetz verstoßen hätten, das die fälschliche Warnung vor gefährlichen Lebensmitteln verbietet. (Beachten Sie bitte, daß *Oprah* sagte, sie würde keinen einzigen Burger mehr essen, nicht ich – ich möchte nämlich keine Klage am Hals haben.) Oprah gewann den Prozeß 1998 und erklärte zum Verdruß der Rindfleischlobby erneut: »Ich esse immer noch keine Burger.«

Ich hingegen bin leider schwach geworden und knabbere dann und wann gerne an der armen Elsa. Dabei sollte man doch meinen, ich hätte meine Lektion in den siebziger Jahren gelernt, als ich statt Rindfleisch Flammschutzmittel essen mußte.

Wie Millionen andere Bürger Michigans nahm ich ein Jahr lang PBB (polybromierte Biphenyle) auf, eine krebserregende Bromverbindung, die früher für Kinderschlafanzüge verwendet wurde, um sie »schwer entflammbar« zu machen – und ich wußte es nicht einmal. Das PBB war in einem Produkt namens Firemaster enthalten. Die Firma, die es herstellte, produzierte zufällig auch Rinderfutter. Eines Tages wurden versehentlich die Tüten verwechselt, und das Flammschutzmittel (mit der Aufschrift »Rinderfutter«) wurde an einen Betrieb in Michigan geliefert, von wo aus das »Futter« an Farmen im ganzen Bundesstaat verteilt wurde. Schon bald fraßen die Kühe PBB – und wir aßen das Fleisch und tranken die Milch, und beides war schön mit PBB verseucht.

Das Problem bei PBB ist, daß es der Körper nicht ausscheidet oder abbaut. Es bleibt einfach im Magen und im Verdauungssystem. Als das Fiasko aufgedeckt wurde (und wir erfahren mußten, daß der Staat Michigan versucht hatte, die Sache zu vertuschen), flippten die Einwohner von Michigan aus. Köpfe rollten, und Politiker mußten zurücktreten. Wir dagegen lernten, daß die Wissenschaft keine Ahnung hatte, was das PBB bei uns bewirken würde – vielleicht würden wir in 25 Jahren mehr wissen, hieß es.

Nun, das Vierteljahrhundert ist verstrichen. Die gute Nachricht lautet, daß mein Magen nie Feuer gefangen hat. Aber ich sitze hier immer noch voller Angst und warte, daß mein letztes Stündlein schlägt. Ich muß immer an Centralia in Pennsylvania denken – eine Stadt, deren Bewohner ganz normal ihren Geschäften nachgingen, während unter ihnen jahrelang unterirdische Feuer schwelten. Die Wissenschaft hat NICHT auf alles

Andere Sachen, die ich zu mir nahm und die für den industriellen Gebrauch bestimmt waren

- Kellogg's Gebäcktaschen, die mit Creme oder Fruchtmus gefüllt sind (Pop-Tarts)
- Tab (die erste Diät-Cola)
- Muttis Hackbraten
- Tang (Instantpulver für Orangensaft)
- Spam (**Sp**iced H**am,** Frühstücksfleisch in Dosen)
- Pinkfarbene Kuchen mit Cremefüllung, umhüllt von einer Schicht Marshmellowmasse und mit Kokosflocken bestreut (Sno Balls der Firma Hostess)
- Würstchen beim Frühstück im Flugzeug

eine Antwort! Werden Millionen Menschen in Michigan schwarzbunt-gescheckten Krebs bekommen und den Milcheimer abgeben? Oder werden wir nur verrückt und enden damit, für den Kandidaten Ralph Nader zu arbeiten, obwohl er nicht gewinnen, aber großen zusätzlichen Schaden anrichten kann?

Weder ich noch sonst jemand weiß eine Antwort. Wenn Sie jemanden kennen, der aus Michigan stammt (und ich garantiere Ihnen, einer ist dank der von Reagan gesponserten Diaspora unseres Volkes in den achtziger Jahren immer in Ihrer Nähe), brauchen Sie ihn nur nach PBB zu fragen, und schon wird er kreidebleich. Das ist unser schmutziges kleines Geheimnis, über das wir nicht gerne reden.

Aber heutzutage geht noch eine viel größere Bedrohung von Kühen aus – eine Bedrohung, die keine Landesgrenzen kennt, ganze Kontinente überzieht und den Namen wahrlich verdient, den sie wie eine Glocke um den Hals trägt.

Rinderwahnsinn.

Das ist wirklich die gruseligste Bedrohung für die Menschheit, die es je gab. Schlimmer als Aids, schlimmer als der Schwarze Tod, schlimmer als Zahnseide.

Rinderwahnsinn ist unheilbar. Es gibt keine Impfung dagegen. Jeder, der ihn bekommt, stirbt ausnahmslos einen schrecklichen, qualvollen Tod.

Das Schlimmste aber ist, daß diese Krankheit vom Menschen geschaffen wurde – entstanden in einem Augenblick der geistigen Umnachtung, als wir unschuldige Kühe zu Kannibalen machten. Und das alles kam so:

Zwei Wissenschaftler reisten nach Papua-Neuguinea und untersuchten dort die Auswirkungen des menschlichen Kannibalismus und die Frage, warum dort so viele Leute verrückt werden. Sie entdeckten, daß die Betroffenen unter TSE litten (engl. transmissible spongiforme enzephalopathic disease: »übertragbare schwammartige Gehirnerkrankung«). Die Eingeborenen nennen die Krankheit Kuru. Bei TSE lagern sich schurkische Proteine – sogenannte Prionen – an Gehirnzellen an. Anstatt sich zu spalten, wie es sich für ein gutes Protein gehört, hängen diese Prionengangster rum und durchlöchern das Gewebe des Gehirns, bis es aussieht wie ein Laib Schweizerkäse.

Anscheinend wurden Prionen in Papua-Neuguinea durch den Kannibalismus verbreitet. Niemand weiß, woher sie ursprünglich kommen, aber wenn sie in unseren Körper gelangen, richten sie verheerenden Schaden an. Manche Wissenschaftler sind der Ansicht, daß schon ein Quentchen mit prionenverseuchtem Fleisch – etwa von der Größe eines Pfefferkorns – genügt, um eine Kuh zu infizieren. Wenn die kleinen Mistkerle von dem Fleisch gelöst sind, das Sie gegessen haben, breiten sie sich wie eine Horde »Pac Mans« in einem Computerspiel aus, sie steuern direkt das Gehirn an und verschlingen alles, was ihnen in die Quere kommt.

Und jetzt kommt der unglaubliche Teil: Man kann sie nicht töten … *weil sie nicht lebendig sind!*

Die Krankheit gelangte in Großbritannien zunächst über Schafe in die Nahrungskette und griff dann auf Kühe über, die mit Tiermehl, also mit gemahlenen Kadaverteilen von Schafen und Kühen, gefüttert wurden. Und schließlich wurde das befallene Fleisch an die britischen Verbraucher verkauft. Die Gehirnerkrankung, die bei Menschen als Creutzfeldt-Jakob bezeichnet wird, kann dreißig Jahre unentdeckt im Körper lauern, bis die Hölle losbricht. Erst nachdem zehn junge Leute an Creutzfeldt-Jakob gestorben waren, obwohl die Krankheit normalerweise nur bei älteren Menschen auftritt, gab die britische Regierung 1996 zu, daß mit dem Rindfleisch etwas nicht stimmte – ein Verdacht, den sie bereits seit zehn Jahren hatte.

Die britische Lösung zur Ausmerzung des Übels ist die Vernichtung aller Rinder, die Anzeichen von Rinderwahnsinn zeigen oder Kontakt zu einem entsprechenden Tier hatten. Die Kadaver werden verbrannt. Allerdings verschwindet die Bedrohung auch dadurch nicht, denn *man kann die Prionen nicht töten,* wie ich bereits sagte. Rauch und Asche tragen sie nur an einen anderen Ort und setzen sie frei, damit sie ihren Weg erneut auf den britischen Eßtisch finden.

Sogar Amerikaner sind gegen diese tödliche Krankheit nicht immun. Einige Experten schätzen, daß etwa 200 000 US-Bürger, an denen Alzheimer diagnostiziert wurde, in Wirklichkeit Prionen aufgenommen haben und die Ursache für ihre Demenz die neue Variante von Creutzfeld-Jakob ist.

Großbritannien und viele andere Länder haben inzwischen die Verfütterung von Tiermehl an Wiederkäuer verboten. Auf Rinderfarmen dürfen auch keine Essensreste oder sonstige Abfälle verfüttert werden. Die U.S. Food and Drug Administration folgte dem britischen Beispiel und verbot die Verfütterung von Tierkadavern an Tiere der gleichen Art. Allerdings schmuggeln sich immer wieder kannibalische Produkte ein. Und soll ich Ihnen noch mehr Angst machen? Viele Medikamente und Impfstoffe etwa gegen Kinderlähmung, Diphtherie und Tetanus werden unter Umständen aus Produkten hergestellt, die theoretisch die Erreger des Rinderwahnsinns enthalten.

Großbritannien und die USA handelten angesichts der Seuche nur langsam. Wenn Sie einen Burger oder ein Steak zubereiten, sollten Sie das Fleisch grillen, bis es verkohlt ist. Je magerer das Fleisch, desto besser sind die Chancen, nicht infiziert zu werden.

Und ich? Ich werde kein Rindfleisch mehr essen, bis mir jemand beweist, daß das PBB, das ich in meinen Innereien herumschleppe, die verdammten gehirnfressenden Rinderwahn-Parasiten unschädlich macht.

Ich spiele mit dem Gedanken, nach Kalifornien zu ziehen und Vegetarier zu werden. *Halt – warten Sie!* Nicht nach Kalifornien. Ein Staat mit ökologischen Katastrophen, wohin man auch blickt. Wenn der Goldstaat nicht gerade von einem Erdbeben heimgesucht wird, brennt er wegen unkontrollierbarer Buschbrände bis auf die Grundmauern nieder. Und was das Feuer nicht zerstört, erledigen die Erdrutsche. Wenn Kalifornien nicht gerade unter Dürre leidet, wird es von La Niña, El Niño oder El Loco heimgesucht. Die Westküste ist ein verrückter Ort für die Ansiedlung von Menschen. Ich bin davon überzeugt, daß die Natur *nie* die Absicht hatte, unsere Spezies dort anzusiedeln. Die Gegend ist ökologisch einfach nicht für unser Überleben geschaffen. Egal, wieviel Grassoden man über den Wüstensand legt oder wieviel Wasser man aus dem 1500 Kilometer entfernten Colorado River abpumpt und herbeileitet, man kann Mutter Natur nicht überlisten – und wenn man es versucht, reagiert Mutter Natur sehr ärgerlich.

Die Indianer merkten das schon früh. Einige Wissenschaftler behaupten, die Luftverschmutzung im Kessel von Los Angeles sei früher, als Zehntausende Indianer mit ihren Lagerfeuern dort lebten, höher gewesen als heute mit acht Millionen Autos auf den Straßen. Die Indianer hielten es damals nicht aus, der Rauch hing im Kessel und konnte der Berge wegen nicht abziehen. Und als auch noch die Erde bebte und aufriß, verstanden sie die Botschaft und zogen weg.

Aber wir nicht. Kalifornien ist unser Traum. Vierunddreißig Millionen Menschen – ein Achtel der amerikanischen Bevölkerung – drängen sich auf einem Streifen Land, der eingekeilt zwischen einer Bergkette und dem Ozean liegt. Das ist Manna für die Energiekonzerne: Vierunddreißig Millionen Trottel, die man zur Kasse bitten kann.

Willkommen, Rolling Blackouts! Viel Spaß mit den geplanten Stromausfällen, bei denen ganze Stadtviertel nacheinander vom Netz genommen werden!

In der guten alten Zeit wurde der kalifornische Strom von regionalen Kraftwerken geliefert, die das Monopol hatten und deren Strompreise vom Staat festgelegt wurden. Dann wurde Mitte der neunziger Jahre die Deregulierung als Ausweg für die Unternehmen gepriesen, die wegen des Baus von Atomkraftwerken Schulden hatten. Sie sollten damit ihre hohen laufenden Kosten abbauen – und natürlich viel mehr Geld verdienen. Enron machte sich besonders stark für die Liberalisierung des Strommarkts, und dieser Energiekonzern spendete großzügig für die Republikanische Partei und vor allem für George W. Bush.

Dank eines Gesetzes, das in der Rekordzeit von drei Wochen durchgeboxt wurde, trat die Deregulierung 1996 in Kraft. Sie umfaßte eine Zahlung an die kalifornischen Kraftwerke in Höhe von 20 Milliarden Dollar – mit dem Großteil des Geldes wurden Verluste durch falsche Investitionen in der Vergangenheit gedeckt. Vier Jahre lang waren die Preise eingefroren – auf überdurchschnittlich hohem Niveau. Der Wettbewerb, der eigentlich einen deregulierten Markt beleben soll, kam nicht zustande. Der Bau neuer Kraftwerke wurde verhindert, und Kalifornien mußte sich zunehmend auf unabhängige Stromlieferanten in anderen Bundesstaaten verlassen. Im vergangenen Jahr mußte Strom immer wieder auf dem Spotmarkt zugekauft werden – zu aberwitzig überhöhten Preisen.

Heute zahlen die Stromkunden nicht nur mehr, sie sind auch gezwungen, zu bestimmten Tageszeiten auf Strom zu verzichten. Aber das liegt nicht daran, daß es nicht genügend Energie gibt. Der Independent System Operator, der unabhängige Netzbetreiber, der für die Stromverteilung in Kalifornien zuständig ist, hat Zugriff auf 45 000 Megawatt – die Menge, die zur Hauptbelastungszeit im Sommer gebraucht wird. Die Energieunternehmen halten davon bis zu 13 000 Megawatt zurück, indem sie einfach vom Netz gehen (aus Gründen, die sie nicht preisgeben müssen).

George W.s ökologisch korrekte Ranch

Präsident Bush kümmert sich vielleicht nicht um die Umwelt im allgemeinen, aber seine neue Ranch in Crawford, Texas, ist geradezu umwerfend ökologisch korrekt. Das Haus hat:

- Geothermische Heiz- und Kühlsysteme, die 75 Prozent weniger Strom brauchen als herkömmliche Systeme.
- Das Wasser wird mit einer konstanten Temperatur von 19,4 Grad aus einer 90 Meter tiefen Quelle gepumpt und im Sommer als Kühlung und im Winter als Heizung durchs Haus geführt. Das gleiche System heizt auch den Swimmingpool.
- Eine 95 000-Liter-Zisterne, die das Abwasser des Hauses und Regenwasser sammelt, um damit den Garten zu bewässern.
- Eine eigene Kläranlage, die recyceltes Abwasser zur Bewässerung heimischer Wildblumen und Gräser auf dem Gelände nutzt.

Das *Wall Street Journal* berichtete im August 2000, daß deutlich mehr Kraftwerke vorübergehend vom Netz gegangen waren als im Vorjahr. Dadurch war die Kapazität um 461 Prozent gesunken. Und ein knapperes Angebot bedeutet natürlich höhere Preise.

In den Städten, die ihren Strom noch von Kraftwerken im Besitz der Kommune beziehen, ist das nicht der Fall. Die Einwohner von Los Angeles und anderen Gebieten, in denen die Energieversorgung in *öffentlicher* Hand ist, litten nicht unter Stromausfällen. Andere Bundesstaaten im Südwesten und im Nordwesten haben genügend Energiekapazitäten und hätten Kalifornien bei der Energiekrise aus der Patsche helfen können, denn sie könnten fast 25 Prozent des kalifornischen Energiebedarfs decken.

Junior Bush und Onkel Dick nutzten das Hollywood-Drama und schürten die Panikstimmung noch, um die Öffentlichkeit für den Bau von weiteren Atomkraftwerken, eine verstärkte Kohleförderung und zusätzliche Ölbohrungen zu gewinnen. Anders ausgedrückt, sie wollen die Sache noch schlimmer machen, als sie schon ist. In der Zwischenzeit hat sich Bush ein neues Haus auf seiner Ranch in Texas gebaut, das der Traum eines jeden Umweltschützers ist. Es nutzt Solarenergie und das Abwasser wird recycelt. Und die Residenz des Vizepräsidenten Cheney ist mit den modernsten Energiesparsystemen ausgestattet, die es gibt. Und raten Sie, wer sie installiert hat? Unser Präsident im Exil, Al Gore.

Saubere, erneuerbare Energie ist für sie in Ordnung, aber der Rest von uns bekommt die folgende Botschaft laut und deutlich zu hören:

»LASST SIE DOCH MINIVANS FAHREN!«

»LASST SIE RINDFLEISCH ESSEN!«

SEVEN

Das Ende des Mannes

Vor einiger Zeit waren meine Frau und ich bei der Taufe unseres Neffen Anthony. Unsere Teenager-Tochter hatte man gebeten, seine Patin zu werden, wohl, weil man jemand brauchte, um Klein-Anthony ein Bäuerchen machen zu lassen oder ihn katholisch aufzuziehen oder beides.

Wir merkten, daß sich die Taufzeremonie in der katholischen Kirche ganz schön geändert hat. Statt der klassischen Nummer »Mach schnell und gieß ihm ein bißchen Wasser auf die Stirn, bevor wir seine Seele an Satan verlieren« ist die Taufe nun der fröhliche Hauptteil der Sonntagsmesse.

Etwa in der Mitte des Gottesdiensts bat Vater Andy die ganze Großfamilie, sich um das Taufbecken herum aufzustellen, dann wurde der kleine Anthony Proffer ins heilige Wasser getaucht und in ein blütenweißes Tuch gewickelt. Der Priester hielt Anthony hoch, damit ihn die ganze Gemeinde sehen konnte, und alle in der Kirche klatschten begeistert Beifall.

Keiner klatschte lauter als ich.

Denn zum ersten Mal seit dreizehn Jahren war in unserer Familie ein JUNGE geboren worden.

In den letzten Jahren kamen in unserer Familie dreizehn Babys zur Welt, und zwar elf Mädchen und zwei Jungs.

Nun würden mir wohl die meisten von uns zustimmen, wenn ich behaupte, daß Mädchen, nun ja, etwas weniger Arbeit machen. Nicht, daß wir die Jungs weniger lieben würden; und mit einer wirklich guten Universalversicherung, die auch die Behandlung gebrochener Arme und Schlüsselbeine und ausgeschlagene Zähne bezahlt und die abdeckt, wenn Finger in Autotüren geraten und Nachbarn Schadenersatz wollen, weil unser kleiner Liebling ihren Toyota abgefackelt hat, »nur um mal zu sehen, wie lange es braucht, bis Toyotafarbe brennt«, sind sie auch nicht schwieriger aufzuziehen als Mädchen.

Ich habe mein ganzes Leben in Haushalten verbracht, in denen Männer klar in der Minderheit waren. Ich habe keine Brüder, aber zwei wundervolle Schwestern. Sie und unsere Mutter sorgten dafür, daß ich alle »Frauenarbeit« im Haus zu erledigen hatte, während Paps ab und zu Ausgang bekam, um sonntags ein Golfturnier anzugucken. Ich versuchte meine Stellung mit der Bemerkung zu verbessern, daß ich ja als Ältester mehr zu sagen haben sollte, aber das stärkte nur noch die feministische Kindermehrheit meiner Schwestern. Bis zum heutigen Tag merkt man immer noch ihre energische Durchsetzungskraft: alle, die uns begegnen, wenn wir mal zusammen sind, sind fest davon überzeugt, daß meine Schwestern älter wären als ich und daß ich der Kleine in der Familie sei.

Jetzt lebe ich mit Frau und Tochter zusammen. Schon wieder bin ich eine Minderheit. Alle fürchterlichen Männergewohnheiten, die mir meine Schwestern noch nicht ausgetrieben hatten, wurden jetzt von diesen beiden gnadenlos ausgemerzt. Die letzte Aufgabe bestand darin, mich davon abzubringen, während des Zähneputzens die Zahnpasta über den ganzen Badezimmerspiegel zu spucken. Das hat schlappe neunzehn Jahre gedauert. Sie haben mir mitgeteilt, daß die Mängelliste endlich auf eine einzige Seite geschrumpft sei und nur drei oder vier entsetzliche Angewohnheiten mir unbedingt noch abgewöhnt werden müßten. (Das Balancieren eines Super-Riesen-Plastikbechers voller Supermarktlimonade in der Lenkradöffnung beim Autofahren; das Hinterlassen von Tintenflecken auf den Sesseln, in denen ich einschlafe; mein Schnarchen – aber ich fürchte, das Schnarchproblem kann am Ende nur durch ein Kissen gelöst werden, das »zufällig« auf mein Antlitz gelegt und auf mysteriöse Weise dort drei bis fünf Minuten festgehalten wird.)

In Wahrheit hat mich die Tatsache, daß ich mein ganzes Leben umgeben war von starken, intelligenten und liebevollen Frauen, zu einem besseren Menschen werden lassen. Es wäre nur schön gewesen, wenn ich es geschaft hätte, mal gleichzuziehen. Nur einmal.

Meine Eltern haben keine männlichen Enkel. Meine Schwestern und ich haben nur Töchter. Die Eltern meiner Frau haben vier Töchter und nur zwei Söhne. Die wiederum setzten weitere acht Mädchen und nur zwei Jungen in die Welt. Die Brüder meiner Frau und ich haben nur Mädchen. In unserer Familie haben keine Fußballtacklings und keine Messerwerfspiele mehr stattgefunden, seit wir in der Highschool waren. Doch diese Entbehrungen sind anscheinend keinem Betroffenen aufgefallen.

Dieser kleine Blick auf die Verteilung der Geschlechter in meiner Familie soll eine viel größere Entdeckung verdeutlichen, die ich gemacht habe. Als ich über dieses schiefe Verhältnis nachdachte, begann ich herumzufragen, ob es nicht bei den anderen Leuten genauso war – daß sie mehr Mädchen als Jungs hatten. Zu meiner großen Überraschung war es bei vielen auch so.

Wenn ich in letzter Zeit mal in einer Universität oder vor einer Aktionsgruppe einen Vortrag hielte, schweife ich gern kurz von meinem Thema ab und frage nach, wie viele im Raum in ihrer Familie auch die Erfahrung gemacht haben, daß mehr Mädchen als Jungen geboren werden. Daraufhin gehen immer Dutzende Hände nach oben.

Zahllose Menschen weihten mich in ihr Geheimnis ein – die Zahl der Jungen geht stark zurück. Offensichtlich gibt es in einigen Familien überhaupt keine mehr. Ich versichere ihnen dann immer, daß sie sich wegen ihrer Unfähigkeit, männlichen Nachwuchs zu zeugen, nicht zu schämen brauchen.

Dann wurde es mir plötzlich sonnenklar ... *irgend etwas* geht da vor.

Und tatsächlich geht da was vor. Das Statistische Bundesamt bestätigt, daß die Geburtszahlen männlicher Babys *in den Vereinigten Staaten seit 1990 jedes Jahr sinken*! Dazu kommt noch, daß die Lebenserwartung der Frauen immer weiter steigt: sie liegt bei durchschnittlich 80 Jahren, gegenüber nur 74,2 Jahren bei den Männern. Als ich klein war, war das Land so ziemlich 50:50 männlich/weiblich, es gab nur einen kleinen Frauenüberschuß. Dann wandelte sich das Verhältnis auf 51:49, die Frauen errangen die Mehrheit. Bald schon wird es 52:48 betragen.

Dies führte mich zu der häßlichen, aber unwiderlegbaren Erkenntnis:

Männer! *Die Natur will uns ausrotten!*

Warum tut Mutter Natur uns das an? Tragen wir nicht den Samen des Lebens in uns? Was haben wir denn getan, daß wir das verdienen?

Einen ganzen Haufen, wenn man mal darüber nachdenkt.

In der Frühzeit der Menschheit spielten wir noch eine wichtige und unverzichtbare Rolle für die Entwicklung unserer Art. Wir jagten und sammelten Nahrung, schützten Frauen und Kinder vor den großen Tieren, die sie auffressen wollten, und halfen, durch viel unbeschränkten, wahllosen Sex die Zahl des *Homo sapiens* schnell zu vermehren.

Seitdem ging es mit uns immer nur bergab.

In den letzten paar Jahrhunderten haben die Dinge für unser Geschlecht eine ganz fatale Wendung genommen. Wie es so unsere Art ist, begannen wir an einer Reihe von Projekten zu arbeiten, die geeignet waren, die ganze Welt zugrunde zu richten. Die Frauen? Die können nichts dafür. Sie fuhren fort, Leben in diese Welt zu bringen; wir fuhren fort, es zu vernichten, wann immer wir konnten. Wie viele Frauen kamen jemals auf die Idee, eine ganze Menschenrasse auszurotten? Die Frauen, die ich kenne, bestimmt nicht. Wie viele Frauen haben Öl in die Ozeane gekippt, haben je Giftstoffe in unsere Nahrungsmittel gemischt oder darauf bestanden, daß die neuen Geländewagenmodelle immer größer, größer, GRÖSSER werden müssen? Hmm. Darüber muß ich nochmal nachdenken …

816 Arten – von denen die meisten wichtige Bindeglieder in unserem empfindlichen Ökosystem waren – sind ausgestorben,

seit Kolumbus sich verirrte und hier landete (noch ein Mann, der nicht nach dem Weg fragte). Wie viele davon sind Ihrer Ansicht nach von Frauen ausgerottet worden? Auch in diesem Fall kennen wir wohl alle die Antwort.

Wenn Sie die Natur wären, wie würden Sie auf einen solch brutalen Angriff reagieren? Und was würden Sie tun, wenn Sie merkten, daß es ein ganz bestimmtes Geschlecht unter den Menschen ist, das sich anscheinend aufgemacht hat, sie zu zerstören? Nun, Mutter Natur läßt sich so was nicht gefallen. Sie würde sich *mit allen erforderlichen Mitteln* verteidigen, genau das würde sie tun. Sie würde nichts auslassen, um ihr Leben zu retten. Sie würde versuchen zu überleben, koste es, was es wolle, auch wenn das bedeutet, die Hälfte der Vertreter jener Tierart zu eliminieren, die eigentlich dafür konzipiert waren, die höchst entwikkelte Art zu erhalten.

Jawohl, die Natur hat unsere Art mit der höchsten Form von Intelligenz ausgestattet und uns ihre Zukunft anvertraut – aber plötzlich sieht es so aus, als ob eines der Geschlechter sich entschlossen hätte, mit der Mutter Erde und auf ihre Kosten das größte Besäufnis aller Zeiten zu veranstalten. Jetzt hat Mutter einen Kater und ist stinkig und schiebt einen Riesenhaß auf die, die ihr das Betäubungsmittel in den Drink getan haben.

Der Schuldige kriegt eine Glatze, er hat einen dicken Wanst und vergißt ständig, die Bierflasche mit dem Kronkorken zu verschließen.

Ja, Männer, man hat uns identifiziert; jetzt gibt es keine Zuflucht mehr, wo wir uns vor dem Zorn der Natur verstecken könnten. Und dabei können wir den Frauen keinerlei Mitschuld anhängen: es war keine Frau, die Napalmbomben abwarf oder den Kunststoff erfand oder die gesagt hätte: »Verdammt, was wir brauchen ist eine Bierdose zum Aufreißen!« Unglücklicherweise ist jeder Raub und jede Plünderung, jeder Angriff auf die Umwelt, auf alles, was einst rein und gut war, was Schrecken und Zerstörung gebracht hat, von Händen ausgeführt worden, die, wie soll ich sagen, wenn sie nicht sich selbst Vergnügen verschaffen, damit beschäftigt sind, diese schöne, wunderbare Welt zu zerstören. Diese Welt hatten wir mal umsonst gekriegt, ganz ohne Kaution oder Bürgschaften.

Kein Wunder, daß uns die Natur loswerden will.

Hätten wir Männer nur ein klein bißchen Verstand, würden wir versuchen, die Natur dazu zu bewegen, daß sie uns vergibt, und endlich unser katastrophales Verhalten ändern. Sie wissen schon, endlich das tun, was nötig wäre: endlich damit aufhören, die arktische Wildnis zu schänden, hinter uns aufräumen und keine Hamburger-Reste mehr aus dem Autofenster werfen.

Die Natur würde sich wahrscheinlich eine ganze Menge von unserem Quatsch sogar gefallen lassen, wenn wir noch zu irgendwas gut wären. Seit Urzeiten hatten wir zwei Dinge, die die Frauen nicht hatten, und nur deshalb waren wir *notwendig:* (1) wir lieferten das Sperma, das den Fortbestand unserer Art sicherte, und (2) wir konnten alles, was *sie* brauchten, vom obersten Regal runterholen, weil nur wir da rauflangen konnten.

Pech für uns, daß irgend so ein Verräter die In-vitro-Fertilisation erfunden hat, was bedeutet, daß Frauen jetzt nur noch das Sperma von *wenigen von uns* brauchen, um Babys zu kriegen. Tatsächlich hat jemand in Arizona verkündet (wahrscheinlich eine Frau), daß die Wissenschaft eine Art der menschlichen Fortpflanzung gefunden habe, die zum Befruchten eines Eis nicht einmal mehr Sperma braucht – jetzt können sie es mit reiner DNS machen. Frauen brauchen nicht mehr unter einem sabbernden Mann, der sein Gesicht im Kissen vergraben hat, hervorkriechen, nur weil sie ein Baby haben möchten. Alles, was sie jetzt noch brauchen, ist ein Reagenzglas.

Die andere Erfindung, die dem Mannestum das Ende bereitet hat, ist die Trittleiter. *Die tragbare, leichte Aluminiumtrittleiter*, um genau zu sein. Welcher Bastard ist auf diese geniale Idee gekommen? Denn wie sollen wir jetzt noch begründen, wozu wir immer noch gut sind? Wir haben keine Ausrede mehr.

Die Natur hat ihre Methoden, wie sie ihre schwächsten Glieder los wird, die, die keinen Zweck mehr erfüllen, die nur noch

Wie trickst man die Natur aus, mehr Männer zu machen?

- Eine Firma in Virginia hat eine Methode entwickelt, die es Ihnen erlaubt, das Geschlecht Ihres Babys zu wählen. Das Institut für Genetik und IVF (In-vitro-Fertilisation), eine Fortpflanzungsklinik in Fairfax, Virginia, schafft es in einem komplizierten Prozeß, Spermien mit männlichen Chromosomen von denen mit weiblichen Chromosomen zu trennen, was es den Eltern erlaubt, das Geschlecht ihres Babys sogar schon vor der Empfängnis festzulegen. Bevor Sie in diese Klinik gehen, seien Sie EXTRALIEB zu Ihrer Frau, denn schließlich ist es ja ihr Recht, zu entscheiden, was in ihren Körper kommt und was nicht. Und sorgen Sie dafür, daß diese Leute in Virginia mehr Gelder vom Bund bekommen!
- Schädigen Sie nicht Ihr Sperma! Hören Sie auf damit, sich Tag für Tag selbst zu mißbrauchen. Das schwächt die Spermien und verringert ihre Zahl.
- Vor dem Sex müssen Sie an reine *Männersachen* denken. Gehen Sie noch einmal das Register in Ihrem Kopf durch. Im sechsten Spiel der Baseball World Series von 1986 hätten *Sie* diesen Ball nie durch *Ihre* Beine rollen lassen. Hören Sie mal, wie die Menge im Shea-Stadion in New York tobt, wenn Sie den Ball aufnehmen und gegen die Ray Knight einen Punkt machen! Sie haben es geschafft! Sie sind der MANN des Spiels!
- Zeugen Sie Ihre Kinder früher. Kürzlich ergab eine epidemiologische Studie, daß ältere Elternpaare häufiger Mädchen bekommen als Jungen.

Ballast für sie sind. Das, meine Freunde, sind *wir*. Durch die modernen Fortpflanzungswissenschaften und drei kleine Aluminiumstufen sind wir Jungs etwa noch so nützlich wie ein altes Achtspur-Band in einem modernen Tonstudio.

Andere Sachen, die für die Natur nutzlos sind

- Schreibmaschinen
- Die Senatoren in Washington
- Bosco Schokoladensirup
- Walking
- Radlerhosen
- Das Besetzt-Zeichen
- Bankschalter
- Ein Universitätsabschluß
- Haare auf dem Rücken eines Mannes
- Schlankheitsbonbons
- Das Oberste Bundesgericht

Nun, sehen wir es mal positiv: es ist für uns doch eigentlich unheimlich gut gelaufen! Tausende von Jahren haben wir die Gesellschaft absolut dominiert – und wir sind doch auch jetzt noch voll dabei! Denken Sie mal darüber nach – es hat *keinen einzigen* Tag gegeben, an dem wir nicht das Sagen gehabt hätten, an dem wir nicht bestimmt hätten, wo es lang geht, an dem wir nicht die Welt regiert hätten! Nicht mal die New York Yankees können im Baseball auf eine so lange Zeit absoluter Vorherrschaft zurückblicken. Ich meine, hier sind wir *die Minderheit*, und doch herrschen wir seit unvordenklichen Zeiten über die weibliche Mehrheit. In anderen Ländern nennen wir das Apartheid; in Amerika nennen wir das normal. Seit der Geburt unseres Landes vor 225 Jahren haben wir dafür gesorgt, daß keine einzige Frau das erste oder das zweite Amt im Staat bekommen hat. Die meiste Zeit haben wir sogar darauf geachtet, daß verdammt wenige Frauen überhaupt ein Amt bekommen haben. Tatsächlich war es in den ersten 130 Jahren den Frauen sogar verboten, bei den Präsidentschaftswahlen überhaupt *ihre Stimme abzugeben.*

Dann gaben wir 1920 den Frauen das Wahlrecht, um ihnen zu beweisen, daß wir keine Spielverderber sind. Und was ist passiert? *Wir blieben an der Macht.*

Jetzt stellen Sie sich das mal vor. Plötzlich hatten die Frauen die Mehrheit der Wählerstimmen. Sie hätten unseren kollektiven Männerarsch auf den politischen Abfallhaufen werfen können.

Doch was haben sie gemacht? Sie wählten *uns!* Ganz schön cool, wie? Haben Sie je von einer Gruppe von Unterdrückten gehört, die plötzlich durch ihre pure Überzahl die Verantwortung hätte übernehmen können – und die dann mit überwältigender Mehrheit so abstimmt, daß ihre Unterdrücker an der Macht bleiben? Als die Schwarzen in Südafrika endlich frei waren, setzten sie die Apartheid nicht dadurch fort, daß sie Weiße wählten. Ich kenne keinen Juden in Amerika, der dem Gouverneur George Wallace oder dem rechten Kolumnisten Pat Buchanan seine Stimme gegeben hätte (auch nicht bei dem Debakel in Florida).

Nein, für eine gesunde Gesellschaft wäre es normal, wenn sie die Gauner, die sie seit ewigen Zeiten am Wickel hatten, endlich davonjagen würde.

Doch nach mehr als achtzig Jahren Frauenwahlrecht und trotz der Zunahme einer aktiven Frauenbewegung ist immer noch das der Stand der Dinge:

- Bei zwanzig von einundzwanzig landesweiten Wahlen seit 1920 hat keine der großen Parteien eine Frau als Präsidentschafts- oder Vizepräsidentschaftskandidatin aufgestellt.
- Im Augenblick gibt es in den fünfzig Bundesstaaten nur fünf Gouverneurinnen.
- Nur 13 Prozent der Kongreßabgeordneten sind Frauen.
- 495 der 500 größten Firmen in Amerika werden von Männern geleitet.
- Nur vier der einundzwanzig Top-Universitäten in den Vereinigten Staaten haben eine Frau an der Spitze.
- 40 Prozent aller Frauen, die sich im Alter zwischen fünfundzwanzig und vierunddreißig Jahren scheiden lassen, enden in Armut. Im Vergleich dazu leben nur 8 Prozent der verheirateten Frauen unter der Armutsgrenze.
- Für jeden Dollar, den ein Mann verdient, bekommt eine Frau durchschnittlich nur 76 Cent – das summiert sich in einem ganzen Leben zu einem Gesamtverlust von 650 133 Dollar.

- Wollte eine Frau das gleiche Jahresgehalt wie ihr männliches Pendant verdienen, müßte sie das ganze Jahr PLUS weitere vier Monate arbeiten.

Früher oder später werden die Frauen herausfinden, wie sie an die Macht gelangen können – und wenn das geschieht, dann gnade uns Gott. Schließlich sind *sie* das starke Geschlecht. Ganz im Gegensatz zum vorherrschenden Mythos sind die Männer das schwache Geschlecht. Hier sind die Beweise dafür:

- Männer leben nicht so lang wie die Frauen.
- Männliche Gehirne sind nicht so gut strukturiert und schrumpfen viel schneller als die der Frauen, wenn wir altern.
- Im Vergleich ist das Risiko bei Männern, eine schwere Krankheit zu bekommen, wie Herzinfarkt, Schlaganfälle, Magengeschwüre und Leberversagen, deutlich höher als das der Frauen.
- Männer fangen sich auch eher Geschlechtskrankheiten ein (die sie dann an ihre ahnungslosen Frauen oder Freundinnen weitergeben).
- Die wichtigeren Körpersysteme des Mannes – Kreislauf, Atmung, Verdauung und Ausscheidungssystem – brechen viel eher zusammen als die der Frauen. (Obwohl mich der Zusammenbruch des Ausscheidungssystems nicht überrascht hat, wenn man an all die Luftverbesserer denkt, die in unseren Kloschüsseln hängen.)
- Nur unser Fortpflanzungssystem – die Fähigkeit zur Produktion von Sperma – hält länger durch als die Fähigkeit der Frau, Eier zu produzieren. Andererseits verkümmert unser diesbezügliches Liefersystem lange bevor eine Frau die Vorzüge eines heißen Bads und eines guten Romans entdeckt.
- Männer können nicht gebären und damit die Art erhalten.
- Männer verlieren ihre Haare.

Mikes Phantasieliste weiblicher Präsidenten

- Präsidentin Cynthia McKinney (die fähigste Person im gegenwärtigen Kongreß)
- Präsidentin Hillary Clinton (nur wenn ich auch mal im Weißen Haus übernachten darf)
- Präsidentin Oprah Winfrey (die Kamingespräche der Talkshow-Gastgeberin mit Dr. Phil wären für uns alle die Rettung)
- Präsidentin Katrina van den Heuvel (Herausgeberin der progressiven Zeitschrift *The Nation*, eine perfekte Kandidatin für dieses Amt)
- Präsidentin Sherry Lansing (sie ist die Chefin von Paramount Film; sie ließ mich mal in einem Film auftreten; das langt doch)
- Präsidentin Karen Duffy (Korrespondentin für *TV Nation*; sie würde einen ausländischen Führer nicht mehr auslassen, wenn der es wagen sollte, sie herauszufordern)
- Präsidentin Caroline Kennedy (nur weil es einfach gerecht wäre)
- Präsidentin Bella Abzug (selbst wenn sie tot wäre, wäre sie besser als Bush junior)
- Präsidentin Leigh Taylor-Young (die erste nackte Frau, die ich je gesehen habe, und zwar im Film *The Big Bounce,* in dem auch Ryan O'Neal mitspielte. Na ja, wir waren so sechs Jungs, alle sechzehn Jahre alt, und wir haben uns ins örtliche Freiluftkino reingeschmuggelt, und … Oh, ist ja auch egal)

- Männer verlieren ihren Verstand. (Die Wahrscheinlichkeit, daß wir Selbstmord begehen, ist viermal größer als bei den Frauen.)
- Männer sterben laut Statistik dreimal häufiger durch einen Unfall als Frauen.

- Männer sind einfach nicht so klug wie die Frauen: schon in den Grundschultests schneiden die Mädchen besser ab als die Jungs – und, machen wir uns nichts vor, wir werden mit zunehmendem Alter auch nicht klüger.

Vielleicht gibt es für diese Ungleichheit keine logische Erklärung. Vielleicht ist dies nur Teil von Gottes Plan, so wie es uns die Nonnen erklärt haben. Aber warum hat dann Gott die Frauen so viel besser gemacht? Ich glaube, die Nonnen hatten dazu ein beachtliches Insiderwissen – schließlich waren sie ja alle Frauen. Sie kannten Gottes Geheimnis, und sie würden es sicherlich nicht mit einem wie mir teilen.

Ich glaube fest daran – und dies geht auf die Betrachtung der Frau zurück, mit der ich zusammenlebe –, daß Gott bei der Erschaffung der Welt den größten Teil des Sechsten Tages damit verbracht hat, die äußere Gestalt der Frauen zu kreieren. Denn man merkt doch deutlich, daß hier ein Künstler, der zu den besten seines Fachs gehört, am Werke war. Die Konturen, die Kurven, die Symmetrie, sie alle sind Zeugen höchster Kunstfertigkeit. Ihre Haut ist zart und seidig und makellos; ihr Haar ist voll und dicht und aufregend. Meine Ansichten haben aber nun auch gar nichts mit Lüsternheit oder sowas zu tun, es sind vielmehr die unbestechlichen Urteile des Kunstkritikers in mir. Frauen – ich glaube, darin stimmen wir alle überein – sind atemberaubend schön.

Wie war Gott drauf, als wir an der Reihe waren? Es sieht ganz so aus, als ob er alle Tricks verbraucht hätte bei der Erschaffung der Frauen. Als er dann zu uns kam, wollte er offensichtlich nur noch ganz schnell fertig werden, um sich Wichtigerem widmen zu können, beispielsweise dem Siebten Tag, dem Tag der Ruhe.

So waren die Männer am Ende wie ein Chevrolet: in aller Hast am Fließband zusammenmontiert und mit der Garantie, nach nur kurzem Gebrauch kaputtzugehen. Deshalb bleiben wir auch in unserem verstellbaren Fernsehsessel sitzen, solange wir können – die Anstrengung, unser Zeug aufzuräumen, könnte sonst zu

Überleben, wenn Ihr Bett brennt

- Runter auf den Boden und kriechen! Und bleiben Sie unten!
- Halten Sie, wenn möglich, einen nassen Waschlappen oder ein feuchtes Handtuch vors Gesicht!
- Bewegen Sie sich in die Richtung, in der Sie die Tür vermuten. Fassen Sie immer die Tür zuerst an, bevor Sie sie öffnen. Wenn sie heiß ist, NICHT öffnen! Suchen Sie einen anderen Fluchtweg.
- Wenn Ihre Frau alle Türen verschlossen hat, schlagen Sie ein Fenster ein und klettern Sie raus.
- Sie sollten immer einen Feuerlöscher zur Hand haben. Legen Sie ihn neben die Pistole unter Ihrem Kopfkissen, wenn nötig. Auch ein voller Wassereimer neben dem Bett ist empfehlenswert.
- Sollten Sie Ihre Frau mißhandelt haben, ist es wahrscheinlich am besten, im Bett nur feuerfeste Schlafanzüge zu tragen. Das könnte Ihr Leben retten.
- Rufen Sie die örtliche Feuerwehr an und lassen Sie Ihren Namen auf die spezielle »Bastard«-Liste setzen. Das ist das Verzeichnis derjenigen Männer der Gegend, die am ehesten gewärtigen müssen, von einer »geliebten Person« um die Ecke gebracht zu werden. Die Feuerwehr weiß dann genau, wo Sie wohnen und wo sich Ihr Schlafzimmer befindet.

einem frühen Herzinfarkt führen. Unsere Körper sind eigentlich zum Hochheben, Tragen, Ziehen und Werfen konstruiert worden, aber das nur für eine begrenzte Zeit. Und, ich muß es jetzt doch ansprechen, was ist eigentlich mit diesem speziellen *Ding*, mit dem man uns ausgestattet hat? Nun, lassen Sie es mich mal so taktvoll wie möglich ausdrücken: Es sieht so aus, als ob Gott in seiner Eile, endlich fertig zu werden, irgend so ein Einzelteil, das in seinem Laden herumlag, genommen und in uns reingesteckt hätte – denn so wie das aussieht, das kann's ja wohl nicht sein. Wenn Sie ein Ding wie das an einen Laternenpfahl oder einen Baum kleben würden, würden Sie hinterher ohne Zweifel sagen: »Nee, ich glaub, so eher nicht!« Aber daß wir Typen damit rumlaufen, zieht seltsamerweise keiner in Zweifel. Das männliche Glied sieht aus wie ein Weltraumwesen aus dem Film *Alien* und ist wie die Überschwemmungen in Bangladesh und die Zähne der Briten ein Beweis für die Tatsache, daß ab und zu auch der liebe Gott was vermasselt.

Ihre Unzulänglichkeit hat wohl einige Männer so belastet, daß sie verrückt geworden sind und begonnen haben, mit allen Mitteln zurückzuschlagen. Wenn die Natur die Männer schon benachteilige, glauben sie, müßten sie die Sache selbst in die Hand nehmen. Ihre Maxime lautet: Wenn wir sie schon nicht schlagen können, dann verhauen wir sie eben.

Heutzutage halten die meisten die Neigung von Männern, Frauen zu verletzen, zusammenzuschlagen oder umbringen zu wollen, für »politisch nicht korrekt« und man hat die Gesetze verschärft, um die Frauen vor uns zu schützen. Aber wir wissen auch, daß Gesetze nur gemacht werden, um Strafen verhängen zu können, *nachdem* ein Verbrechen begangen worden ist. Kaum ein Gesetz konnte jene Männer stoppen, die sich an den Frauen rächen wollten. Frauen wissen nur zu gut, daß die Notrufnummer nur dazu dient, den Polizisten mitzuteilen, daß sie einen Leichensack und ein starkes Reinigungsmittel mitbringen sollen. Denn wenn sie endlich dort ankommen, hat *er* der Frau den Gerichtsbeschluß, der *ihm* den Kontakt zu ihr untersagt hatte, schon in den Mund gesteckt, und die Leichenstarre hat bereits eingesetzt, vielen Dank auch.

Die Männer, die etwas mehr Raffinesse haben, können allerdings im Geschlechterkampf zu anderen Mitteln greifen als zu simplem Mord. Zum Beispiel waren die Tabakwarenfirmen (die alle von Männern geleitet werden) äußerst erfolgreich darin, Frauen zum Rauchen zu verführen – und das in einer Zeit, in der die Zahl der *männlichen* Raucher abnimmt. Dank der vielen neuen Raucherinnen hat neuerdings Lungenkrebs den Brustkrebs als Krebsart mit der höchsten weiblichen Sterberate abgelöst. Die Gesamtzahl der Frauen, die jedes Jahr vom Rauchen vertilgt werden, beträgt 165 000!

Das Verweigern von medizinischer Behandlung ist ein weiterer Trick der Männer, um die weibliche Bevölkerung niederzuhalten. Wenn Sie zum Weiterleben eine Organtransplantation brauchen, sind die Chancen, eine zu kriegen, für einen Mann 86 Prozent höher als für eine Frau. Herzkranke Männner haben eine 115 Prozent höhere Wahrscheinlichkeit mit einer Bypass-Operation behandelt zu werden als Frauen mit denselben Krankheitssyptomen. Und als Frau dürfen Sie für diese zweitklassige Behandlung dann in den USA auch noch viel höhere Versicherungsprämien zahlen als die Männer.

Wenn gar nichts anderes mehr hilft, ist Mord natürlich immer eine Option. Normalerweise klappt das dann auch. Die Chancen einer Frau, von ihrem Mann oder Freund umgebracht zu werden, sind fünfmal höher als die eines Mannes, von seiner Frau oder Freundin getötet zu werden.

Also weiter so, vielleicht schaffen wir es am Ende doch noch.

Die Männer, eine aussterbende Art

So schlecht die Zukunft für uns auch ausschauen mag, es gibt doch noch Hoffnung für uns Männer, unser Ableben hinauszuzögern – dafür müssen wir aber ein paar wichtige neue Verhaltensweisen einüben. Es gibt nämlich einen Haufen Sachen, die wir von den Frauen und ihrem vernünftigen Verhalten lernen können. Hier nur die wichtigsten:

1. Denken Sie daran, daß Ihr Auto keine Massenvernichtungswaffe ist. Seien Sie künftig nicht mehr sauer auf den Fahrer, der sie gerade geschnitten hat. Was soll das Theater? Dadurch kommen Sie auch nicht früher nach Hause. So ein Blödmann hat Ihnen also gerade *vier* Sekunden Ihrer kostbaren Lebenszeit geraubt. Na und? Regen Sie sich ab! Frauen lassen solche Dinge vollkommen kalt, und deshalb leben sie auch länger. Wenn denen auf der Straße so ein Arschloch begegnet, schütteln sie nur den Kopf und lachen – und das funktioniert! Jungs, wir *müssen* endlich entspannter werden. Mit jeder Minute nervösem, verkrampftem und zornigem Verhalten schädigen wir unser Herz noch mehr. Hören Sie auf, herumzulaufen, als ob Ihnen einer eine Ananas in den Arsch gesteckt hätte. Nichts ist SO wichtig. (Außer es ist eine echte Ananas. *Das* wäre dann schon ein bißchen unangenehm.)

2. Essen und trinken Sie »light«. Wir müssen mehr darüber nachdenken, was wir täglich zu uns nehmen. Wenn Sie und ich weniger essen und trinken würden, dann würden wir auch bedeutend länger leben. Wann haben Sie das letzte Mal eine Frau gesehen, die sich den Bauch so vollschlägt, als ob sie ihre Henkersmahlzeit verspeise? Klar, wir haben alle mal gesehen, wie eine Frau sich mit Schnaps zuschüttet, aber wie viele Frauen haben sie die Hosen runterlassen und in den Rinnstein pinkeln sehen? Warum, glauben Sie, kriegen so viele von uns Männern Darm- oder Magenkrebs und Leberleiden? Weil wir nicht nein sagen können zu Jack (Daniels) oder Jim (Beam) oder zu anderthalb Pfund halbrohem Rindfleisch mit gebratenen Zwiebelringen, uralten Jalapenño-Chilischoten und Tabasco-Sauce drauf. Es gibt einen Grund, warum Frauen nie die Zeitung aufs Klo mitnehmen. Finden Sie's raus!

3. Treten Sie zur Seite, dann leben Sie länger. Also, warum gehen wir nicht in Rente und lassen die Frauen die Welt regieren? Okay, Sie mögen es nicht, wenn Frauen Macht haben, weil Sie ein konservativer Redneck sind. Aber was würden Sie sagen, wenn ich Ihnen erzähle, daß es die Lebenserwartung von uns Männern um acht Jahre verlängern würde, wenn Frauen über den Bau des Atomkraftwerks in Bahrain und über die Kriegserklärung an China entscheiden müßten? Oder wenn sie sich etwas dagegen einfallen lassen müßten, daß einfliegende Flugzeuge ständig die Landeregeln mißachten? Also laßt uns zur Seite treten und den Mund halten! Oder ist es wirklich ein so geiles Gefühl, »der Boss« zu sein und sich mit Hunderten von Angestellten und dem ganzen Unsinn, den sie treiben, herumschlagen zu müssen? Wer braucht so was? Gehen wir's lockerer an, machen wir 'ne Pause! Sollen sich doch die Frauen die nächsten zehntausend Jahre um diese verrückte, unkontrollierbare Welt kümmern. Denken Sie an all die Bücher, die Sie immer schon mal lesen wollten. Dann hätten Sie die Zeit dazu.

4. Amerikanische Männer, wascht eure Hände. Es ist höchste Zeit, das endlich zu akzeptieren: Unsere persönlichen Angewohnheiten sind so abstoßend, es ist wirklich ein Wunder, daß Frauen immer noch dieselbe Luft zu atmen bereit sind wie wir. Wenn wir Männer uns endlich zusammenreißen und ein paar ganz einfache Sachen anders machen könnten, bekämen wir sofort mehr Zuwendung. Zum Anfang sollten wir unsere Hände dort behalten, wo sie hingehören. Sie waren nicht dafür vorgesehen, in Nasenlöcher, Hintern, Ohren oder Nabel gesteckt zu werden. Sie wurden auch nicht entworfen, um Artikel aus Zeitungen rauszureißen, bevor *die Frau* überhaupt eine Chance hatte, sie zu lesen, oder ein Stück alter Wurstpelle zwischen den Zähnen rauszuziehen oder diese Schuppenstelle mitten auf dem Kopf wegzukratzen. Hören Sie endlich damit auf, sich in aller Öffentlichkeit in den Schritt zu langen (oder gar Ihr Gemächt zurechtzurücken) – seit Ihrer letzten Generalinventur vor knapp einer Minute ist dort garantiert nichts abhanden gekommen. Halten Sie die Beine zusammen, damit Sie in Bussen und Zügen nicht zwei oder drei Sitzplätze belegen. Tragen Sie Unterwäsche – möglichst Unterwäsche, die *in diesem Jahr* gewaschen wurde, in einer *Waschmaschine,* mit richtigem *Waschpulver.*

5. Lernen Sie die Handhabung des Toilettensitzes. Also gut, Jungs, ich habe nun wirklich gedacht, das wäre jetzt allmählich durch, aber der im wahrsten Sinn des Wortes anrüchige Beweis auf den Flughäfen, den Bahnhöfen und in den Fast-Food-Tempeln überall in diesem großen Land zeigt mir das Gegenteil: trotz der vielen einschlägigen Bemerkungen von Fernsehkomikern auf allen Kanälen *haben wir die Botschaft einfach noch nicht kapiert.* Deshalb folgt nun ein schneller Auffrischungskurs:

- Bringen Sie als erstes den beweglichen ovalen Deckel in eine aufrechte Position. Bringen Sie danach auch den darunterliegenden ovalen Sitz in ein aufrechte Position. In dieser Position bleiben beide automatisch stehen. Dann haben Sie nämlich beide Hände frei: Es ist genau wie beim Autofahren. Sie wollen doch auch nicht, daß das Auto von der Straße abkommt, oder? Prima, und die Frauen in ihrem Haus sind genausowenig begeistert über Ihre Pisse auf der Tapete.
- Zielen, halten, loslassen, wieder in der Hose verpacken.
- Nehmen Sie eine Hand und bringen Sie den ovalen Sitz und seinen Deckel sacht in die Ausgangspositionen zurück. Wenn der Sitz auf die Keramikschüssel trifft, sollte nicht das leiseste Geräusch zu hören sein.
- Greifen Sie nach dem kleinen silbernen Hebel auf der linken Seite und SPÜLEN Sie. (Dies ist NICHT fakultativ, auch nicht auf einer öffentlichen Toilette.) Wenn die erste Spülung nicht ausreicht, dürfen Sie nicht einfach davonlaufen: Sie bleiben so lange, bis Sie eine wirklich saubere Schüssel vor sich haben.
- Waschen Sie Ihre Hände. Trocknen Sie sie mit den dafür vorgesehenen Handtüchern, nicht mit dem Hemd, das sie gerade anhaben. Werfen Sie das Papierhandtuch in den Abfallbehälter – oder, wenn es sich um ein Stoffhandtuch handelt, hängen Sie es zurück auf den Handtuchhalter (normalerweise eine Stange aus Plastik oder Metall, die aus der

Wand in der Nähe des Waschbeckens herausragt). Wenn Sie bei sich daheim sind, werfen Sie das Stoffhandtuch wenigstens einmal die Woche in den Korb für die Schmutzwäsche. Waschen Sie es. Hängen Sie es danach wieder im Badezimmer auf.

6. Baden Sie täglich. Sich ein paar Tropfen Wasser ins Gesicht zu spritzen, um morgens aufzuwachen, zählt nicht als baden. Es zählt auch nicht, wenn Ihnen einer am Abend vorher auf einer Party eine Flasche Heineken über den Kopf gegossen hat. Also steigen Sie in die Wanne. Stellen Sie den Zeiger genau zwischen HEISS und KALT. Ziehen Sie den Knopf am Wasserhahn hoch, um die Dusche einzuschalten. Nehmen Sie ein Stück Seife und einen Waschlappen und schrubben Sie alle Teile Ihres Körpers. Stecken Sie JA NICHT das Stück Seife in irgendwelche Körperöffnungen, »um die extrasauber zu bekommen«. Jemand anders muß mit dieser Seife noch ihr Gesicht waschen. Duschen Sie die Seife ab. Wenn Sie damit fertig sind, verlassen Sie die Dusche und trocknen Sie sich ab. Und Sie müssen nicht das ganze Bad unter Wasser setzen.

7. Mäßigen Sie sich ein bißchen. Dämpfen Sie Ihre Stimme. Versuchen Sie zuzuhören. Das geht so: Wenn andere sprechen, achten Sie genau darauf, was die sagen. Bleiben Sie in Augenkontakt. Unterbrechen Sie nicht. Wenn er oder sie fertig sind, warten Sie einen Moment und denken über das Gesagte nach. Versuchen Sie, erstmal gar nichts zu sagen. Achten Sie mal darauf, wie das soeben Gehörte die Gedanken, Konzepte, Gefühle und Ideen in Ihrem Kopf beflügelt. Das kann zu etwas ganz Brillantem führen. Greifen Sie dann diese Gedanken auf und geben sie als Ihre eigenen aus. Sie werden garantiert berühmt werden!

8. Gehen Sie zum Ohrenarzt. Wenn das oben Angeführte nicht klappt, ist vielleicht irgend etwas mit Ihrem Gehör nicht in Ordnung. Viele Krankenhäuser und Selbsthilfegruppen bieten kostenlose Untersuchungen der Hörfähigkeit an. Schauen Sie doch mal in Ihren örtlichen Zeitungen nach, wo und wann in Ihrer Gegend solche Hörtests stattfinden oder gehen Sie am besten gleich zum Ohrenarzt. Seit neuestem kann man aber auch im Internet Webseiten finden, die eine Einschätzung der eigenen Hörfähigkeit erlauben. Unter der Web-Adresse: www.besserhoeren.de findet man einen solchen Hörtest auch auf deutsch.

9. Kapieren Sie endlich, daß die Frauen uns durchschaut haben. Hören Sie auf mit dem »Was-bin-ich-doch-für-ein-gefühlvoller-Mann-Getue«. Den Dreh kennen die schon lang. Versuchen Sie niemanden davon zu überzeugen, daß Sie ein »Feminist« sind. Dafür sind Sie nicht qualifiziert: Sie spielen für das andere Team. Das ist, als ob ein Mitglied des Ku-Klux-Klans »We shall overcome« singen würde.

Sie sind eben ein Exemplar jenes Geschlechts, das immer mehr verdienen wird und dem die Türen immer weit offenstehen werden, wie immer Sie Ihr Leben auch gestalten wollen.

Das heißt nicht, daß Sie nicht mithelfen könnten, die Dinge zu verbessern. Die beste Art, den Frauen zu helfen, besteht darin, Ihre Mitmänner zu bearbeiten. Hier findet der wahre Kampf statt – ein bißchen Erkenntnis durch den Betonklotz durchzukriegen, der gemeinhin als Kopf des Mannes bekannt ist.

Helfen Sie mit, den Lohnabstand zu beseitigen, und schauen Sie erstmal Ihre eigene Gehaltsabrechnung an. Und dann sollten Sie dafür sorgen, daß Frauen, die dieselbe Arbeit erledigen, auch dasselbe verdienen wie Männer. Machen Sie mit beim Aktionstag für die gleiche Bezahlung von Mann und Frau, der gewöhnlich Anfang April an dem Tag stattfindet, der den Zeitpunkt im neuen Jahr markiert, an dem eine Frau endlich genausoviel verdient hat wie ein Mann in einem vergleichbaren Job im Jahr davor. Bei fairplay@aol.com gibt es dazu mehr Informationen.

Und Sie können auch bei der Kampagne mithelfen, mit der für eine Mehrheit im Kongreß für zwei Bundesgesetze zur gleichen Bezahlung beider Geschlechter gekämpft wird. Der Fair Pay Act würde es Frauen ermöglichen, auf der Basis des Prinzips »Gleicher Lohn für gleiche Arbeit« Klage einzureichen, und würde es den Angestellten einer Firma gestatten, vor Gericht zu gehen, wenn sie glauben, daß sie weniger verdienen als jemand mit einem vergleichbaren Job und vergleichbarer Qualifikation im selben Betrieb. Der Paycheck Fairness Act würde für höhere Entschädigungszahlungen bei solchen Prozessen sorgen und würde Angestellte schützen, die Informationen über Löhne und Gehälter weitergeben. Das Zentrum für politische Alternativen (Center for Policy Alternatives) kämpft schon seit fünfundzwanzig Jahren für gerechte und gleiche Bezahlung. Unter www.cfpa.org bekommt man dazu mehr Informationen.

Ein Rat noch zum Schluß, treten Sie einer Gewerkschaft bei – oder gründen Sie selber eine. Laut einer Statistik des amerikanischen Gewerkschaftsbundes AFL-CIO wird ein 30 Jahre altes weibliches Gewerkschaftsmitglied mit einem Gehalt von 30000 Dollar im Jahr wegen der ungleichen Bezahlung am Ende ihres Arbeitslebens 650133 Dollar weniger verdient haben als ein Mann. Ist sie kein Gewerkschaftsmitglied, steigt dieser Verlust auf 870327 Dollar. Wenn Sie also die anderen Männer an Ihrer Arbeitsstelle davon überzeugen, daß sich die Arbeitnehmerschaft des Betriebs einer Gewerkschaft anschließen sollte, haben Sie das Leben Ihrer weiblichen Kolleginnen und Ihr eigenes sehr verbessert.

Wie Frauen ohne Männer überleben

1. Besuchen Sie eine Samenbank oder eine Adoptionsvermittlung. In den meisten Gemeinden gibt es Adoptionsvermittlungen oder Samenbanken für Frauen, die gerne Kinder hätten, jedoch, aus welchen Gründen auch immer, ohne die Mitwirkung von Männern. Es ist zwar gut für Kinder, wenn sie zwei Eltern haben (und leichter für die Eltern ist es allemal!), aber alles was Sie über die Dauerschädigungen von Kindern alleinerziehender

Mütter gehört haben – nun, das ist eine der großen Lügen unserer Kultur. In seinem Buch *The Culture of Fear* zeigt Barry Glassner auf, daß »diejenigen, die von alleinerziehenden Müttern aufgezogen worden sind, ungefähr auf demselben Gehalts- und Erziehungsniveau landen wie die, die von einem Elternpaar großgezogen worden sind. Untersuchungen zeigen, daß die Gruppe der Kinder alleinerziehender Mütter im allgemeinen emotional und sozial besser abschneidet als der Nachwuchs aus konfliktreichen Ehen und von Familien, in denen der Vater emotional abwesend oder gewalttätig ist.«

2. Kaufen Sie eine Trittleiter. Es sind viele gute Marken, Größen und Arten zu erschwinglichen Preisen erhältlich. Versuchen Sie es mal bei Home Depot mit der Adresse www. homedepot.com. Wollen Sie weitere Informationen über diese bahnbrechende Erfindung, rufen Sie die Website des Amerikanischen Leiterinstituts unter der Adresse www.americanladderinstitute.org auf.

3. Wenn nichts klappt, legen Sie Hand an sich. Das Internet bietet genügend Hilfestellung, Leute also, die Ihnen – sozusagen – zur Hand gehen können.

EIGHT

Wir sind die Nummer Eins!

Die Schlagzeile ließ an Klarheit nichts zu wünschen übrig: »Abkommen über Klimaerwärmung von allen Staaten auf der Erde unterzeichnet, nur USA weigern sich.«

Ja, wieder einmal haßt uns die Welt wie die Pest.

Schluchz! Aber das ist ja nichts Neues!

Wir sind das Land, das alle mit Begeisterung hassen. Und wer könnte es ihnen vorwerfen? Wir selbst hassen uns ja offensichtlich auch – wie sonst könnte man »Präsident« W. erklären? In früheren Zeiten hätte sein Kopf schon lange eine der Brücken über den Potomac geschmückt. Statt dessen gibt er in der ganzen Welt damit an, daß er »unser gewählter Führer« sei, und wir stehen da wie Ignoranten und Narren. Die Welt lacht über uns, nicht mit uns.

Wie traurig – vor allem weil es gar nicht lange her ist, daß sich unser internationaler Ruf zum ersten Mal seit langer Zeit besserte. Wir leisteten beim ersten Friedensvertrag in Nordirland Geburtshilfe. Wir sorgten dafür, daß sich die Kriegsparteien in Israel und den besetzten Gebieten an einen Tisch setzten und etwas beruhigten (und die Palästinenser erhielten zum ersten Mal eigenes Land). Wir erkannten die Existenz Vietnams endlich an (obwohl wir es noch nicht geschafft haben, uns dafür zu entschuldigen, daß wir drei Millionen Vietnamesen getötet haben. Ich schätze, die Deutschen haben die Latte doch ziemlich hoch gelegt. Ein paar Millionen hätten uns eben noch gefehlt.) Der amerikanische Druck auf Südafrika führte mit zur Freilassung

Nelson Mandelas und zu einer Demokratisierung des Landes mit dem Ergebnis, daß Mandela zum Präsidenten gewählt wurde.

Und schließlich gaben wir einen kleinen Jungen seinem Vater in Kuba zurück – es war das erste Mal, daß der Haufen verrückter Exilkubaner in Miami unsere Außenpolitik in dieser Region nicht bestimmte.

Ja, ich muß schon sagen, Uncle Sam stand ziemlich gut da in den Augen der Welt – bis dieser Tölpel, der angeblich noch nie einen Ozean überquert hat, in der Pennsylvania Avenue 1600 die Macht übernahm:

- Er kündigte das Abkommen mit der Europäischen Gemeinschaft, in dem wir uns verpflichtet hatten, unsere Kohlendioxid-Emissionen zu senken.
- Er begann einen neuen Kalten Krieg, diesmal mit China, weil ein amerikanisches Spionageflugzeug eine chinesische Maschine abgeschossen und den Piloten getötet hatte.
- Er ließ zu, daß der Friedensprozeß im Nahen Osten zusammenbrach, und löste damit eines der schlimmsten Blutvergießen aus, die je zwischen Israelis und den Palästinensern stattgefunden haben.
- Er begann einen neuen Kalten Krieg mit Rußland, indem er die bewußte Verletzung des in den siebziger Jahren geschlossenen ABM-Vertrags über das Verbot strategischer Raketenabwehrsysteme vorbereitete.
- Er drohte, die US-amerikanische Präsenz im ehemaligen Jugoslawien einseitig zu reduzieren, was zu erneuten Gewaltausbrüchen zwischen den ethnischen Gruppen in der Region führen mußte.
- Er mißachtete Menschenrechtsresolutionen der Vereinten Nationen und die USA wurden aus der Menschenrechtskommission der UNO abgewählt.
- Er bombardierte genau wie sein Vater Zivilisten im Irak.
- Er verschärfte den Krieg gegen die Drogen in Südamerika, mit dem Ergebnis, daß die Kolumbianer ein Flugzeug mit

US-amerikanischen Missionaren abschossen und eine Mutter aus Michigan und ihr Kind getötet wurden.

- Er machte jede Hoffnung zunichte, daß die Spannungen mit Nordkorea abnehmen könnten, und sorgte auf diese Weise nicht nur dafür, daß die massive Hungersnot dort weitergeht, sondern auch, daß der Filmnarr Kim Jong II seine überfälligen Videos nie an die Videoverleih-Kette Blockbuster zurückgeben wird.
- Er brachte praktisch alle Länder dieser Welt gegen uns auf, weil er verkündete, er werde das verrückte Raketenabwehrsystem »Star Wars« bauen lassen.

All das hat er in nur 120 Tagen erreicht – und das, obwohl er, wie oben geschildert, gleichzeitig auch innenpolitisch große Verheerungen anrichtete. Wer von uns gedacht hatte, der Junior sei vielleicht nicht so leistungsfähig, wurde durch seinen Tatendrang jedenfalls eines Besseren belehrt.

Jetzt sind wir also wieder in der ganzen Welt verhaßt. Wenigstens befinden wir uns damit wieder auf vertrautem Boden.

Andererseits jedoch ist es eine verdammte Schande, daß wir wieder in die Rolle des Parias zurückgefallen sind. Es war schön, als die Ausländer uns endlich einmal für die Guten hielten. Und dank Clintons Charme konnten wir uns trotzdem noch eine Menge leisten: Amerikanische Konzerne erhöhten in aller Stille die Zahl der ausbeuterischen Sweatshops in der Dritten Welt und ließen immer mehr Kinder für sich arbeiten. Sie exportierten gefährliche Produkte in arme Länder und verbreiteten sogar noch gefährlichere Hollywood-Filme in der ganzen Welt.

Tatsächlich tat auch Bill Clinton viele Dinge, die Bush heute tut – er rieb es den Leuten nur nicht unter die Nase. Clinton war nämlich cool – so cool, daß die meiste Zeit kaum jemand wußte, was er eigentlich beabsichtigte. Clinton gab uns Amerikanern so gut Deckung, daß wir ein paar Jahre lang in den meisten Ländern reisen konnten, ohne daß wir Gefahr liefen, von einem wütenden Mob verfolgt und zusammengeschlagen zu werden.

Ein Typischer Tag im Leben des »Präsidenten« George W. Bush

8.00 Uhr: Der President of the United States (POTUS) steht auf und überprüft, ob er immer noch im Weißen Haus ist.

8.30 Uhr: Frühstück im Bett. Rumsfeld liest ihm sein Horoskop und Comics vor.

9.00 Uhr: »Mit-Präsident« Cheney schaut herein und hilft George beim Anziehen, geht mit ihm die Lage im Jemen durch und ermahnt ihn, seine Zähne zu putzen.

9.30 Uhr: POTUS betritt das Büro des Präsidenten im Weißen Haus und begrüßt seine Sekretärin.

9.35 Uhr: Er verläßt das Oval Office wieder und geht zum Krafttraining in die Turnhalle des Weißen Hauses.

11.00 Uhr: Massage und Fußpflege.

12.00 Uhr: Mittagessen mit dem Baseball-Commissioner Bud Selig. Er bestätigt, daß in der Führungsetage der Major League immer noch kein Job frei ist.

13.00 Uhr: Mittagsschlaf.

14.30 Uhr: Fotosession mit der »Mannschaft des Tages« aus der Little League.

15.00 Uhr: POTUS wieder im Oval Office, um mit Kongreßmitgliedern über Gesetzgebung zu diskutieren.

15.05 Uhr: Besprechung vertagt; Kongreßmitglieder zur Presse: »Sehr fruchtbares Gespräch. Der Präsident sagte, wir sollten ›ein paar Gesetze verabschieden‹. Dann mußten wir auf dem South Lawn Bälle holen.«

15.10 Uhr: Cheney instruiert POTUS über Energiepolitik. Er sagt ihm, er solle den Chefs der Ölfirmen »Dankschreiben schicken«.

15.12 Uhr: POTUS läßt sich eine Weltkarte zeigen, er wirkt überrascht, »wie groß die Welt geworden ist«.

15.40 Uhr: POTUS hat alle 191 Hauptstädte der Welt in weniger als einer halben Stunde auswendig gelernt.
15.44 Uhr: Er ruft den Ministerpräsidenten von Rumänien an, »einfach, weil ich das tun kann«, und fordert ihn auf, ihm die Hauptstadt von Burma zu nennen. Der Ministerpräsident versteht leider kein Wort, weil POTUS spanisch spricht.
15.58 Uhr: POTUS nimmt R-Gespräch aus dem Gefängnis von Austin an. Sein Nachwuchs befindet sich in Haft, weil er ein Porträt von POTUS als Gouverneur geschändet hat, das im Parlament des Bundesstaates hängt. POTUS tut so, als sei die Verbindung schlecht und als habe er obendrein eine Mexikanerin in der Leitung. Er imitiert ihre Stimme, dann hängt er auf. »Der Apfel fällt nicht weit vom Stamm«, murmelt er vor sich hin.
16.00 Uhr: Feierabend. POTUS zieht sich für kleines Nickerchen in seine Privatwohnung zurück.
18.00 Uhr: Staatsdinner mit afrikanischen Staatschefs. POTUS erklärt Cheney: »Ich kann mich jetzt nicht mit Afrika befassen, es ist der dunkle Kontinent, wissen Sie!« Der Mit-Präsident muß ihn bei dem Dinner vertreten.
18.05 Uhr: POTUS schwimmt eine Runde im Swimmingpool des Weißen Hauses.
19.00 Uhr: Anruf bei Laura auf der Ranch in Texas (»will mich nur mal melden«).
19.02 Uhr: POTUS geht in den Filmraum des Weißen Hauses und schaut sich *Dave* (wieder) an. Er schläft bei der Filmkomödie über einen falschen Präsidenten ein.
20.30 Uhr: Cheney weckt POTUS, bringt ihn in sein Schlafzimmer, deckt ihn zu und sagt ihm gute Nacht. Dann geht der Mit-POTUS nach unten ins Erdgeschoß und fährt fort, die Zerstörung des Planeten Erde zu planen.

Heute jedoch ist es dank Bushs provokativer Außenpolitik viel schwerer geworden zu rechtfertigen, warum die arrogantesten vier Prozent der Weltbevölkerung ein Viertel des Weltvermögens besitzen sollen. Wenn wir nicht aufpassen, meinen die durch unsere Hochnäsigkeit gedemütigten, halbverhungerten Ausländer eines Tages noch, sie hätten ebenfalls ein Recht auf digitale Piepser und Einbauleuchten. Und womöglich fällt den Zweiflern und Neinsagern, die in unterdrückten Ländern ja so zahlreich sind, dann auch noch auf, daß die drei reichsten Amerikaner zusammen ein größeres Vermögen haben als die gesamte Bevölkerung der sechzig ärmsten Länder des Planeten.

Was passiert, wenn die Milliarden Menschen in Asien, Afrika und Lateinamerika zu der Überzeugung gelangen, daß die Milliarde, die bei ihnen kein sauberes Trinkwasser hat, es aber *haben* sollte? Wißt ihr, was das kosten würde? Mindestens 25 Prozent unseres Star-Wars-Programms!

Und was passiert, wenn die 30 Prozent der Erdbevölkerung, die noch nicht im Netz sind – im Stromnetz –, plötzlich eine Glühbirne reinschrauben und ein Buch lesen wollen? *Wahnsinn!* Paßt bloß auf! Die meiste Angst habe ich vor den 50 Prozent Erdenbürgern, die *noch nie einen Telefonanruf gemacht* haben. Was passiert, wenn sie plötzlich alle am Muttertag nach Hause telefonieren wollen oder anfangen, die Leitungen mit Bestellungen beim Sushi-Service zu verstopfen? Wissen die denn nicht, daß neue Telefonnummern nicht zu kriegen sind?

Es gibt keinen Grund, diese Leute noch mehr gegen uns aufzubringen; sie sind jetzt schon wütend genug wegen Bushs kläglicher Vorstellung. Außerdem brauchen wir unsere Atomraketen für dickere Fische.

Welcher Idiot hat eigentlich das Angebot der Russen *vor 15 Jahren* abgelehnt, als sie alle Atomwaffen abschaffen wollten? Haben eigentlich alle vergessen, daß wir *einseitig abrüsten* wollten, als sich die alte Sowjetunion aufgelöst hatte? Damals, im Jahr 1986, bei dem Gipfeltreffen in Island (und noch vor dem Auseinanderbrechen der UdSSR) legte Michail Gorbatschow das Ziel einer »endgültigen Abschaffung der Atomwaffen bis zum Jahr 2000« auf den Tisch. (Er wurde mit Reagan nicht handelseinig, weil dieser sich weigerte, die Entwicklung von – ratet mal was – »Star Wars« aufzugeben.) Da Reagan ihn das erste Mal ignoriert hatte, wiederholte Gorbatschow das Angebot 1989 noch einmal gegenüber Bush, dem Gewählten: »Zur Friedenssicherung in Europa brauchen wir Rüstungskontrolle, nicht atomare Abschreckung. Am besten wäre die Abschaffung der Atomwaffen.«

Damals hatten wir fast 40 Jahre unter der konstanten und unmittelbaren Gefahr der atomaren Vernichtung gelebt. Und dann waren die Kommies eines Tages plötzlich nicht mehr da, und der Kalte Krieg war zu Ende. Allerdings hatten wir immer noch 20 000 Atomsprengköpfe und die Staaten der ehemaligen Sowjetunion sogar 39 000. Das war genügend Feuerkraft, um die ganze Welt 49mal in die Luft zu jagen.

Ich glaube, die meisten von uns, die im Babyboom geboren wurden, wuchsen mit der Erwartung auf, daß sie auf keinen Fall alt werden würden, ohne zumindest den »versehentlichen« Abschuß einer Atomrakete erleben zu müssen. Wie wurde das eigentlich verhindert? Da so viele Waffen nur darauf warteten, in Minutenschnelle abgefeuert zu werden, schien es unvermeidlich, daß entweder ein Verrückter auf den Roten Knopf drücken oder ein Mißverständnis einen Großangriff auslösen oder ein Terrorist atomwaffentaugliches Material in die Hände bekommen und eine Atombombe zünden würde. Wir hockten unter einer Wolke von Furcht, die alles beeinflußte, was wir als Staat unternahmen. Und wir gaben Billionen aus, um diese Furcht zu bekämpfen – indem wie noch mehr Massenvernichtungswaffen bauten.

Während wir Unsummen von Steuergeldern für einen Haufen nutzloser nuklearer Sprengköpfe ausgaben, und dabei immer hofften, wir müßten sie niemals einsetzen, gingen unsere Schulen zum Teufel, das staatliche Gesundheitswesen verfiel und über die Hälfte unserer Wissenschaftler arbeitete an Rüstungsaufträgen, anstatt ein Mittel gegen Krebs zu entwickeln oder sonst eine große Erfindung zur Verbesserung unserer Lebensqualität zu machen.

Die 250 Milliarden Dollar, die das Pentagon 2001 für den Bau von 2800 neuen Joint-Strike-Kampfflugzeugen ausgeben will, wären mehr als genug, um die Ausbildung sämtlicher College-Studenten in den USA zu bezahlen.

Die geplante Erhöhung des US-amerikanischen Rüstungshaushalts in den nächsten vier Jahren beläuft sich auf 1,6 *Billionen* Dollar. Die Summe, die laut dem General Accounting Office, dem US-amerikanischen Bundesrechnungshof, notwendig wäre, um alle Schulen in den USA zu renovieren und zu modernisieren, beträgt lediglich 112 Milliarden.

Wenn wir beschließen würden, den Rest der Jäger vom Typ F-22 nicht zu bauen, die die Air Force noch in der Zeit des Kalten Kriegs bestellt hatte (und die Clinton und heute Bush der Auserwählte trotzdem weiterfinanzierten), hätten wir mit 45 Milliarden Dollar ausreichend Mittel, um *in den nächsten sechs Jahren* jedem Kind in den USA, das es nötig hat, den Besuch einer Vorschule zu bezahlen.

Doch Mitte der achtziger Jahre fand noch ein weiteres bemerkenswertes Ereignis statt. Gorbatschow verkündete, er werde auf weitere Atomwaffentests verzichten, und forderte Reagan auf, seinem Beispiel zu folgen. Gorbatschow sagte, die Sowjetunion werde auch dann keine Tests mehr durchführen, wenn die USA nicht mitmachten. Das war ein sehr verblüffendes Angebot – das heute die meisten Amerikaner bestimmt vergessen haben. Damals gab es zum ersten Mal einen Hoffnungsschimmer, daß wir uns letztlich vielleicht doch nicht in die Luft sprengen würden.

Der wahnsinnige Rüstungswettlauf, den *wir* begannen und den die Sowjets glaubten mitmachen zu müssen, hat am Ende zum Bankrott der Sowjetunion beigetragen. Als die Sowjetunion 1949 ihre erste Atombombe baute, hatten die USA bereits 235 Atombomben. Zehn Jahre später hatten wir 15468 Atomwaffen, und die Russen lagen mit »nur« 1060 weit zurück. Im Lauf der folgenden 20 Jahre gaben die Sowjets jedoch weitere Milliarden für Atombomben aus – während ihre Bevölkerung frieren mußte –, und tatsächlich holten sie uns ein. Bis 1978 besaßen sie eindrucksvolle 25 393 Atomsprengköpfe – während wir fließend Wasser, die Rocksängerin Steve Nicks und tröstliche 24 424 Sprengköpfe hatten.

Gorbatschow übernahm einen bankrotten Staat mit einer hungernden Bevölkerung, die nicht einmal genug Klopapier hatte.

Kurz vor dem Zusammenbruch besaß die Sowjetunion irrwitzige 39 000 Atomsprengköpfe, obwohl sich das Pentagon mit mickrigen 22 827 begnügte. Bestand die eigentliche Aufgabe des Pentagons darin, die Kommunisten in den Ruin zu treiben, bis die Bevölkerung der UdSSR schließlich rebellierte? Gorbatschow kam zu diesem Schluß und gab den Rüstungswettlauf auf. Doch es war zu spät. Ende 1991 existierte die Sowjetunion nicht mehr.

In der Euphorie jener Tage und in dem Bemühen, sich von dem alten kommunistischen Regime zu distanzieren, öffneten die neuen Führer Rußlands und der Ukraine Tür und Tor und zogen den USA mit Tauben und Olivenzweigen entgegen. Die Ukraine verkündete ihr Ausscheiden aus dem Rüstungswettlauf und stellte ihre Atomsprengköpfe sofort außer Dienst. Die Russen löschten die Koordinaten aller amerikanischen Städte, die als Ziele für Atomsprengköpfe in ihren Militärcomputern gespeichert waren. Dann boten sie den Amerikanern an, alle Atomwaffen zu vernichten und keine weiteren mehr zu produzieren.

Und wie reagierten die USA auf dieses unglaubliche, beispiellose Angebot?

Überhaupt nicht.

Doch die Russen ließen sich nicht beirren. Sie warteten geduldig auf eine Reaktion. Sie warteten noch ein bißchen. Und dann warteten sie noch länger, denn sie vertrauten darauf, daß wir ihr großzügiges Angebot letztlich doch annehmen würden.

Sie hofften außerdem, wir könnten ein bißchen Mitgefühl zeigen und ihnen ein paar Nahrungsmittel schicken, ein paar moderne Maschinen oder ein paar Glühbirnen – Dinge, die ihnen in ihrem Unglück helfen könnten. Sie nahmen an, wir würden auch für sie solche Hilfs- und Wiederaufbaumaßnahmen leisten, wie sie nach dem Zweiten Weltkrieg in Westeuropa zu einem über 50jährigen ununterbrochenen Frieden führten, dem längsten seit Jahrhunderten.

Ja, die Russen meinten, das Leben würde sehr viel besser werden – und die Welt sehr viel sicherer.

Na, Sie wissen ja, was passiert ist: nichts. Wir ließen sie einfach sitzen und verrotten, während die russische Mafia das Land übernahm. Unzufriedenheit und Verzweiflung der russischen Bevölkerung nahmen zu. Der versprochene Märchenprinz kam nicht. Die Lebensmittel blieben weiterhin knapp, die Infrastruktur brach zusammen und die Proletarier hatten immer noch kein Klo im Haus. Der neue russische Präsident Boris Jelzin entpuppte sich als Säufer und Hanswurst, und weil die Russen ihr Land nicht (wie China) zu einem Sweatshop für US-amerikanische Konzerne machen wollten, wurde die ehemalige UdSSR nicht mit einer Flut von Dollars überschwemmt. Hardliner aus den finsteren Bereichen der russischen Politik ergriffen die Macht, und die Gelegenheit, die 25 000 immer noch einsatzbereiten russischen Atomsprengköpfe zu vernichten, war verpaßt.

Inzwischen sprechen die russischen Führer davon, *noch mehr* Waffen zu bauen – und an den Iran und Nordkorea Waffen zu verkaufen.

Wir haben eine einmalige Chance verpaßt: die Chance, einen irrsinnigen Rüstungswettlauf zu beenden und in der neuen Weltordnung einen neuen Verbündeten zu gewinnen. Wir hatten diese Chance nicht lange, sie war so schnell vertan, wie Rasputin gebraucht hätte, um Monika Lewinskys Handtasche zu durchsuchen.

Monika Lewinsky. Mit ihr haben wir uns in der zweiten Hälfte der neunziger Jahre beschäftigt. Wir waren auf einen lächerlichen Fleck auf einem blauen Kleid fixiert. Unser Kongreß vertagte unbedeutende Angelegenheiten wie die Rettung der Welt

Boris Jelzin versus Bush-Zwillinge

Unserer Ansicht nach sind die Bush-Töchter den Russen im Saufen und Tricksen haushoch überlegen. Man braucht nur zu vergleichen:

BUSH-ZWILLINGE: Wurden in einem Nachtclub in Austin beim Saufen erwischt
JELZIN: Wurde bei einem Treffen der G-7 beim Saufen erwischt
BUSH-ZWILLINGE: Benutzten den Secret Service, um einen Freund aus dem Gefängnis zu holen
JELZIN: Ließ sich vom KGB zum Schnapsladen fahren
BUSH-ZWILLINGE: Festgenommen, weil sie einen gefälschten Ausweis benutzten, um zu saufen
JELZIN: Wurde nie festgenommen, verwendet falsche Ausreden, um saufen zu können

vor der atomaren Vernichtung und konzentrierte sich darauf, wie genau ein Oberbefehlshaber eine Zigarre in eine Praktikantin einführt. DAS nahm unsere ungeteilte Aufmerksamkeit in Anspruch, mal abgesehen davon, daß sich Hugh Grant von einer Nutte in seinem Auto einen blasen ließ. Wir hatten die Chance, die Welt für viele Generationen sicher zu machen, aber wir waren zu sehr damit beschäftigt, die Orgie der Gier an der Wall Street zu genießen. So etwas passiert eben einem Volk von Drükkebergern und Gaunern. Freudig verzichten wir auf das Wissen darüber, was hinter unserem Gartenzaun passiert. Das ist schließlich unser Job als führende Macht der freien Welt.

Aber halt, verzweifelt nicht! Unter den führenden zwanzig Industrienationen sind WIR die Nummer Eins!!

Wir sind die Nummer Eins bei den Millionären.
Wir sind die Nummer Eins bei den Milliardären.

Wir sind die Nummer Eins beim Militär.

Wir sind die Nummer Eins bei den Todesopfern durch Feuerwaffen.

Wir sind die Nummer Eins bei der Rindfleischproduktion.

Wir sind die Nummer Eins beim Energieverbrauch pro Kopf.

Wir sind die Nummer Eins beim Ausstoß von Kohlendioxid (wir emittieren mehr als Australien, Brasilien, Kanada, Frankreich, Indien, Indonesien, Deutschland, Italien, Mexiko und das Vereinigte Königreich zusammen).

Wir sind die Nummer Eins bei der Produktion von kommunal entsorgtem Müll pro Kopf und absolut (720 Kilogramm pro Person und Jahr).

Wir sind die Nummer Eins bei der Produktion von Risikomüll (wir erzeugen das Zwanzigfache unseres schärfsten Konkurrenten Deutschland).

Wir sind die Nummer Eins beim Ölverbrauch.

Wir sind die Nummer Eins beim Erdgasverbrauch.

Wir sind die Nummer Eins in niedrigem Steueraufkommen (in Prozent des Bruttoinlandsprodukts).

Wir sind die Nummer Eins, was die geringsten Ausgaben des Bundes und der Staatsregierungen betrifft (in Prozent des BIP).

Wir sind die Nummer Eins beim Haushaltsdefizit (in Prozent des BIP).

Wir sind die Nummer Eins beim täglichen Kalorienverbrauch pro Kopf.

Wir sind die Nummer Eins bei geringer Wahlbeteiligung.

Wir sind die Nummer Eins bei der geringen Anzahl politischer Parteien im Parlament.

Wir sind die Nummer Eins bei angezeigten Vergewaltigungen (mit fast dreimal so vielen wie unser schärfster Konkurrent Kanada).

Wir sind die Nummer Eins bei Verletzten und Toten durch Verkehrsunfälle (mit fast doppelt so vielen wie unser schärfster Konkurrent Kanada).

Wir sind die Nummer Eins, was Mütter unter zwanzig betrifft (auch hier haben wir mehr als doppelt so viele wie Kanada und fast doppelt so viele wie Neuseeland).
Wir sind die Nummer Eins bei der Anzahl nicht unterzeichneter Menschenrechtsabkommen.
Wir sind die Nummer Eins unter den Mitgliedsländern der Vereinten Nationen mit demokratisch gewählter Regierung, die die Kinderrechtskonvention der UNO nicht unterzeichnet haben.
Wir sind die Nummer Eins bei der Hinrichtung straffällig gewordener Jugendlicher.
Wir sind die Nummer Eins bei der Wahrscheinlichkeit, daß Kinder unter fünfzehn durch Schußwaffen sterben.
Wir sind die Nummer Eins bei der Wahrscheinlichkeit, daß Kinder unter fünfzehn mit einer Schußwaffe Selbstmord begehen.
Wir sind die Nummer Eins bei schlechten Mathe-Noten in der achten Klasse.
Wir sind die Nummer Eins als erste Gesellschaft der Geschichte, in der die Kinder die ärmste Bevölkerungsgruppe stellen.

Machen wir einen Moment Pause und denken über diese Liste nach. Schwillt uns nicht vor Stolz die Brust in dem Wissen, daß ausgerechnet wir Amerikaner – und niemand sonst – in so vielen Kategorien den ersten Platz belegen? Das läßt einen doch nostalgisch an die Zeit zurückdenken, als die DDR bei den Olympischen Spielen alle Medaillen gewann. So was ist nicht leicht zu erreichen, Leute. Schenkt euch selbst ein anerkennendes Schulterklopfen und gewährt den Reichen eine weitere Steuersenkung.

Um gegenüber den restlichen 191 Nationen auf der Erde etwas Mitgefühl zu demonstrieren, möchte ich ein paar Vorschläge zur Herbeiführung des Weltfriedens machen. Ich habe sie auf den bescheidenen Namen »Mikes Friedensplan für die Welt« getauft. Wie ich die Sache sehe, sitzen wir alle hier auf dieser Insel fest, niemand kann Immunität für sich in Anspruch nehmen, und niemand wird in nächster Zeit abgewählt. Deshalb müssen wir dazu beitragen, einige Dinge auf der Welt ins Lot zu bringen, egal ob wir es einfach tun, weil es richtig ist, oder weil wir vermeiden wollen, daß bald in jedem Flughafen der USA ein Bin Laden lauert.

Ich möchte gern mit dem Nahen Osten, Nordirland, dem ehemaligen Jugoslawien und Nordkorea beginnen.

Das Heilige Land

So ein schöner Name – das Heilige Land – für einen Ort, an dem pro Quadratkilometer mehr Böses geschieht als im VIP-Raum in Washington beim jährlichen Grillfest des Satans. Im Januar 1988, nur einen Monat nach dem Beginn der ersten palästinensischen Intifada, besuchte ich mit ein paar Freunden Israel, das Westjordanland und den Gazastreifen, um mir selbst ein Bild zu machen, worum es bei dem ganzen Aufruhr eigentlich ging.

Obwohl ich in meinem Leben schon andere Teile des Nahen Ostens, Zentralamerika, China und Südostasien bereist hatte, war ich nicht darauf vorbereitet, was ich in den Flüchtlingslagern in den besetzten Gebieten sah. Noch nie hatte ich solchen Schmutz, solche Entwürdigung, solch abgrundtiefes Elend erlebt. Menschen zum Leben unter diesen Bedingungen zu zwingen – und zwar mit vorgehaltenem Gewehr und seit über 40 Jahren –, das ist ganz einfach Irrsinn.

Ich bin zutiefst bekümmert und empört über die Schrecken und Leiden, die den jüdischen Bewohnern dieser Erde zugefügt wurden. Keine andere Gruppe wurde so beständig mit Folter und Mord verfolgt wie die Juden, eine Verfolgung, die nicht Jahrhunderte, sondern *Jahrtausende* dauerte.

Mich erstaunt nicht das Wesen dieses Hasses – ethnische Kriege sind wohl eine Grundtatsache der menschlichen Existenz –, sondern die Kontinuität, mit der dieser Haß Jahrtausende lang vererbt wurde. Haß ist keine alte Standuhr oder goldene Ta-

Reiseführer für die Brennpunkte im Heiligen Land

ORT	HISTORISCHE BEDEUTUNG	BLUTVERGIESSEN
Tel Aviv	Am Stadtrand des modernen Tel Aviv befindet sich der alte Hafen Jaffa, der angeblich vor der Sintflut von Noahs Sohn Jafet gebaut wurde, und der Ort, wo das Haus von Simon dem Gerber stand, in dem der Apostel Petrus einst zu Gast weilte.	2001: Ein palästinensischer Selbstmordattentäter tötet vor einer Disko am Strand 21 junge Israelis und verletzt über 100.
Josefs Grab, Nablus/Schechem	Nach dem christlichen Glauben das Grab, in dem Josef von Arimathäa nach der Kreuzigung Jesu den Leichnam bestattete und aus dem Jesus auferstand. Viele Juden glauben, daß es sich um das Grab von Jakobs Sohn Josef handelt (dem Josef aus dem Musical »Joseph and the amazing technicolor dreamcoat«).	2000: Der Grenzpolizist Yosef Madhat und Rabbi Binyamin Herling werden von Palästinensern getötet. 2000: Ein zweijähriges palästinensisches Mädchen wird auf dem Rücksitz des Autos ihrer Eltern durch Kugeln getötet, die aus der Richtung einer in der Nähe gelegenen jüdischen Siedlung kommen.
Tempelberg in Jerusalem	Wichtigste heilige Stätte des Islam in Jerusalem, König Davids Grab, der Ort des Letzten Abendmahls usw. liegen in der Nähe.	1990: 17 Palästinenser von israelischen Soldaten getötet.

geht noch weiter

ORT	HISTORISCHE BEDEUTUNG	BLUTVERGIESSEN
Grabstätte der Partiarchen in Hebron (zugleich al-Haram-Moschee).	Heilige Stätte für Christen, Muslime und Juden, an der Abraham, seine Frau Sara und ihre Nachkommen Isaak und Jakob begraben sind.	1929: Arabisches Massaker an der jüdischen Gemeinde. 1994: Der jüdische Siedler Baruch Goldstein ermordet 29 Muslime beim Gebet in der Moschee.

schenuhr; man kann ihn nicht ohne weiteres an die nächste Generation vererben. Falls mein Ur-Ur-Ur-Großvater einst Kanadier oder Presbyterianer gehaßt haben sollte, dann hätte ich davon niemals etwas erfahren. Und trotzdem ist der Haß auf die Juden bei sehr vielen Menschen tradiert worden wie eine Sprache oder ein Lied oder eine Sage. Normalerweise werden wir Menschen unsere Irrtümer irgendwann wieder los. Wissen Sie noch? »Die Erde ist eine Scheibe.« Wir vertreten diesen Unsinn schon seit 600 Jahren nicht mehr! Auch daß die Schöpfung nur bis Samstagabend gedauert hat und daß Eier schlecht für unseren Cholesterinspiegel sind, glauben wir nicht mehr. Warum haben dann die Leute ihren Judenhaß nicht in denselben Mülleimer geworfen, in dem ihre alten Soft-Rock-Platten gelandet sind?

Nun ja, es gibt da einen Faktor, der das Palästinenserproblem kompliziert macht: Es ist eine betrübliche Eigenschaft der Menschen, daß manche von ihnen, wenn sie mißhandelt wurden, danach trachten, auch andere zu mißhandeln. Deshalb kommt es so oft vor, daß mißhandelte Kinder später ihre eigenen Kinder ebenfalls mißhandeln. Und deshalb ist es kein Wunder, daß die Kambodschaner, nachdem die Amerikaner das friedliche und neutrale Land im *Vietnamkrieg* immer und immer wieder bombardiert und Hunderttausende getötet hatten, sich nach dem Krieg gegenseitig umbrachten. Auch daß sich die Sowjetunion, nachdem sie im Zweiten Weltkrieg 20 Millionen Menschen verloren hatte, gegen eine weitere Invasion sichern wollte, indem sie fast alle Länder an ihren Grenzen unter ihre Kontrolle brachte und beherrschte, war eigentlich keine Überraschung.

Manchmal werden die Menschen durch zuviel Mißhandlung und Gewalt schlicht wahnsinnig und treffen drakonische, irrationale Maßnahmen, um sich zu schützen.

Ich will mich nicht in die Debatte einmischen, warum Israel gegründet wurde oder welche historischen und biblischen Ansprüche es auf Palästina hat. Vielmehr will ich mich mit der gegenwärtigen Situation auseinandersetzen – mit dem fortgesetzten Töten auf beiden Seiten und mit beiden Seiten des Problems: dem fortdauernden Haß der Palästinenser auf die Juden und der abstoßenden Unterdrückung der Palästinenser durch die Israelis.

Es ist wahr, daß die Palästinenser auch in den arabischen Ländern häufig unterdrückt werden; sie dürfen dort nicht wählen und keinen Besitz erwerben, sie werden als Bürger zweiter Klasse behandelt und auf dem Schachbrett der Politik als Bauern im Kampf gegen Israel mißbraucht. Aber ich will diesem Thema nicht viel Raum widmen, weil ich daran kaum etwas ändern kann. Wir Amerikaner unterstützen nicht Syrien mit drei Milliarden Dollar pro Jahr, sondern Israel. Und weil es *unser* Geld ist, müssen wir uns für die Unterdrückung, das Töten und die Apartheid in den besetzten Gebieten verantwortlich fühlen.

Die Kämpfe im Nahen Osten müssen aufhören, und zwar jetzt. Israel hat Atomwaffen, einige arabische Länder werden bald Atomwaffen haben, und wir sollten diesem Wahnsinn ein Ende setzen, bevor wir ALLE einen schrecklichen Preis für ihn zahlen müssen.

Ich jedenfalls will nicht, daß in meinem Namen Apartheid unterstützt wird – ganz egal wo. Ich glaube (unterbrechen Sie mich, wenn Sie das schon einmal gehört haben), daß alle Menschen ein Recht auf Selbstbestimmung haben, ein Recht auf freie Wahlen und ein Recht auf Leben, auf Freiheit und auf das Streben nach Glück. Araber, die im Westjordanland und im Gazastreifen leben, haben keines dieser Rechte. Sie haben keine Reisefreiheit. Sie sind einer permanenten Ausgangssperre unterworfen. Sie werden besteuert, ohne eine parlamentarische Vertretung zu haben. Sie werden ohne Gerichtsverfahren verhaftet und eingesperrt. Ihre Häuser werden ohne Vorwarnung von Bulldozern niedergewalzt. Ihr Land wird gestohlen und an »Siedler« übergeben. Ihre Kinder werden getötet, weil sie Steine werfen – oder weil sie einfach im falschen Moment auf der Straße sind.

Natürlich werfen sie Steine! Natürlich töten sie israelische Siedler! Genau das tun Leute, die mißhandelt werden, sie wehren sich und mißhandeln andere. Wer wüßte das besser als die Israelis? Die Welt hätte sie im letzten Jahrhundert fast ausgerottet, und sie werden es zu verhindern wissen, daß sie in diesem Jahrtausend ausgerottet werden.

In Zeiten wie diesen müssen diejenigen von uns, die das Glück hatten, in ihrem Leben von solchen Leiden verschont zu bleiben, dazwischentreten und dem Töten Einhalt gebieten. Das ist es, was ich von meinem Land erwarte. Und so kann es gemacht werden: *Hört auf, einen Blankoscheck nach Israel zu schicken, und nehmt mit beiden Seiten Kontakt auf, um die Barbarei zu stoppen.* Hier ist mein Plan:

1. Der Kongreß sollte Israel darüber informieren, daß es 30 Tage Zeit hat, um das Blutvergießen zu stoppen, das in seinem (und unserem) Namen begangen wird – oder wir streichen ab sofort die drei Milliarden Dollar jährliche Unterstützung. Individueller Terrorismus ist schlimm genug, aber Staatsterrorismus ist noch schlimmer. Mir ist klar, daß es auf der Welt immer verrückte Einzelgänger geben wird, die sich mit Gewalt für ein eingebildetes oder tatsächliches Unrecht rächen wollen. Aber daß die Israelis, eine Gruppe von normalerweise guten und intelligenten Menschen, als Kollektiv eine Terrorherrschaft über eine andere Gruppe ausüben, nur weil diese einer bestimmten Rasse und Religion angehört, ist unerträglich. Und Sie und ich und Millionen amerikanischer Steuerzahler bringen das Geld auf für Israels schändliche Taten – Taten, die es nicht geben könnte, wenn man nicht jedem von uns täglich vier Cents vom Lohn abziehen würde. Denn von diesem Geld werden die Patronen für die israelischen Gewehre gekauft, mit denen palästinensische Kinder getötet werden.

2. Wenn Israel weiterhin unsere Steuergelder bekommen will, sollte es dazu verpflichtet werden, binnen eines Jahres mit den Palästinensern einen Plan zur Schaffung eines Staates namens Palästina auszuarbeiten (der aus dem Westjordanland, dem Gazastreifen und einer Verbindung zwischen den beiden Gebieten besteht). Dieser neue Staat Palästina muß dann eine Verfassung vorlegen, die nicht nur jede Form von Aggression gegen Israel verbietet, sondern auch allen palästinensischen Männern, Frauen und Kindern volle demokratische Rechte garantiert.

3. Die Vereinigten Staaten werden dann Palästina das *Doppelte* der Summe geben, mit der sie Israel unterstützen (für einen dauerhaften Frieden würde ich gerne meinen Anteil beisteuern – ein paar Cent in der Woche). Das Geld würde nicht in die Taschen korrupter Staatsbeamter fließen, wie wir sie in unserem eigenen Land haben, sondern wäre eine Art Marshall-Plan, eine Direkthilfe für den Bau von Straßen, Schulen und Industriebetrieben, in denen es ordentlich bezahlte Arbeitsplätze gibt.

4. Danach sollten sich die Vereinten Nationen verpflichten, Israel gegen alle Kräfte zu verteidigen, die es immer noch zerstören wollen – *und* sie sollten sich hoch und heilig verpflichten, ein demokratisches Palästina gegen benachbarte arabische Regime zu verteidigen (die durchdrehen werden, wenn ihre eigenen unterdrückten Völker sehen, wie gut die palästinensischen Araber in Frieden und Wohlstand leben.)

Natürlich wird wieder niemand auf mich hören. Offensichtlich macht es zuviel Spaß, diese dumme Seifenoper wegen eines Streifen Lands fortzusetzen, den zu durchqueren nicht länger dauert, als in der Stoßzeit von Oakland nach San Francisco zu fahren.

Naja, vielleicht gibt es wenigstens eine Person, die auf mich hört.

Lieber Präsident Arafat,
wir sind uns nie begegnet. Dieser Brief ist kein Versuch, eine Einladung auf ein Dinner oder eine Partie Hufeisenwerfen zu kriegen. Sie sind ein vielbeschäftigter Mann, ich bin ein vielbeschäftigter Mann (auch wenn ich keinen meiner Mitarbeiter dazu bewegen kann, mich Präsident zu nennen und auf alle meine Anweisungen mit »Jawohl, Sir!« zu antworten).

Entschuldigung. Meine Art von Humor hat mich schon in Amerika auf die unterste Ebene des Kabelfernsehens beschränkt (Kanal 64 in New York City, direkt nach dem italienischsprachigen Sender.)

Ich habe den Schlüssel zu Ihrem Erfolg. Ich weiß, wie Sie das Töten auf beiden Seiten unilateral beenden können – und *wie dabei obendrein noch ein palästinensischer Staat herausspringt!*

Ich weiß, daß Sie jetzt denken: »Hey, wer ist dieser Typ?« Recht haben Sie …

Aber lesen Sie bitte, was ich zu sagen habe. Es ist so revolutionär, daß alle Rechten in Israel ausflippen und alle Friedensbewegten Ihnen zu Hilfe kommen werden.

Was ich vorschlage, ist nicht gerade neu. Man braucht dafür keine Armeen, kein Geld und keine UN-Resolutionen. Es ist scheißbillig. Es wurde schon oft und in vielen verschiedenen Ländern ausprobiert – UND ES IST NOCH NIE FEHLGESCHLAGEN. Es erfordert keinen Haß und keine Waffen. Tatsächlich dreht sich alles dabei um *den Verzicht auf Waffen.*

Man nennt es massenhaften zivilen Ungehorsam. Es hat bei Martin Luther King funktioniert – seine gewaltfreie Bewegung setzte der Rassentrennung in den USA ein abruptes Ende. Es hat bei Gandhi funktioniert – er und seine Mitstreiter zwangen das

Britische Empire in die Knie, ohne einen Schuß abzufeuern. Es hat bei Nelson Mandela funktioniert – er und der African National Congress führten ohne gewaltsame Revolution das Ende der Apartheid herbei.

Wenn es bei denen funktioniert hat, dann kann es auch bei Ihnen funktionieren, glauben Sie mir.

Natürlich können Sie auch durch Gewaltanwendung gewinnen. Die Vietnamesen haben bewiesen, daß man das mächtigste Land der Welt besiegen kann. Und werfen Sie einen Blick auf unsere Geschichte – wir haben acht Jahre lang Rotröcke totgeschossen und den Briten mit dieser Ballerei ein hübsches großes Land abgenommen!

Töten funktioniert also durchaus. Das einzige Problem dabei ist, daß man ein bißchen wirr im Kopf bleibt, wenn das Töten vorbei ist, und es eine Weile dauert, bis man die Waffen wieder aus der Hand legt (bei uns ist das mit den Rotröcken jetzt schon 225 Jahre her, und wir rennen immer noch mit Waffen herum).

Aber wenn Sie den *gewaltfreien* Ansatz ausprobieren würden, müßten nicht nur weniger Leute sterben, sondern Sie würden am Ende auch Ihr eigenes Land kriegen!

Und so funktioniert es:

1. **Setzen Sie sich einfach auf Ihren Hintern.** Genau. Es ist einfach. Sie können sich auch hinlegen – ein paar Tausend Menschen mitten auf der Straße reichen häufig aus –, und rühren Sie sich nicht und versuchen Sie nicht, sich zu wehren, wenn man Sie wegschleppt. Statt daß Israel ständig die Grenzen zum Westjordanland und zum Gazastreifen dicht macht, machen *Sie* die Grenzen zu *Israel* dicht. Marschieren Sie einfach friedlich zu einem Kontrollpunkt und setzen Sie sich auf den Boden. Kein Israeli kann dann mehr zu seiner Siedlung gelangen. Kein Israeli kann mehr Lebensmittel und Rohstoffe aus Ihrem Land nach Israel transportieren. Ich kenne kein israelisches Fahrzeug, das über Tausende sitzender Menschen fahren könnte (nicht

einmal Winterreifen würden da helfen). Natürlich könnten die Israelis es mit Panzern versuchen, und vielleicht würden einige Menschen verletzt oder getötet. Trotzdem: Rühren Sie sich nicht von der Stelle. Bleiben Sie einfach sitzen. Die Welt wird zusehen – besonders wenn Sie sich an die wundervolle Welt der Public Relations wenden und die Medien über Ihre Pläne informieren. (CNN wird Ihren Anruf annehmen, glauben Sie mir.) Und es werden viel weniger Palästinenser dabei getötet, als wenn Sie Ihren derzeitigen Plan weiterverfolgen.

2. **Rufen Sie einen Generalstreik aus.** Weigern Sie sich, für die Israelis zu arbeiten. Deren Wirtschaft basiert darauf, daß Palästinenser fast wie Sklaven für sie arbeiten. Hören Sie damit auf. Wer macht all die Scheißarbeit für die Israelis, wenn es die Palästinenser nicht mehr tun? Andere Israelis? Wohl kaum! Sie brauchen die Palästinenser und ihre Bereitschaft, für niedrige Löhne zu schuften. Sie werden schon sehen, Herr Präsident, wie schnell es zu einer Einigung kommt, wenn alle Araber aufhören zu arbeiten. Natürlich werden die Israelis versuchen, Sie zum Aufgeben zu zwingen. Sie werden Ihnen das Wasser abstellen, die Straßen sperren, die Nahrungsmittelzufuhr blockieren – aber Sie dürfen nicht nachgeben. Legen Sie Vorräte an, und dann streiken Sie *gewaltfrei* und halten Sie durch. Dann geben die Israelis auf.

Vor einigen Jahren haben über eine Million Israelis eine Veranstaltung von Peace Now in Tel Aviv besucht. Es war ein erstaunliches Ereignis. Es bedeutet, daß Sie und die Palästinenser eine Million jüdische Verbündete haben – rund ein Drittel der Bevölkerung jenes Staates, den Sie als Ihren Feind kennengelernt haben. Eine Million Ihrer Feinde wird Ihnen zu Hilfe kommen, wenn Sie gewaltfrei protestieren. Versuchen Sie es! Zusammen mit Ihren israelischen Verbündeten werden die Palästinenser gegenüber denjenigen Israelis in der Überzahl sein, die ihre Feinde ins Meer treiben wollen.

Wie ich weiß, neigen Sie leider dazu, auf Blutvergießen zu setzen. Sie glauben, so würden Sie die Befreiung Ihres Volkes erreichen. Das stimmt nicht. Es macht Sie gemein mit jenen, die jetzt Ihre Leute töten. Und eines sollten Sie über die Israelis inzwischen gelernt haben: *Sie gehen nicht weg.* Um Gottes willen, Mann – sechs Millionen Juden wurden von der fortgeschrittensten Zivilisation auf der Erde umgebracht. Glauben Sie, die Israelis würden sich nun durch ein paar Steine und Autobomben am Überleben hindern lassen? Sie leben in einer Welt, in der sie isoliert und ganz allein sind. Sie werden nicht aufgeben, bevor Sie oder der Rest der Welt den letzten von ihnen getötet haben. Ist es das, was Sie wollen? Alle Juden vom Erdboden vertilgen? Wenn ja, dann brauchen Sie dringend eine Therapie – und Sie müssen sich mit mir anlegen, bevor Sie dem nächsten israelischen Kind etwas antun.

Wenn Sie jedoch, wie ich vermute, lieber Ruhe und Frieden als Vertreibungen und ständigen Krieg wollen, dann müssen Sie die Waffen nieder- und sich mit Ihren Leuten mitten auf die Straße legen und dann … einfach warten. Ja, die Israelis werden viele von Ihren Leuten schlagen. Sie werden Frauen an den Haaren ziehen, sie werden Hunde auf Ihre Leute hetzen. Vielleicht kommen sie sogar mit Feuerwehrschläuchen (ein Trick, den sie von uns Amerikanern gelernt haben). SIE DÜRFEN SICH NICHT WEHREN! Glauben Sie mir, wenn Bilder von diesem Leiden um die Welt gehen, das Ihnen von diesen Scheusalen zugefügt wird, wird es einen solchen Aufschrei der Empörung geben, daß die israelische Regierung ihre Unterdrückungspolitik nicht länger fortsetzen kann.

Also, probieren Sie's. Wenn Sie wollen, komme ich und mache mit bei Ihrem gewaltfreien Protest. Es ist das mindeste, was ich tun kann, nachdem ich die Kugeln und Bomben mitfinanziert habe, die Ihre Leute getötet haben.

Ihr

Michael Moore

Das Vereinigte Königreich von Großbritannien und Nordirland

Schon der Name ist verräterisch: Die Leute, die ihn erfanden, wußten, daß sie einen Schwindel inszenierten. Wenn das Vereinigte Königreich das Gefühl gehabt hätte, wirklich die moralische Autorität für die Herrschaft über Nordirland zu besitzen, hätte es das Gebiet einfach Großbritannien zugeschlagen und fertig. Es hätte nicht eigens die Aufmerksamkeit auf ein Gebiet mit sechs Counties gelenkt, das jenseits des Meeres liegt und auf das Großbritannien keinen begründeten Anspruch hat.

Verstehen Sie mich nicht falsch – ich habe die Briten zu lieben gelernt. Britische Fernseh- und Filmgesellschaften finanzieren meine Arbeit, wenn die Amerikaner es nicht tun. Die Briten – wenn Sie mir diese grobe Verallgemeinerung gestatten, die durch jeden britischen Fußball-Krawall widerlegt werden kann – sind ein intelligentes Volk mit einem großartigen Sinn für Humor und einem wilden Vergnügen an politischer Satire. Im Vergleich zu uns Amerikanern haben sie eine größere Vielfalt an Medien (London allein verfügt über elf Tageszeitungen, und seine vier landesweit ausgestrahlten Fernsehprogramme haben in jeder Nacht mehr zu bieten als unsere gut zweihundert Kanäle). Die britischen Medien vertreten ein breites Spektrum von Ansichten, und alle Gruppierungen sind im Vereinigten Königreich am politischen Diskurs beteiligt.

Außer den Katholiken in Nordirland.

Wie bei der »Situation« in Palästina will ich auch hier keine Zeit damit verschwenden, 800 Jahre Geschichte zu rekapitulieren, sondern mich direkt den heutigen Problemen zuwenden. Die Katholiken in Nordirland sind Bürger zweiter Klasse. Ihre Rechte werden permanent verletzt, sie sind wirtschaftlich benachteiligt und müssen unter britischer Besatzung leben. Dies war in den letzten 33 Jahren Anlaß für zahlreiche Morde. Bill Clinton brachte beide Seiten während seiner Präsidentschaft an einen

Tisch und half bei der Ausarbeitung einer Friedensregelung, die die Katholiken an der Regierungsverantwortung in Nordirland beteiligt hätte. Alle waren erleichtert und schöpften Hoffnung.

Doch die Hoffnung war nicht von Dauer, da die Protestanten schon bald verkündeten, sie würden die Macht erst teilen, wenn die IRA alle Waffen abgegeben hätte. Dies wurde allgemein als Vorwand zur Torpedierung des Friedensabkommens betrachtet, und es gab neues Blutvergießen. Seitdem haben sich die Aussichten verschlechtert.

Dieser Unsinn hat lange genug gedauert. Ich habe eine Lösung, die der Region dauerhaften Frieden bringen wird:

Bekehrt die Protestanten in Nordirland zum Katholizismus.

Ja, Sie haben richtig verstanden. Es gibt kein Gezerre und Gezeter mehr über religiöse Fragen, wenn alle derselben Konfession angehören! Selbstverständlich werden die meisten Protestanten nicht konvertieren wollen – aber ist das für die katholische Kirche je ein Hinderungsgrund gewesen? Von den Kreuzzügen im Mittelalter bis zur spanischen Eroberung Lateinamerikas hat die katholische Kirche immer gewußt, wie man Eingeborene vom wahren Glauben »überzeugt«.

Da die Katholiken heute schon 43 Prozent der nordirischen Bevölkerung stellen, müßten nur 8 Prozent der Protestanten konvertieren, damit eine katholische Mehrheit entsteht. Das sollte doch zu machen sein. Insbesondere wenn die Protestanten erst über folgende Vorteile des Katholizismus nachgedacht haben:

- **Einer ist der Boss** – der Papst. Es gibt mehrere Tausend protestantische Sekten. Einige werden von einem Komitee geführt, einige von einem gewählten Vorsitzenden, wieder andere haben wie eine Lebensmittelgenossenschaft überhaupt keinen richtigen Chef. Die Bekehrung zum Katholizismus bedeutet, daß man einen Führer auf Lebenszeit hat, einen Führer, der furchtlos Entscheidungen trifft und der den Gläubigen eine Reihe von festen Regeln und Grenzen vorgibt, die Ordnung und Klarheit in ihr Leben bringen.

Und wenn der Papst stirbt, gibt es keinen chaotischen Wahlkampf, sondern ein paar Hundert Männer in roten Kleidern versammeln sich in einem Raum. Sie wählen, und eine Wolke weißer Rauch verkündet allen, daß die Entscheidung gefallen ist. Keine Wahlreden, keine Aufhetzung der Wähler, keine nachträgliche Stimmenauszählung.

- **Mehr Sex.** Wie wir alle wissen, bekommen Katholiken mehr Babys, und das kann natürlich nur eins bedeuten: mehr Sex! Tut mir leid, aber auch als Katholik kann man ohne Sex keine Kinder machen. Und wer könnte in diesen Zeiten nicht ein bißchen mehr Sex vertragen? Ich sage Ihnen, machen Sie diesen protestantischen Orange-Men klar, daß sie mehr Sex kriegen, und Sie werden schon sehen, wie schnell die mit ihren blöden Paraden aufhören.
- **Mehr freie Tage.** Die katholische Kirche hat sechs offizielle kirchliche Feiertage. In Ländern, wo die Bevölkerungsmehrheit katholisch ist, sind das voll bezahlte Urlaubstage, an denen die Kinder schulfrei haben. Können Sie mir einen protestantischen, kirchlichen Feiertag in den USA nennen? Mit fällt keiner ein.
- **Alkohol umsonst.** Wenn Sie täglich zur Messe gehen, kriegen Sie jeden Tag einen Schluck Wein umsonst. Naja, Sie müssen sich damit abfinden, daß er das Blut Christi ist, aber das ist doch nicht schwer! Wie oft haben Sie schon behauptet, Ihr Gin-Tonic sei »Mineralwasser«? Haben Sie ein bißchen Vertrauen!
- **Katholische Mädchen** (siehe oben).
- **Einen garantierten Platz im Himmel** zur rechten Hand Gottes! Es steht alles in der Bibel: Jesus machte Petrus zum Oberhaupt der Kirche und dann stellte er klar, daß nur Mitglieder der »einen wahren katholischen Kirche« an dem samtenen Seil vor den Himmelstoren vorbeikommen. Sie können also der Queen treu bleiben und dafür auf ewig in der Hölle schmoren – oder Sie können auf die »A-Liste« kommen und einen Platz in der ersten Klasse genießen.

Wenn die protestantische Bevölkerung Nordirlands erstmal die oben aufgeführte Liste in der Hand hat, ist es nur noch eine Frage von Stunden, bis sie massenweise in die katholischen Viertel strömt. Gewaltig erleichtert wird die Sache dadurch, daß jeder Katholik das Sakrament der Taufe spenden darf, wenn er glaubt, ein Nicht-Katholik könnte unerlöst sterben. Das trifft doch ganz bestimmt auf alle Protestanten im Vereinigten Königreich zu.

Man braucht nur ein bißchen Wasser auf die Stirn eines Protestanten zu gießen und folgende Worte zu sprechen: »Ich taufe dich auf den Namen des Vaters und des Sohnes und des Heiligen Geistes, Amen.«

Das reicht! Es dauert länger, wenn man sich den Weight Watchers anschließen will! (Und wenn die Protestanten sich als widerspenstig erweisen, braucht man als Katholik nur durch ein protestantisches Viertel zu laufen, nicht mit Waffen, sondern mit einem Gartenschlauch, den der Gemeindepfarrer gesegnet hat. Man spritzt das Taufwasser auf den Protestanten, spricht die Worte – und rennt davon wie von Furien gehetzt.)

Das frühere Jugoslawien

Dieses gottverlassene Fleckchen Erde ist die Quelle für einen Gutteil unserer gemeinsamen Leiden im letzten Jahrhundert gewesen. Die Unfähigkeit seiner Bewohner, miteinander auszukommen – Serben kämpfen gegen Kroaten kämpfen gegen Muslime kämpfen gegen Makedonier kämpfen gegen Albaner kämpfen gegen Kosovaren kämpfen gegen Serben –, kann auf folgendes Ereignis zurückgeführt werden: 1914 erschoß der serbische Anarchist Gavrilo Princip den Erzherzog Ferdinand. Dieser Vorfall löste den Ersten Weltkrieg aus, der wiederum den Zweiten Weltkrieg zur Folge hatte. In beiden Kriegen kamen über 50 Millionen Menschen ums Leben.

Ich weiß nicht, was mit diesen Leuten los ist. Ich meine, ich laufe doch auch nicht mit einer Knarre herum und töte Texaner.

Zwölf-Punkte-Programm zur Heilung von der Sucht nach Gewalt in Jugoslawien

Offen gesagt, ihr habt nicht die Zeit für alle zwölf Punkte dort drunten – sonst *sterbt* ihr noch vorher. Versucht es lieber mit den folgenden drei Schritten – und beeilt euch ein bißchen!

- Gesteht euch ein, daß ihr gegen eure Sucht nach Gewalt nicht ankommt und euer Leben nicht mehr im Griff habt.
- Unterwerft euch den Vereinten Nationen, der NATO oder irgendeiner anderen Organisation, die sich zwischen euch und eure zwanghafte Sucht nach Stammeskriegen stellt.
- Leistet wenn irgend möglich allen, denen ihr Schaden zugefügt habt, direkten Schadenersatz, es sei denn, ihr würdet sie oder andere damit verletzen (oder sie sind, wie Tausende von Menschen im ehemaligen Jugoslawien, bereits tot.)

Und ich brenne nicht ganze Dörfer in Florida nieder. Ich habe gelernt, mich im Zaum zu halten. Warum können die das nicht?

Es gab nicht immer soviel Gewalt in Jugoslawien. Nach dem Zweiten Weltkrieg übernahmen die wenigen Jugoslawen die Herrschaft, die gegen Hitler gekämpft hatten (größtenteils Serben; die Kroaten und andere hatten die Nazis und ihre Endlösung mit offenen Armen empfangen). Sie bildeten eine kommunistische Regierung unter Marschall Tito. Dieser brach mit Moskau und versuchte auf eigene Faust, die ethnischen Gruppen in seinem Land zu versöhnen.

Fast 40 Jahre lang hörten die Menschen in Jugoslawien auf, einander umzubringen. Sie wurden ein zivilisiertes Land. Sie machten süße kleine Jugos. Basketball wurde ihr Nationalsport. Das Leben war schön.

Dann starb Tito, und die Hölle brach los. Kroaten begannen Serben zu töten. Serben töteten Muslime in Bosnien. Serben töteten Albaner im Kosovo. Dann bombardierten die Vereinigten Staaten den Kosovo, um den Serben zu zeigen, daß Töten falsch ist. In den letzten paar Jahren war Frieden in der Region und dann Krieg und dann wieder Frieden und dann wieder Krieg. Es hört nie auf. Diese Leute sind Süchtige.

Und das heißt, es ist Zeit für eine Intervention.

Nein, nicht für eine militärische, sondern für eine Intervention in zwölf Schritten, wie bei einem Alkoholiker.

Ich schlage den Einwohnern des früheren Jugoslawien vor, ein Gelübde abzulegen, in dem sie künftiger Gewaltanwendung abschwören. Sie sollten im ganzen Land (oder dem, was davon übrig ist) wöchentliche Versammlungen in Gemeindehäusern abhalten, sich dort in einen Kreis setzen und sich die Sache – was immer sie ist – von der Seele reden. Ja, man darf in den Versammlungen rauchen, und es gibt jede Menge Kaffee.

Wenn die Jugoslawen das nicht tun, werden wir sie mit Tausenden dieser kleinen, beschissenen Jugo-Autos bombardieren. Es wird nicht mehr sicher sein, vor die Tür zu treten, weil man nie weiß, ob man nicht eine dieser 1000-Kilo-Kisten auf den Kopf kriegt.

Aber vielleicht hat die Wissenschaft eine bessere Lösung? Vielleicht ist in Jugoslawien die Situation, auf die sie gewartet hat, um endlich jemanden von den Toten auferstehen zu lassen. Niemand in Amerika hatte viel für Tito übrig, als er noch am Leben war, aber inzwischen erscheint er uns wie die liebreizende Lady Bird Johnson. Wenn wir lebendige Menschen klonen können, sollten wir dann nicht auch in der Lage sein, jemanden wieder lebendig zu machen, der schon gelebt hat? Es würde mir nichts ausmachen, wenn die US-Regierung ein paar Milliarden Dollar für dieses Projekt lockermachen würde. Wenn dieser Schrank von einem Mann mit seinem komischen Hut noch einmal die Verantwortung für seine Leute übernehmen würde, es wäre Balsam für meine entzündeten Augen. Im Namen der Millionen, die im 20. Jahrhundert ohne jugoslawischen Wahnwitz nicht hätten sterben müssen, haben wir heute vielleicht keine andere Hoffnung mehr, in Jugoslawien wieder Ruhe und Frieden herzustellen. »Tito, steh auf und wandle!«

Nordkorea

Hier ist eine wichtige Information über den nordkoreanischen Herrscher Kim Jong Il: Er ist ein begeisterter Filmfan mit einer Privatsammlung von über 15 000 Videos. Vielleicht sucht er in all diesen Filmen nach einer Anleitung, um die unterdrückte und hungernde Bevölkerung seines Landes zu retten. Da jedoch seine Lieblingsfilme (außer pornographischen Werken) offensichtlich amerikanische Western, Filme mit Elizabeth Taylor und die Horrorfilme der Serie *Freitag der 13.* sind, ist es durchaus möglich, daß er in den falschen Filmen nach Anregungen sucht.

Der Filmfan und Diktator hat außerdem ein Buch über Filmkunst geschrieben und sogar eine Filmschule gegründet. »Kim Jong Il sieht sich sämtliche Filme an, die in Korea gedreht werden«, sagte Kim Hae Young, eine nordkoreanische Schauspielerin, die in den Süden floh. »Er äußert sich über die Schauspieler, die Regie und alles andere auch. Wenn er einen bestimmten Schauspieler lobt, wird der Mann oder die Frau über Nacht ein Star.«

Seine Wertschätzung für die wunderbare Welt der Unterhaltung hat der Diktator mit seinem ältesten Sohn Kim John-nam gemein, der kürzlich nach Japan flog, weil er unbedingt das neue japanische Disney World besuchen wollte. Er verwendete einen falschen Pass der Dominikanischen Republik (*Er* sieht wirklich dominikanisch aus!), um in Japan einreisen zu können. Als der Immigrationsbeamte John-nams wahre Identität feststellte, rief er dessen Papa an und schickte den Jungen wieder nach Hause.

Kim Jong Il erhält angeblich regelmäßig Bluttransfusionen von Jungfrauen, »um den Alterungsprozeß zu verlangsamen«. Außerdem ist er ein leidenschaftlicher Sportfan und hat den Unterschied zwischen Raumdeckung und Manndeckung im amerikanischen Basketball voll kapiert. Er trägt Plattformschuhe, damit er größer wirkt, und ist angeblich der wichtigste Einzelkunde von Henessy Cognac auf der ganzen Welt.

Das Problem ist nur, daß Millionen Menschen in Nordkorea am Verhungern sind, weil Kim Jong Il außerdem ein Diktator ist und 25 Prozent des Bruttosozialprodukts seines Landes für das Militär ausgibt. Mit sowas kommt man vielleicht durch, wenn man Amerikaner ist – ich meine, bei uns wiegen sich ja all die gelben Weizenfelder im Wind, also werden wir nicht (alle) sterben, wenn das Pentagon den größten Teil unseres Geldes bekommt. Aber in Nordkorea, einer felsigen Halbinsel mit Unmassen von Schnecken, kann man von so einer Basis einfach nicht ausgehen.

Seit 1948, als die koreanische Halbinsel in den kommunistischen Norden und den kapitalistisch-faschistischen Süden geteilt wurde, hatten die Einwohner beider Koreas viel zu erdulden. Sie machten den Koreakrieg durch, der nie offiziell endete (es herrscht immer noch nur ein »Waffenstillstand«), sie erlebten Jahrzehnte der Isolation und Unterdrückung (die für die Südkoreaner mit der Demokratiebewegung in den achtziger Jahren endeten, im Norden aber bis heute andauern), sie litten unter wirtschaftlichem Mangel, Überschwemmungen und Hungersnöten. Die Nordkoreaner durften sich in über 50 Jahren nur zweimal mit Verwandten aus dem Süden treffen: im Jahr 1985 durften nur je 50 Menschen aus Nord und Süd ihre Verwandten besuchen und im August 2000 durften je 100 weitere ein Wiedersehen feiern.

Kim Jong Il, der in seinem Land der »Geliebte Führer« genannt wird, genießt den Ruf, ein exzentrischer, verantwortungsloser Playboy zu sein. »Vor ein paar Jahren wurde er als besoffener Spinner eingeschätzt, der die Welt um sich herum nicht versteht«, sagte ein früherer Beamter der Regierung Clinton. Als er seinem Vater, der das Land von 1948 bis 1994 regierte, als offizieller Staatschef nachfolgte, wurde er für die Explosion eines südkoreanischen Verkehrsflugzeugs und für einen Bombenanschlag verantwortlich gemacht, bei dem vier Minister der südkoreanischen Regierung ums Leben kamen. Kim Jong Il verfügt über eine riesige Armee und soll auch Atomwaffen besitzen.

In den letzten beiden Jahren jedoch hat Kim Jong Il Anzeichen eines Gesinnungswandels gezeigt und versucht über seinen Schatten zu springen. Als 1995 die Hungersnot in seinem Land begann, weigerte er sich noch, ausländischen Hilfsorganisationen freien Zugang in ländliche Gebiete zu gewähren, und zweigte einen Teil der Nahrungsmittelhilfe für seine Armee ab. Im Jahr 2000 jedoch erlaubte er fast 150 Vertretern internationaler Regierungsorganisationen, in Nordkorea ihr Lager aufzuschlagen. Zudem war er kürzlich Gastgeber eines Gipfeltreffens mit dem Präsidenten Südkoreas, der Nordkorea ermunterte, die gefährliche Isolation zu beenden. Schließlich empfing Kim sogar die amerikanische Außenministerin Madeleine Albright, und sie meinte danach, er sei durchaus zu einem ernsthaften diplomatischen Gespräch in der Lage. (Tatsächlich verstanden sich die beiden ganz gut; er besuchte einen Haufen Veranstaltungen mit ihr – Shows, Dinners … und die beiden guckten Filme an.)

Nun, da Kim den Anschluß findet und wie ich erkennt, daß es ein Weg zu Ruhe und Frieden sein kann, wenn man in einem dunklen Filmtheater sitzt und alle Arten von Filmen anschaut (angeblich ließ er zwei südkoreanische Filmemacher entführen, damit sie in Nordkorea Dokumentarfilme drehten), habe ich eine Reihe von Ideen, die dem verrückten Diktator vielleicht helfen, sein Land vor der totalen Zerstörung zu retten:

- **Bessere Filme.** Kim Jong Il muß seinen Horizont über Pornos und John Wayne hinaus erweitern. Er sagte einmal, er sei so bewegt von Leonardo di Caprios schauspielerischer Leistung gewesen, daß er »es wahrscheinlich nicht ertragen könnte, [sich] *Titanic* ein zweites Mal anzusehen«. Ich verstehe. Hier ist eine Liste von Videos, die ich ihm als Ersatz schicken will:

Easy Rider – Zuerst einmal sollte der Geliebte Führer locker werden. Dieser Film sollte ihm dabei helfen.

200 Motels – Wenn Dennis Hopper es nicht schafft, dann gelingt es Frank Zappa.

Ey Mann – Wo is' mein Auto? – Alles, was man über Amerika wissen muß, ist in diesem Film enthalten.

Mein Essen mit André – Ja, man sieht wirklich nur zwei Typen, die sich beim Essen zwei Stunden lang unterhalten. Aber immerhin sieht Kim dann mal, wie ein wirkliches Essen aussieht. Und die gepflegte Konversation beim Dinner wird ihm helfen, seine kommunikative Kompetenz zu verbessern.

- **Bringt ihn nach Hollywood** zu seinem ganz persönlichen Gipfeltreffen. Er muß *Tausende* von Filmideen haben. Eine davon ist sicher die richtige für Rob Schneider. Man sollte Kim Jong Il vorschlagen, unter dem Titel *Long Jong Gone* und mit Tom Cruise in der Hauptrolle sein Leben zu verfilmen. Er sollte sofort einen Vertrag und einen Bungalow auf dem Studiogelände erhalten. Man könnte seinen Tag durch sinnlose Treffen mit Beamten von der Entwicklungshilfe und Talentsuchern ausfüllen. Das würde ihn ein paar Jahre beschäftigen. Inzwischen könnte Nordkorea von seiner Abwesenheit profitieren und sich am eigenen Schopf aus dem Sumpf ziehen.

- **Wenn alles andere schiefgeht, sollte man ihm einen Themenpark in Pjöngjang finanzieren.** Themenparks sind immer prima. Auch wenn sie die Volkswirtschaft eines Landes nicht sanieren, geben sie den Leuten doch ein gutes Gefühl. Insbesondere der »dominikanische« Sohn des Geliebten Führers wird sich freuen. Und das ist es doch, was wirklich zählt. Macht ihn zum stellvertretenden Manager!

NINE

Ein großes glückliches Gefängnis

Es war am 4. Oktober 2000, ein paar Minuten vor 22 Uhr, einen Monat vor den Präsidentschaftswahlen. Am Abend zuvor hatte die erste von drei Debatten zwischen Al Gore und George W. Bush stattgefunden.

An diesem milden Oktoberabend hatte sich John Adams, 64, in Lebanon, Tennessee, gerade in seinen Lieblingskunstledersessel gesetzt, um die Abendnachrichten anzuschauen. Der Stock, den er nach einem Schlaganfall seit ein paar Jahren benutzen mußte, lag neben ihm. Adams, ein hochgeachtetes Mitglied der afroamerikanischen Gemeinde von Lebanon, bezog nun Arbeitsunfähigkeitsrente. Er hatte jahrelang in der Precision Rubber-Gummifabrik gearbeitet.

Die TV-Moderatoren waren gerade bei ihren tiefgründigen Analysen der Debatte. Adams und seine Frau Lorine sprachen über ihre Absicht, für Al Gore zu stimmen, als jemand an die Tür klopfte. Frau Adams ging aus dem Zimmer zur Haustür und fragte, wer da sei. Zwei Männer forderten sie auf, aufzumachen und sie hereinzulassen. Sie fragte sie dann nochmal, wer sie denn seien, aber sie weigerten sich, ihre Namen anzugeben. Daraufhin lehnte auch sie es noch einmal ab, die Tür zu öffnen.

In diesem Augenblick brachen zwei nicht identifizierte Beamte des Drogendezernats der Polizei von Lebanon die Tür auf, packten Mrs. Adams und legten ihr sofort Handschellen an. Dann stürmten sieben weitere Beamte ins Haus. Zwei von ihnen rannten mit gezogenen Waffen um die Ecke ins Hinterzimmer und pumpten John Adams mit etlichen Kugeln voll. Drei Stunden später wurde er im Medical Center der Vanderbilt-Universität für tot erklärt.

Die Razzia auf das Haus der Adams war angeordnet worden, nachdem ein verdeckter Ermittler im Haus mit der Adresse Joseph Street Nummer 1120 Drogen gekauft hatte. Die Rauschgiftabteilung der Polizei von Lebanon, die im Rahmen des »Kriegs gegen die Drogen« der Clinton-Regierung, zusammen mit Tausenden anderen im ganzen Land, beträchtliche Gelder bekommen hatte, erwirkte vom örtlichen Richter Haftbefehle für die Bewohner des fraglichen Hauses.

Das einzige Problem: die Familie Adams wohnte in der Joseph Street 70. In ihrem Drogenkrieg hatte sich die Polizei eben in der Hausnummer geirrt.

Gerade als John Adams irrtümlich exekutiert wurde, waren ein paar Meilen weiter die Straße runter in Nashville Dutzende von bezahlten und freiwilligen Helfern in Al Gores nationalem Wahlkampfhauptquartier am Rotieren. Ihre Hauptaufgabe an diesem Abend war Schadensbegrenzung. Sie mußten versuchen, die Wähler von dem peinlichen Schauspiel abzulenken, das ihr Kandidat geboten hatte, als er sich am Abend davor durch Bushs Antworten »hindurchgeseufzt« hatte. Telefonleitungen glühten, ganze Ladungen von Autoaufklebern und Werbetafeln wurden auf den Weg gebracht, und Gores Strategen versammelten sich, um die Wahlkampftermine für den nächsten Tag zu planen. Auf den Tischen lagen Kopien von Gores Vorschlägen zur Kriminalitätsbekämpfung, in denen mehr Gelder für mehr Polizeikräfte im Drogenkrieg gefordert wurden. Keiner von ihnen wußte, daß ihre aus dem Ruder gelaufenen Antirauschgift-Maßnahmen sie gerade eine potentielle Stimme gekostet hatten – die eines älteren schwarzen Mannes auf der anderen Seite der Stadt.

Man gewinnt Wahlen nicht, wenn man seine Wähler ins Jenseits befördert.

Dies war nur einer der viel zuvielen Vorfälle in den letzten Jahren, bei denen unschuldige Leute von lokalen oder Bundespolizisten erschossen worden sind, die meinten, sie hätten »ihren Mann« erwischt.

Noch schlimmer ist die Art und Weise, wie viele Bürger im vergangenen Jahrzehnt durch die Politik von Clinton und Gore hinter Schloß und Riegel gebracht worden sind. Am Anfang der neunziger Jahre waren in den Vereinigten Staaten ungefähr eine Million Menschen im Gefängnis. Am Ende der Regierung von Clinton und Gore war diese Zahl auf ZWEI MILLIONEN angewachsen. Der Großteil dieses Anstiegs war das Ergebnis der neuen Gesetze, die sich gegen die *Konsumenten* von Drogen und nicht gegen die Händler richteten. 80 Prozent von denen, die wegen Drogen im Gefängnis sitzen, tun dies wegen des Besitzes und nicht wegen des Handels mit Rauschgiften. Die Strafen für den Konsum von Crack sind dreimal so hoch wie die für den Konsum von Kokain.

Man muß eigentlich nicht lang überlegen, um rauszufinden, warum die Lieblingsdroge der Weißen mit so viel mehr Nachsicht behandelt wird als die Droge, die den armen Schwarzen und Hispanics die halbwegs erschwinglichen Kicks verschafft. Man hat sich ja acht Jahre intensiv und aggressiv darum bemüht, soviele Bürger aus diesen Minderheiten einzubuchten wie möglich. Anstatt ihnen die notwendigen Therapien anzubieten, haben wir das Problem zu lösen versucht, indem wir sie in Gefängniszellen verrotten ließen.

Aber vergessen wir mal für einen Moment die Hilfe für die Bedürftigen. Wer war das Genie in der Clinton/Gore-Regierung, das sagte: »Hey, ich habe 'ne Idee – warum nehmen wir nicht mal die Schwarzen und die Hispanics ins Visier – die nehmen massenhaft Rauschgift! Steckt so viele in den Knast wie ihr könnt, damit wir nur ja das Wählerpotential verringern, das normalerweise 9:1 für uns stimmt!«

Das ergibt doch keinen Sinn, oder? Welche Partei würde absichtlich ihre eigene Wählerbasis zerstören? Man sieht ja auch die Republikaner nicht rumsitzen und sich Tricks überlegen, wie sie leitende Angestellte und Mitglieder der Waffenbesitzer-

Lobby NRA hinter Gitter bringen könnten. Glauben Sie mir, Sie werden es nicht erleben, daß der Bush-Berater Karl Rove ein Treffen im Weißen Haus veranstaltet, um Wege zu finden, wie man die Million Mitglieder der Christian Coalition einsperren und ihnen das Wahlrecht absprechen könnte.

Ganz im Gegenteil. Die Bush-Leute passen genau auf, daß keiner ihrer Anhänger je den Komfort einer Gefängnisdusche zu genießen braucht. Was war das für eine Aufregung, als Clinton kurz vor seinem Ausscheiden aus dem Amt noch rasch dubiose Geldsäcke wie Marc Rich amnestierte. Das ganze Land war empört darüber, wie man einem Flüchtigen Amnestie gewähren konnte, obwohl er abgehauen war, ohne seine Steuern bezahlt zu haben. Ein Reicher, der den Freibrief bekam, ohne seine Steuern zahlen zu müssen! Wir waren schockiert – SCHOCKIERT!

Aber die ganzen »Freibriefe« für David Lamp, Vincent Mietlicki, John Wadsworth oder James Weathers Jr. interessierten dann niemand mehr. Und niemand forderte einen Untersuchungsausschuß des Kongresses, um zu klären, warum die Anklagen gegen Koch Industries, die größte amerikanische Ölfirma in Privathand, deren Chefs die Brüder Charles und David Koch sind, fallengelassen wurden. Und warum das?

Weil *jene* »Freibriefe« in der Regierungszeit von George W. Bush ausgestellt wurden.

Im September 2000 reichte die US-Bundesregierung eine Klageschrift mit 97 Punkten gegen Koch Industries und vier leitende Angestellte ein: gegen Lamp, Mietlicki, Wadsworth und Weathers. Diese Männer waren Kochs Umweltschutz- und Produktionsleiter, und sie hatten *wissentlich* 91 metrische Tonnen Benzol, einen krebserregenden Stoff, in Luft und Wasser abgelassen und diesen tödlichen Vorgang vor der Bundesaufsicht verborgen.

Dies war nicht Kochs erster Konflikt mit dem Gesetz; es war nicht einmal der erste *in jenem Jahr.* Schon vorher war Koch im Jahr 2000 zu einer Strafe von 35 Millionen Dollar verurteilt worden, und zwar wegen Verstoßes gegen die Umweltgesetze in sechs Bundesstaaten.

Aber als dann George W. Bushs Wahl »entschieden« war, änderten sich die Dinge auch für Koch. Die Führungskräfte der Fima hatten gerade etwa 800 000 Dollar für Bushs Wahlkampf und für andere republikanische Kandidaten und Anliegen gespendet. Als dann im Januar der neue Justizminister John Ashcroft auf seine Amtsübernahme wartete, verringerte die Regierung die Anklagepunkte zuerst von 97 auf 11 und später auf 9.

Koch Industries drohten jedoch immer noch Geldbußen von insgesamt 352 Millionen Dollar. Aber die neue Bush-Regierung, die endlich fest im Amt war, regelte schnellstens auch dies. Im März ließ sie zwei weitere Anklagepunkte fallen. Dann, zwei Tage vor dem ersten Gerichtstermin, entschied John Ashcrofts Justizministerium die Sache endgültig.

Koch Industries bekannte sich in einer neuen Anklage der Dokumentenfälschung schuldig, und im Gegenzug ließ die Regierung alle Beschuldigungen gegen die Firma wegen Umweltdelikten fallen, inklusive aller Anklagepunkte gegen die vier leitenden Angestellten.

Unmittelbar nachdem sich die Führungskräfte von Koch, die immerhin Haftstrafen gewärtigen mußten, so großzügig gezeigt hatten, wurden alle Ermittlungen gegen sie eingestellt. Darüber hinaus wurden alle 90 ernsten Anklagepunkte gegen die Firma selbst abgewiesen, und am Ende zahlte sie eine Geldbuße, die auch noch die sieben übriggebliebenen Vorwürfe aus der Welt schaffte. »Die Koch-Führung feierte den Abschluß des Falles«, berichtete der *Houston Chronicle,* und der Firmensprecher Jay Rosser posaunte in die Welt hinaus, daß die Einstellung des Verfahrens die völlige »Rehabilitation« von Koch bedeute.

Ich will das Verhalten von Marc Rich nun wirklich nicht verteidigen, aber korrigieren Sie mich, wenn ich da falsch liege: ich glaube, es ist etwas ernster, wenn man vorsätzlich mit einer tödlichen, krebserregenden Chemikalie Luft und Wasser verseucht (und damit zum Tod von wer weiß wievielen Menschen beiträgt), als wenn man Rudy Giuliani sitzenläßt und auf einen achtzehnjährigen Skiurlaub in die Schweiz fährt. Und doch bin ich sicher, daß kein Mensch jemals von dem Straferlaß für Charles und David Koch und ihre Ölfirma und deren Angestellte gehört hat. Warum sollten Sie auch? So geht es bei uns eben zu, und unsre liebe Presse macht gerade wieder ein kleines Nickerchen.

Zu schade, daß Anthony Lemar Taylor vergessen hat, seine Spende für Bushs Wahlkampf abzuschicken. Taylor war ebenfalls ein Mehrfachtäter – ein kleiner Dieb, der sich eines schönen Tages im Jahre 1999 entschloß, sich als Golf-Superstar Tiger Woods auszugeben.

Obwohl Taylor überhaupt nicht wie Woods aussah (aber, hey, sie sehen doch alle gleich aus, oder?), schaffte er es, mit einem gefälschten Führerschein und Kreditkarten auf den Namen Tiger Woods einen Fernseher mit Großbildschirm, ein paar Stereoanlagen und einen gebrauchten Luxuswagen zu kaufen.

Als dann jemand endlich herausfand, daß er gar nicht Tiger Woods war, wurde er verhaftet und wegen Betrug und Diebstahl angeklagt.

Sein Urteil? ZWEIHUNDERT JAHRE BIS LEBENSLÄNGLICH!

Sie haben richtig gelesen. Zweihundert Jahre bis lebenslänglich bekam er nach einem kalifornischen Gesetz. In diesem Staat kommt jeder Straftäter nach der dritten Verurteilung wegen einer Straftat lebenslänglich in Sicherungsverwahrung.

Bis heute wurde noch kein Wirtschaftsboss lebenslänglich in den Knast gesteckt, obwohl er dreimal dabei erwischt wurde, wie er einen Fluß vergiftet oder seine Kunden geneppt hat. In Amerika reservieren wir diese Behandlung denen, die nun mal arm oder Afroamerikaner sind oder die es versäumt haben, einer unserer famosen politischen Parteien Spenden zukommen zu lassen.

Natürlich ist unsere Justiz als wahre Dampfwalze des Rechts manchmal so scharf darauf, unsere lieben Habenichtse zu bestrafen und einzusperren, daß es ihr egal ist, ob die nun schuldig sind oder nicht.

Kerry Sanders, das jüngste von neun Kindern, litt unter paranoider Schizophrenie. Im Alter von 27 hatte er schon über sieben Jahre mal in Nervenheilanstalten, mal draußen mit den Dämonen in seinem Kopf gekämpft. Wenn er seine Medikamente nicht regelmäßig einnahm, lag er manchmal in den Rinnsteinen von Los Angeles, und ähnliches tat er auch an einem Tag im Oktober 1993.

Kerry schlief auf einer Bank vor dem Medizinzentrum der Universität von Südkalifornien und wurde prompt wegen unbefugten Betretens des Geländes festgenommen. Damit begann seine Pechsträhne. Eine Routineüberprüfung der Fahndungsliste ergab nämlich, daß ein gewisser Robert Sanders, ein Berufsverbrecher, fünf Wochen zuvor aus einem New Yorker Staatsgefängnis ausgebrochen war, wo er seit 1990 eine Strafe wegen eines Mordversuchs an einem Kokaindealer absaß.

Natürlich war der Kerry Sanders aus Kalifornien nicht der Robert Sanders aus New York. Aber ich denk mal, »Kerry« und »Robert« sind schon sehr ähnliche Namen, und Kalifornien und New York ... sind, na ja, beide auch ganz schön GROSSE STAATEN ...

Aber ausgesprochen blöd für Kerry war es schließlich, daß er ausgerechnet am *gleichen Tag* Geburtstag hatte wie Robert.

Für die Bullen in L.A. reichte das nun vollkommen aus, obwohl derselbe Computerausdruck der Fahndungsliste auch zeigte, daß *Kerry* Sanders im Juli 1993 aufgegriffen worden war, als er auf einer Straße in Los Angeles herumtorkelte – zu einem Zeitpunkt also, wo *Robert* Sanders immer noch in einem New Yorker Gefängnis saß.

Egal: Kerry Sanders wurde nach New York geschickt, um dort den Rest von Robert Sanders Strafe abzusitzen. Er blieb *zwei Jahre* in der New Yorker Haftanstalt, während seine Mutter die ganze Zeit überall in Los Angeles nach ihm suchte. Irgendwie versäumten es die Polizisten in L.A., die zwei Berichte abzugleichen – das hätte nämlich ergeben, daß ihr Typ ganz andere Fingerabdrücke hatte.

Während des ganzen Prozesses hatte Kerry nur einen Menschen, der ihm hätte helfen können – den Pflichtverteidiger, der ja berufen wurde, um die Interessen seines Klienten zu vertreten. Aber dieser 30jährige ›altgediente‹ Justizbeamte riet ihm, *nichts* gegen seine Auslieferung zu unternehmen. Er erklärte Kerry, daß der Antrag seinen Aufenthalt im L.A. County-Gefängnis nur verlängern würde. Es sei klüger, den Schwanz einzukneifen, weil Kerry am Ende doch wieder nach New York zurückgebracht werden würde. Offensichtlich hatte dieser famose Verteidiger nicht einmal erkannt, daß Kerry geistig etwas »minderbemittelt« war, geschweige denn, daß er an einer schweren Geisteskrankheit litt. Aber hätte das überhaupt eine Rolle gespielt?

Der Verteidiger ging nicht mal den einfachsten Fragen nach. Er verbrachte allenfalls ein paar Minuten mit seinem hilflosen Klienten, und er forschte nicht nach, ob Kerry eine Familie hatte, die er bei seiner Verteidigung hätte um Hilfe bitten können.

Der Verteidiger versäumte es auch, das System nach irgendwelchen anhängigen Fällen, früheren Akten oder dem finanziellen Status seines Klienten zu durchforschen. Er nahm sich nicht mal die Zeit, die Personenbeschreibung des Steckbriefs mit Kerrys Aussehen zu vergleichen, geschweige denn einen Vergleich der Fingerabdrücke oder der Fahndungsfotos zu verlangen. *Na und,* sagen Sie? Schließlich waren doch beide Männer schwarz; sie waren beide gleich alt – sie hatten sogar das gleiche Geburtsdatum! Langt das etwa immer noch nicht?

Es kommt noch schlimmer. In einer Verhandlung verzichtete Kerry Sanders auf sein Recht, gegen die Auslieferung nach New York Widerspruch einzulegen. Ein Beamter forderte ihn auf, ein Schriftstück zu unterzeichnen. Der Text lautete: »Ich, *Robert* Sanders, bestätige hiermit ohne Zwang und aus freien Stücken, daß ich mit dem vorbezeichneten Robert Sanders identisch bin.« Der Angeklagte unterschrieb jedoch mit »Kerry Sanders«.

Dann kritzelte er ein Duplikat des Schriftstücks mit vielen kleinen Männchen voll.

Leuchtete da nicht ein rotes Licht auf? Läuteten da keine Alarmglocken? Nicht bei diesem Pflichtverteidiger!

Als man Kerry endlich die Chance gab, seine Sache vor einem Richter zu vertreten, wurde er von diesem gefragt, ob er das Dokument vor der Unterzeichnung gelesen habe. Als er das verneinte, stoppte der Richter das Auslieferungsverfahren.

»Haben *Sie* das unterschrieben?« fragte ihn dann der Richter.

Kerry antwortete: »Yeah.«

»Warum haben Sie das unterschrieben?«

Kerry Sanders Antwort: »Weil die mir gesagt haben, ich soll das unterschreiben.«

Der Richter wies Kerrys Pflichtverteidiger an, das Dokument noch einmal mit seinem Klienten durchzugehen. Es dauerte nur ein paar Minuten, dann war der Richter zufrieden, und Gericht und Verteidiger konnten sich dem nächsten Fall zuwenden.

Nachdem Kerry Sanders von seinem von L.A. gestellten Pflichtverteidiger verraten und verkauft worden war, beförderte man ihn quer übers Land ins Hochsicherheitsgefängnis von Green Haven, 60 Meilen nördlich von New York City, wo er die nächsten zwei Jahre verbrachte. Dort wurde er von Mithäftlingen sexuell mißbraucht.

Als im Oktober 1995 FBI-Agenten den *wirklichen* Robert Sanders in Cleveland verhafteten, durfte Kerry Sanders wieder zu seiner Mutter Mary Sanders Lee zurückkehren. Wäre Robert Sanders nicht zufällig verhaftet worden, säße Kerry Sanders heute noch im Gefängnis.

Man schickte Kerry von Green Haven nach Hause mit genau 48 Dollar und 13 Cent und einer Plastiktüte, in der ein paar Tabletten, eine Flasche Sodawasser und eine Schachtel Zigaretten waren. Er erzählte seiner Schwester Roberta: »Die haben mich nach New York gebracht. Dort war's saukalt. Dann haben sie mich in diesen kleinen Raum gesteckt.«

Glauben Sie jetzt bloß nicht, dies sei der berühmte Ausnahmefall und das System habe eben mal einen Fehler gemacht. Eigentlich ist es nicht einmal ein Fehler. Es ist vielmehr natürliches Resultat einer Gesellschaft, die ohne Skrupel jeden einsperrt, der *vielleicht* ein Verbrecher sein *könnte*, selbst wenn er tatsächlich gar keiner *ist,* weil ihr Sicherheit mehr wert ist als Gerechtigkeit. Unsere Gerichte sind doch nichts anderes als Institutionen, die uns in einem willkürlichen Fließbandverfahren die verdammten Armen vom Hals und aus den Augen schaffen!

Gut, dies ist Amerika, und wenn man es hier schon schafft, Tausende unschuldiger Schwarzer aus den Wahlregistern von Florida zu tilgen, dann wird man es doch auch schaffen, in Los Angeles einem unschuldigen schwarzen Mann etwas anzuhängen.

Einzig und allein der Geschworenenprozeß kann dieses juristische Fließbandsystem davon abhalten, die Angeklagten im Schnelldurchgang direkt in den Knast zu schicken. Warum? Weil Geschworenenprozesse die ganze Justizscheiße aufrühren. Sie zwingen nämlich alle Beteiligten, ihren Job korrekt zu erledigen. Kein Wunder also, daß Richter, Staatsanwälte und Pflichtverteidiger alles in ihrer Macht Stehende tun, um den Angeklagten dazu zu bringen, sich schuldig zu bekennen, UM DIE BRUTALE GEFÄNGNISSTRAFE ZU VERMEIDEN, DIE WIR DIR AUFBRUMMEN WERDEN, WENN DU AUF EINEM GESCHWORENENPROZESS BESTEHST. Wenn es ihnen nach dem Geständnis der Schuld auch noch gelingt, daß der Angeklagte auf sein Recht auf Berufung verzichtet, dann haben sie einen Supercoup gelandet – und in ihrem Country Club werden sich später alle köstlich darüber amüsieren.

Meine Schwester Anne war längere Zeit Pflichtverteidigerin in Kalifornien. Sie bestand darauf, ihre Mandanten tatsächlich zu vertreten und ihnen einen Geschworenenprozeß zu verschaffen, wenn sie das wünschten. Deswegen wurde sie von ihren Kollegen im Amt fürchterlich gemobbt. Im Jahr 1998 genehmigte das Pflichtverteidigeramt in ihrem County nur einem VON INSGESAMT FAST NEUNHUNDERT Mandanten, die wegen eines Verbrechens angeklagt waren, einen Geschworenenprozeß.

Natürlich hieß das nicht, daß jeder einzelne der anderen 899 Angeklagten schuldig gewesen wäre. Man hatte sie nur gezwungen, sich schuldig zu bekennen, woraufhin viele von ihnen im Gefängnis landeten, und das vielleicht für Verbrechen, die sie nicht begangen hatten. Aber das werden wir ohnehin nie herausfinden, weil man ihnen ja ihr im 6. Verfassungszusatz verbrieftes Recht auf einen Prozeß vor einer Jury aus Personen ihres Umfelds vorenthalten hat.

Wenn man bedenkt, wie Arme jeden Tag in allen amerikanischen Städten systematisch vor Gericht verschaukelt werden, dann erkennt man, daß unser Rechtssystem nun wirklich überhaupt nichts mit Gerechtigkeit zu tun hat. Unsere Richter und Anwälte sind eher bessere Müllmänner, die den menschlichen Abfall unserer Gesellschaft einsammeln und entsorgen müssen – eine Art ethnische Säuberung auf amerikanische Art.

Doch was geschieht, wenn dieser juristische Müllschlucker Unschuldige in den Tod schickt? Es brauchte nur eine Collegeklasse von jungen Studenten der Northwestern University in Evanston, Illinois, um aufzudecken und zu beweisen, daß fünf Leute, die in diesem Staat in Todeszellen saßen, in Wirklichkeit unschuldig waren. Diese Studenten und ihr Professor haben also das Leben von fünf Menschen gerettet.

Wenn das eine einzige Collegeklasse geschafft hat, wieviele andere unschuldige Todeskandidaten warten dann noch im ganzen Land auf ihre sozialhygienische Exekution?

In 38 Staaten gibt es noch die Todesstrafe. Dazu kommen noch die Bundesregierung und das US-Militär. Zwölf Staaten und der District of Columbia (dieses kleine Stück Sumpfland mit einer afroamerikanischen Mehrheit) haben sie abgeschafft.

Seit 1976 fanden in den Vereinigten Staaten fast 800 Hinrichtungen statt. Die hinrichtungsfreudigsten Staaten sind:

Texas: 274 Hinrichtungen; mehr als ein Drittel
aller US-Hinrichtungen seit 1976
Virginia: 86
Missouri: 57
Oklahoma: 52
Florida: 51
Louisiana: 27

South Carolina: 26
Arkansas: 25
Alabama: 23
Arizona: 22
North Carolina: 21
Delaware: 13
Illinois: 12
Kalifornien: 10
Nevada: 9
Indiana: 9
Utah: 6

Vor kurzem erschien eine schockierende Studie: 4578 Todesurteile aus dem Zeitraum von 23 Jahren (1973 – 1995) wurden überprüft. Die Untersuchung ergab, daß bei Revisionsverfahren in 70 Prozent der Fälle, die in dieser Zeit wiederaufgerollt wurden, gravierende Verfahrensfehler festgestellt wurden. In zwei von drei Wiederaufnahmeverfahren wurde das Todesurteil sogar aufgehoben. Die aufgedeckte Gesamtfehlerrate betrug am Ende stolze 68 Prozent.

Seit 1973 wurden immerhin 59 Todeskandidaten von einem Gericht *völlig rehabilitiert.* Es wurde amtlich festgestellt, daß sie das Verbrechen, für das sie zum Tode verurteilt worden waren, nicht begangen hatten. Als Ergebnis einer DNS-Analyse wurden weitere 69 Personen freigelassen.

Und was waren die häufigsten Irrtümer?

1. Völlig unfähige Verteidiger, die Beweismittel übersahen oder nicht einmal nach Beweisen und Indizien suchten, welche die Unschuld ihres Mandanten hätten beweisen können oder zumindest gezeigt hätten, daß dieser den Tod nicht verdiente.
2. Polizisten oder Ankläger, die solche Beweismittel zwar *entdeckten,* sie dann jedoch *zurückhielten* und so die Wahrheitsfindung aktiv sabotierten.

In der Hälfte der untersuchten Jahre betrug die Fehlerrate über 60 Prozent. Überall im Land wurden diese schlimmen Fehlurteile gefällt. Bei 85 Prozent der Todesurteile lag die Fehlerrate bei 60 Prozent, in 60 Prozent der anderen Urteile bei 70 Prozent oder sogar darüber.

Es braucht natürlich Zeit, diese Fehler aufzudecken – im nationalen Durchschnitt vergehen zwischen Verurteilung und Hinrichtung neun Jahre. In den meisten Fällen müssen die Todeskandidaten Jahre warten, bis die langwierigen Nachuntersuchungen endlich abgeschlossen sind. Oft sind die gefundenen Verfahrensmängel dann so gravierend, daß viele Todesurteile aufgehoben werden. Dies stellt für alle Betroffenen eine immense Belastung dar, für die Steuerzahler, die Familien der Opfer, das Rechtssystem und vor allem für den zu Unrecht Verurteilten.

Die Studie erbrachte erstaunliche Ergebnisse: Fast alle Häftlinge, deren Todesurteile aufgehoben wurden, bekamen oft nur noch geringe Haftstrafen (82 Prozent), und einige wurden im Revisionsverfahren sogar freigesprochen (7 Prozent).

Die Zahl der Verfahrensfehler ist seit 1996 noch angestiegen, denn Präsident Clinton erschwerte es den Todeskandidaten, ihre Unschuld zu beweisen. Damals unterschrieb er ein Gesetz, das den Zeitraum auf ein Jahr beschränkt, in dem Verurteilte Berufung bei Bundesgerichten einlegen dürfen, nachdem sie den Rechtsweg in ihrem Bundesstaat ausgeschöpft haben. Angesichts der Studie, die bewies, wieviele dieser Gefangenen entweder unschuldig sind oder zumindest nach Recht und Gesetz die Todesstrafe nicht verdienen, kann man diesen Versuch, ihre Berufungsrechte auch noch einzuschränken, nur für empörend und schändlich halten.

Wir sind eines der wenigen Länder der Welt, die *sowohl* geistig behinderte *als auch* minderjährige Straftäter hinrichten lassen. Wir gehören zu den sechs Staaten, die auch Jugendliche zum Tode verurteilen. Nur noch der Iran, Nigeria, Pakistan, Saudiarabien und der Jemen exekutieren Jugendliche.

Die Vereinigten Staaten sind auch das einzige Land neben Somalia, das die Kinderrechtserklärung der Vereinten Nationen nicht unterschrieben hat. Warum? Weil sie eine Bestimmung enthält, die die Hinrichtung von Jugendlichen unter achtzehn Jahren verbietet. Und wir möchten natürlich die Freiheit behalten, unsere Kinder umbringen zu dürfen, wenn wir das wollen.

Keine andere Industrienation richtet ihre Kinder hin.

Selbst China verbietet die Todesstrafe für Delinquenten unter 18 Jahren – und das ist immerhin ein Land, das einen erschreckenden Mangel an Achtung vor den Menschenrechten gezeigt hat.

Zur Zeit sitzen in den Vereinigten Staaten über 3 700 Verurteilte in Todeszellen, davon sind 84 minderjährig (oder sie waren es, als sie ihr Verbrechen begingen).

Aber unser Oberstes Bundesgericht hält es nicht für eine grausame und unangemessene Strafe (im Sinne des 8. Zusatzes zur US-Verfassung), 16jährige hinzurichten, wenn sie ein Kapitalverbrechen begangen haben. Und ausgerechnet dieses Gericht hat festgestellt, daß 16jährige noch nicht »die Reife und Einsicht« hätten, *Verträge* zu unterschreiben.

Schon seltsam, oder? Die eingeschränkte Rechtsfähigkeit eines Jugendlichen wird als Hindernis beim Abschluß eines Vertrages angesehen, aber wenn es um das »Recht« geht, hingerichtet zu werden, sollen Kinder und Erwachsene plötzlich wieder in die gleiche Kategorie gehören?

In 18 Bundesstaaten dürfen auch 16jährige hingerichtet werden. In fünf weiteren Staaten muß der Schuldige zum Zeitpunkt der Tat 17 oder älter gewesen sein, damit man ihn zum Tode verurteilen kann. 1999 bekam Sean Sellers in Oklahoma die Giftspritze. Sellers war zum Zeitpunkt der Morde, für die man ihn verurteilt hatte, erst 16 Jahre alt. Außerdem hatte man den Geschworenen in seinem Prozeß nichts von seiner multiplen Persönlichkeitsstörung mitgeteilt. Ein Bundesberufungsgericht befand zwar, daß Sellers wegen seiner Geistesstörung »sachlich gesehen unschuldig« gewesen sein könnte. Doch »Unschuld allein reiche nicht aus, damit ihm der Bund Rechtshilfe gewähren« dürfe. Das ist doch nicht zu fassen!

Die amerikanische Öffentlichkeit ist ja nicht blöd, und jetzt, wo die Wahrheit herauskommt über die Unschuldigen, die man in den Todestrakt geschickt hat, reagiert sie wenigstens mit einem Gefühl der Scham. Noch vor ein paar Jahren zeigten Meinungsumfragen, daß über 80 Prozent der Amerikaner für die Todesstrafe sind. Doch nachdem langsam die Wahrheit ans Licht kommt, geht die Zustimmung für die Todesstrafe zurück, wie neulich Umfragen der *Washington Post* und des Senders *ABC News* ergeben haben. Gleichzeitig nimmt die Zahl derer zu, die die Todesstrafe durch lebenslange Haft ersetzen wollen. 51 Prozent der Befragten waren dafür, alle Hinrichtungen erst mal auszusetzen, bis eine Kommission untersucht hat, ob die Prozesse fair geführt wurden.

68 Prozent wollten die Todesstrafe abschaffen, weil manchmal Unschuldige hingerichtet würden. Jüngste Gallup-Umfragen zeigen auch, daß die Zustimmung zur Todesstrafe in den letzten 19 Jahren niemals so niedrig war wie heute. 65 Prozent stimmten der Aussage zu, daß ein Armer viel eher für das gleiche Verbrechen in die Gaskammer geschickt wird als eine Person mit durchschnittlichem oder höherem Einkommen. 50 Prozent meinten auch, daß ein Schwarzer die gleiche Tat eher mit dem Tode sühnen müsse als ein Weißer. Selbst in der Tötungsmaschine, gemeinhin bekannt als »Bundesstaat Texas«, glauben nach einem Bericht des *Houston Chronicle* 59 Prozent der befragten Einwohner, daß ihr Staat *schon mal einen Unschuldigen hingerichtet hat!* 72 Prozent würden es begrüßen, wenn man das texanische Recht so ändern würde, daß es zukünftig auch die Strafoption »Lebenslänglich ohne Begnadigungsmöglichkeit« gäbe. 60 Prozent sind heute sogar dagegen, daß in ihrem Staat ein geistig Behinderter mit dem Tode bestraft wird.

In diesem großen Land haben wir es uns angewöhnt, einen Krieg *nicht* gegen das Verbrechen zu führen, *sondern gegen die Armen, denen wir bequemerweise die Schuld daran zuschieben.* Irgendwo auf diesem Weg haben wir dann auch vergessen, daß es sowas wie persönliche Grundrechte des Individuums gibt, weil wir das nötige Geld für Haftanstalten nicht ausgeben wollten.

Wir leben in einer Gesellschaft, die Wirtschaftsverbrecher belohnt und mit Ehren überhäuft – beispielsweise Firmenchefs, die direkt und indirekt die Ressourcen unserer Erde ausplündern und dabei den »Shareholders' Value«, den Aktienprofit für sich und ihre Aktionäre, über alles stellen. Und gleichzeitig liefert diese Gesellschaft ihre Armen einem willkürlichen und brutalen »Rechtssystem« aus.

Aber die Öffentlichkeit fängt allmählich an zu begreifen, wie falsch das ist.

Wir müssen unsere Gesellschaft so neu gestalten, daß künftig *alle* Mitglieder als gleich wertvoll, nützlich und mit Würde ausgestattet angesehen werden, und daß NIEMAND über dem Gesetz steht, egal, wie viele Politiker er sich gekauft hat. Unsere Schulkinder beten jeden Morgen die »Pledge of Allegiance« herunter, ihre Loyalitätserklärung an Amerika. Dabei verkünden sie, wir wären eine Nation »mit Freiheit und Gerechtigkeit für alle«. Bevor es bei uns soweit ist, sollten wir diese Worte nur voller Scham aussprechen.

TEN

Demokraten – ein hoffnungsloser Fall

Er hat einen Gesetzentwurf unterzeichnet, der vorsieht, daß Bundesgelder an »auf dem Glauben basierende«, karitative Organisationen verteilt werden.

Er hat die Zahl der Verbrechen, für die ein Bundesgericht die Todesstrafe aussprechen kann, auf insgesamt 60 erhöht.

Er hat einen Gesetzentwurf unterzeichnet, der Eheschließungen zwischen Schwulen verbietet, und hat Anzeigen in christlichen Rundfunksendern gestrichen, in denen allzu penetrant mit seiner Abneigung gegen jede Form der homosexuellen Partnerschaft Stimmung gemacht wird.

Innerhalb von kurzer Zeit ist es ihm gelungen, zehn Millionen Menschen aus dem Sozialhilfesystem zu katapultieren – zehn Millionen von insgesamt 14 Millionen Sozialhilfeempfängern.

Er hat den Staaten einen »Bonus« versprochen, wenn sie es schaffen, die Zahl der Sozialhilfeempfänger weiter zu senken. Die Vergabe der Zusatzmittel wurde erleichtert, weil die Staaten nicht mehr verpflichtet sind, ehemaligen Sozialhilfeempfängern bei der Arbeitssuche zu helfen.

Er hat einen Plan vorgelegt, nach dem Eltern im Teenageralter keinerlei Anspruch auf Unterstützung haben, wenn sie die Schule nicht abschließen oder aus ihrem Elternhaus ausziehen.

Auch wenn er Wert darauf legt, daß es nicht an die große Glocke gehängt wird, unterstützt er doch zahlreiche ehemalige Vorschläge von Newt Gingrichs erzkonservativem Projekt »Contract With America«, darunter auch die Senkung der Vermögenssteuer.

Trotz der Appelle republikanischer Gouverneure wie George Ryan aus Illinois, ein Moratorium der Todesstrafe zu unterstützen, lehnte er alle Anträge ab, die Zahl der Hinrichtungen zu verringern. Und das auch noch, nachdem bekannt wurde, daß Dutzende von Unschuldigen in der Todeszelle sitzen.

Er hat Mittel für Kommunen bereitgestellt, mit denen sie über hunderttausend Polizeibeamte einstellen können, und er befürwortet Gesetze, die Menschen nach der Verurteilung wegen drei begangener Straftaten lebenslänglich hinter Gitter bringen würden – auch wenn sie wegen Ladendiebstahls oder einer nicht bezahlten Pizza verurteilt wurden.

Heute sind mehr Menschen in Amerika ohne Krankenversicherung als bei seinem Amtsantritt.

Er hat Verordnungen unterzeichnet, die armen Menschen, die sich illegal in den Staaten aufhalten, jede Form von medizinischer Versorgung verweigern.

Er befürwortet ein Verbot später Schwangerschaftsabbrüche und versprach, den ersten Gesetzentwurf sofort zu unterzeichnen, der auf seinem Schreibtisch landet und der nur dann eine Abtreibung zuläßt, wenn das Leben der Mutter gefährdet ist.

Er hat eine Direktive unterzeichnet, die eine Vergabe von US-Geldern an Länder verbietet, in denen Frauen eine Abtreibung ermöglicht wird.

Er hat die für ein Jahr geltende Anweisung unterzeichnet, die die Verwendung von Bundesmitteln in Ländern untersagt, in denen Organisationen zur Familienplanung schwangeren Frauen eine Abtreibung als Option empfehlen können.

Er hat sich geweigert, das internationale Verbot von Landminen zu unterzeichnen, das bereits 137 Länder unterschrieben haben, aber nicht der Irak, Libyen, Nordkorea – und die Vereinigten Staaten.

Er hat das Kyoto-Protokoll verwässert, indem er darauf bestand, daß Ackerland und Wälder auf den Prozentsatz angerechnet werden, um den die amerikanischen Emissionen gesenkt werden müssen. Damit wurde der gesamte Vertrag zu einer Farce (dessen Ziel in erster Linie die Senkung der Kohlendioxidemissionen von Autos und Fabriken war).

Er hat die Bohrungen nach Gas und Öl auf dem Staatsgebiet so stark gefördert, daß das Produktionsniveau der Reagan-Administration erreicht und in manchen Gegenden sogar übertroffen wurde.

Er hat den Verkauf eines Ölfelds in Kalifornien genehmigt, eine der größten Privatisierungen der amerikanischen Geschichte, und er hat das National Petroleum Reserve Alaska ins Leben gerufen (das hatte nicht einmal Reagan geschafft).

Und als erster Präsident seit Richard Nixon zwang er die Autohersteller *nicht,* den Benzinverbrauch zu senken, wodurch wir jeden Tag Millionen Barrel Öl sparen würden.

Sie werden mir in Anbetracht der genannten Leistungen wohl zustimmen, daß Bill Clinton der beste republikanische Präsident war, den Amerika jemals hatte.

Viele haben gejammert und die Hände gerungen, als George W. Bush sein Amt antrat. Gutmenschen und Liberale waren ganz aus dem Häuschen, weil der Bush-Sprößling, so fürchteten sie, in der Umweltpolitik Amok laufen und ein paar Frauenrechte wieder abschaffen würde. Außerdem müßten wir künftig bestimmt in der Schule und an den Verkehrsampeln ein Gebet aufsagen. Ihre Sorgen waren durchaus berechtigt.

Aber Bush ist nur die häßlichere und ein wenig fiesere Version dessen, was wir in den neunziger Jahren die ganze Zeit über erlebten – mit dem Unterschied, daß es uns damals mit einem charmanten Lächeln präsentiert wurde. Ja, der Mann spielte auf einem Saxophon Soul und verriet uns, welche Unterwäsche er (und seine engeren Freunde) trugen. Das gefiel uns. Es tat richtig gut. Er konnte die Nationalhymne der Schwarzen singen und feierte Partys mit der Feministin Gloria Steinem. Er sah sich meine Show an! Ich mochte den Kerl!

Wir alle waren erleichtert, daß die Reagan-/Bush-Jahre vorüber waren, und es war irgendwie cool, einen Präsidenten zu haben, der früher Hasch geraucht hatte und sich selbst »der erste schwarze Präsident der Vereinigten Staaten« nannte. Aber wir neigten dazu, die Augen zu verschließen und viele Dinge zu verdrängen, wie seine Blockadehaltung bei Kernpunkten des Kyoto-Abkommens wenige Wochen vor den Wahlen von 2000. Wir wollten davon nichts hören; welche Wahl hatten wir denn letzten Endes? Baby Bush? Pat Buchanan? *Ralph Nader?*

Oh, Gott, nein, bloß nicht Ralph Nader. Warum um alles in der Welt sollten wir jemand unterstützen, der mit uns in allen Punkten übereinstimmt? Das macht doch keinen Spaß!

Der Volkszorn, der sich jetzt seitens der Babyboomer gegen Nader erhebt, wirkt so persönlich, so echt. Sie geben ihm die Schuld daran, daß Gore die Wahl verloren hat (er hat nicht verloren). Ich sehe mir diese Leute in den Vierzigern und Fünfzigern an und frage mich, wieso Nader für sie ein rotes Tuch ist.

Es hat eine Weile gedauert, aber ich glaube, ich habe es herausgefunden: Nader steht für einen Menschentyp, der sie früher einmal waren, jetzt aber nicht mehr sind. Er hat sich nie verändert. Er hat nie den Glauben verloren, sich nie auf Kompromisse eingelassen, nie aufgegeben. Genau deshalb hassen sie ihn. Er hat nie eine andere Platte aufgelegt, er ist nicht in die Villenviertel gezogen, er hat sein Leben nicht nach dem Grundsatz ausgerichtet: »So, jetzt wollen wir doch mal sehen, wie ich am meisten Geld verdienen kann, und zwar für mich, MICH!« Er hat nie den neuen Codex seiner Generation übernommen, durch den Ausverkauf moralischer Vorstellungen nach mehr Macht zu streben. Kein Wunder, daß Millionen Jugendliche in den High Schools und Colleges ihn lieben. Er ist das Gegenteil ihrer Eltern, der Menschen, die sie »erzogen«, indem sie ihnen einen Wohnungsschlüssel, eine Schachtel Ritalin und eine Fernbedienung für den Fernseher im Schlafzimmer in die Hand drückten. Nader machte nicht die übliche Wandlung des Musikgeschmacks durch von Sgt. Pepper über AOR zu Kenny G. Er trägt immer noch die gleichen zerknitterten Klamotten. Die Leute, die heute auf ihm herumtrampeln, sind wie die Schlägertypen in der High School, die einen so lange nicht in Ruhe lassen, bis man sich unterordnet und genauso aussieht, denkt und riecht wie sie.

Und stell dir mal vor, du Boomer – dieser Vogel Nader wird sich niemals ändern. Warum sparst du dir also nicht einfach dein Geschwätz, wirfst gegen deine Depressionen noch eine Prozac ein und suchst dir einen Therapeuten in der Nähe, zu dem du einmal in der Woche gehen kannst? Oder laß deinen Dampf ab und dank dem Herrn, daß es noch Menschen wie Ralph Nader gibt. Er wird die ganze Arbeit für dich erledigen; entspann dich und bestell dir noch einen Tequila Sunrise.

Ich weiß, daß du eine bittere Pille schlucken mußt: Jeden Morgen rappelst du dich auf, opferst deine ganze Arbeitskraft dem Konzern, nimmst den Scheck von den Bastarden entgegen und machst gute Miene zum bösen Spiel, obwohl du dir alles mögliche bieten lassen mußt.

Aber irgendwo im hintersten Winkel deines Gehirns stirbt eine winzige Nervenbahn ab, wie das schwache, blinkende Licht deines Handys ein paar Minuten, bevor der Akku den Geist aufgibt. Es ist der Teil deines Gehirns, der dich an eine Zeit erinnert, als du noch jünger und felsenfest überzeugt warst, daß *du und nur du allein* etwas ändern kannst, bevor die Kräfte der Erwachsenen dich umzingelt und überredet haben, dich doch gefälligst an das übliche Programm zu halten – oder ein einsames, kärgliches Leben zu fristen.

Und das hast du auch getan. Du hast gelernt, deine Werte zu verraten, dabei glaubst du, du würdest noch für sie kämpfen (»Ja, ich fahre einen Geländewagen – aber ich unterstütze den Sierra Club!«). Du hast gelernt, dein schlechtes Gewissen wegen des lausigen Jobs zu beruhigen, aus Angst vor der einzigen denkbaren Alternative: Arbeitslosigkeit und Armut! Du hast dich mit dem repressiven Charakter deiner Kirche abgefunden, weil Jesus *wirklich* viele gute Sachen gesagt hat (»Liebet eure Feinde«). Was macht es schon, daß das Geld, das du spendest, für eine frauenfeindliche Organisation bestimmt ist? Du hast gelernt, den

Mund zu halten, wenn Freunde oder Arbeitskollegen rassistische Sprüche machen, weil du weißt, daß *du* niemals Schwarze gehaßt hast, und weil du überzeugt bist, daß *die* das auch nie tun würden… nur, wieso wechseln wir nicht einfach die Straßenseite, nur um ganz sicher zu gehen?

Die Krönung des Ganzen: Du hast brav weiter die Demokraten gewählt wie zeit deines Lebens. Immerhin sagen sie, daß ihnen deine Interessen am Herzen liegen – und nur weil sie das sagen, glaubst du ihnen! Welcher Idiot wählt denn schon den Kandidaten einer dritten Partei? Weshalb solltest du dir die Mühe machen, dich in dein früheres Leben zurückzuversetzen, als du bereit warst, mit dem Kopf durch die Wand zu gehen? Genau, damals bist du für das, was du für richtig gehalten hast, auf die Straße gegangen! Hier, in der Welt der Erwachsenen, kannst du getrost vergessen, was »richtig« ist – du mußt *gewinnen.* Es geht immer nur ums Gewinnen, ob es der Marktanteil deines Unternehmens ist, dein Aktienpaket oder die Fähigkeit deines Kindes, alle anderen Kinder schon im Kindergarten im Französischunterricht zu übertrumpfen.

Mach es richtig! HA! Halt dich an die Gewinner! Auch wenn der Gewinner (Clinton) an der Todesstrafe festhält, Landminen nicht verbieten will, Knebelbestimmungen unterschreibt, die Finanzierung von Abtreibung verhindert, arme Menschen auf die Straße setzt, die Zahl der Gefängnisinsassen verdoppelt, vier verschiedene Länder bombardiert und dabei unschuldige Zivilisten tötet (Sudan, Afghanistan, Irak und Jugoslawien), es zuläßt, daß wenigen Mischkonzernen der größte Teil der Medien gehört (die früher unter fast tausend Einzelunternehmen aufgeteilt waren), und ständig eine Erhöhung des Budgets für das Pentagon fordert, so ist das immer noch besser als… besser als… eben besser als etwas *wirklich* Schlimmes.

Leute, wann hören wir endlich auf, uns selbst etwas vorzumachen? Clinton und die meisten anderen Demokraten *haben* niemals das Beste für uns oder die Welt, in der wir leben, getan und *werden* das auch nicht tun. Wir zahlen nicht ihre Rechnungen – das tun die zehn Prozent an der Spitze der Pyramide, und ihr Wille wird auch immer ausgeführt werden. Ich weiß, daß ihr das schon wißt; es ist nur verdammt hart, es auch auszusprechen, weil die Alternative solchen Typen wie … Big Dick Cheney beklemmend ähnlich sieht.

Moment mal, bevor ihr braven Demokraten euch überlegt, bei welcher Temperatur Bücher brennen, laßt mich eins klarstellen: George W. Bush ist *schlimmer* als Al Gore oder Bill Clinton. Gar keine Frage.

Aber was heißt denn das schon? Wenn man zwei beliebige Menschen nebeneinanderstellt und Menschen zwingt zu entscheiden, welcher »schlimmer« ist, dann wählen sie in der Regel den größeren Blödmann. Hitler war »schlimmer« als Mussolini, ein Chevy ist »schlimmer« als ein Ford, ich bin ganz eindeutig »schlimmer« als meine Frau. Na und? Das ist doch Kinderkram. In Wirklichkeit ist die Wahlmöglichkeit zwischen Bushs »mitfühlendem Konservatismus« und dem Clintonismus nicht größer als die Wahl zwischen Rizinusöl und dem Hustensaft Robitussin mit Kirschgeschmack.

Die Regierung Bush II. begann damit, daß sie auf geradezu kindische Weise eine Reihe von Direktiven Clintons wieder aufhob. Von heute auf morgen wurde aus dem Ex-Präsident eine Art Monster gemacht. Das war ein wichtiger – geradezu symbolträchtiger – Moment für die Demokraten. Sie *mußten* die Öffentlichkeit glauben machen, daß Bush Arsen ins Trinkwasser kippt und versucht, ganz Amerika zu vergiften. Die Amerikaner sollten glauben, Bush werde die Wälder abholzen, die Gelder für Abtreibungen endgültig streichen und Alaska in ein Ölfeld verwandeln, weil es sein einziges Ziel sei, all das Gute rückgängig zu machen, das Präsident Clinton vollbracht hatte.

Allerdings wird dabei mit keinem Wort erwähnt, daß Clinton fast acht Jahre lang nichts oder kaum etwas in all diesen Fragen unternommen hat. Auf einmal, als ihm nur noch wenige Stunden blieben, beschloß er kurzerhand, beim Abschied von seinem Amt einen möglichst guten Eindruck zu hinterlassen (gut *ausgesehen* hat er immer) – oder Bush in den Senkel zu stellen. Wie dem auch sei, es hat funktioniert.

In Wirklichkeit hat George W. Bush nämlich nicht viel anderes getan, als die Politik der letzten acht Jahre der Regierung Clinton/Gore FORTZUSETZEN. Acht Jahre lang hat das Gespann Clinton/Gore sich sämtlichen Bestrebungen und Empfehlungen widersetzt, den Kohlendioxidausstoß in unsere Luft und den Arsengehalt in unserem Wasser zu senken. Nur einen Monat vor der Wahl von 2000 waren Tom Daschle, der Führer der Demokraten im Senat, und 16 andere Demokraten maßgeblich daran beteiligt, eine Senkung des Arsengehalts im Trinkwasser zu VERHINDERN. Und warum? Weil Clinton und die Demokraten den reichen Säcken zu Dank verpflichtet waren, die ihren Wahlkampf finanziert hatten – und denen eine Änderung des Grenzwertes von Arsen im Wasser nicht in den Kram paßte.

Zum Beispiel war die Regierung Clinton/Gore seit 25 Jahren die erste, die von der Autoindustrie KEINEN niedrigeren Benzinverbrauch gefordert hat. Unter ihrer Aufsicht wurden, mit anderen Worten, Millionen von Barrel Erdöl raffiniert und sinnlos in die Luft geblasen. Ronald Reagan, der Prototyp eines Konservativen, hat in diesem Punkt eine bessere Umweltbilanz vorzuweisen: Seine Regierung ordnete an, daß Autos künftig mit weniger Benzin mehr Kilometer fahren müssen. Unter seinem Nachfolger Bush I. wurden die Vorgaben sogar noch verschärft. Unter Clinton? Fehlanzeige. Wie sehr wird die Zahl der Krebstoten ansteigen oder sich der Treibhauseffekt verschärfen dank der Kumpanei von Bill und Al mit einem ihrer Hauptschirmherren, dem Spitzenlobbyisten für die drei Großen Autokonzerne – keinem anderen als Andrew Card, der zur Zeit, wen überrascht das noch, Stabschef der Regierung George W. Bush ist: der logischen Fortsetzung Clintons.

Besteht denn überhaupt noch ein Unterschied zwischen Demokraten und Republikanern? Gewiß. Die Demokraten sagen das eine (»Rettet den Planeten«) und tun das andere – hinter den Kulissen halten sie heimlich zu jenen Schurken, die aus dieser

Welt einen immer dreckigeren und schäbigeren Aufenthaltsort machen. Die Republikaner jedoch geben den Schurken gleich ein wichtiges Amt im Westflügel des Weißen Hauses. Das ist der Unterschied.

Man könnte natürlich einwenden, daß es *verwerflicher* ist, jemandem zu sagen, man werde ihn schützen, und ihn dann auszurauben, als ihn einfach gleich auszunehmen. Dem Bösen, das sich offen zeigt und nicht im Schafspelz des Liberalen daherkommt, kann man viel leichter entgegentreten. Was ist Ihnen lieber, eine Küchenschabe, die vor Ihren Augen über den Boden krabbelt, oder ein Haus voller unsichtbarer Termiten, die in den Wänden stecken? Die Schabe kann zwar Krankheiten übertragen, aber zumindest wissen Sie, daß sie da ist, und können etwas dagegen tun. Bei den Termiten glauben Sie dagegen die ganze Zeit, Sie hätten ein wunderbares Heim – bis eines Tages alles einstürzt und Sie in einem Haufen Sägemehl aufwachen, zu dem die Termiten Ihr Sweet Home verarbeitet haben.

Bill Clinton unterzeichnete in den letzten Tagen seiner Präsidentschaft eine ganze Reihe von Direktiven und Bestimmungen, von denen viele versprachen, unsere Umwelt besser zu schützen und sicherere Arbeitsbedingungen zu schaffen. Das war ein sehr zynischer Akt. Die letzten 48 Stunden der Amtszeit abzuwarten, um das Richtige zu tun, damit alle im nachhinein dachten: *Das war aber ein guter Präsident.* Dabei wußte Clinton genau, daß diese Last-Minute-Verordnungen unter der neuen Regierung sofort wieder aufgehoben würden. Er wußte, daß keine einzige dieser Verordnungen Bestand haben würde.

Es ging nur um sein Image.

Glauben Sie immer noch, Clinton habe das Arsen aus unserem Trinkwasser entfernt? Damit nicht genug, daß er acht Jahre lang nichts getan hat, um uns vor dem Trinken arsenhaltigen Wassers zu schützen – in der Anweisung, die er unterschrieben hat, stand, daß Arsen »bis zum Jahr 2004« nicht aus dem Wasser entfernt werden soll. Das stimmt. Sehen Sie nach. Clintons große Umweltschutzgeste in den letzten Minuten seiner Amtszeit sorgte da-

Clinton möchte ein Erbe hinterlassen:
Last-Minute-Erlasse und Verordnungen

Clinton hat acht Jahre gewartet, bis er sich endlich dazu durchrang, etwas Gutes zu tun – in den letzten Tagen seiner Präsidentschaft. Zwischen Tür und Angel verabschiedete er schnell noch einige Anweisungen. Er…

- schützte 242 760 Quadratkilometer Wald vor dem Abholzen und dem Straßenbau.
- führte Vorschriften zur Vermeidung von Berufskrankheiten ein, unter anderem zur Ergonomie und zu »wiederholter Belastung«.
- erhöhte die Grenzwerte für den Bleigehalt in Farben, Boden und Dieselbenzin.
- sah neue Luftschutzverordnungen für Dieselbenzin für große Lastzüge vor. Der Schwefelgehalt im Treibstoff müßte demnach um 95 Prozent gesenkt werden.
- verpflichtete Hersteller von Hot-Dogs und anderen Fertigprodukten, die Lebensmittel regelmäßig nach Listeria-Bakterien zu untersuchen.
- ordnete bei zentral gesteuerten Klimaanlagen Energiesparmaßnahmen an.
- arbeitete neue Vorschriften zum Stromverbrauch von Waschmaschinen aus.
- sah strengere Auflagen für energiesparende Wasserboiler vor.
- verbesserte den Schutz der Seeotter entlang der Westküste.
- verschärfte die Auflagen für das Angebot importierter Lebensmittel.
- schlug vor, die Zulassung des Antibiotikums Enroflaxacin in Putenfleisch aufzuheben, weil Keime und Bakterien resistent gegen das Mittel wurden.
- schützte die Seelöwen Alaskas.

- verpflichtete Eisen-, Blei- und Stahlhütten, die Öffentlichkeit über sämtliche Blei-Emissionen zu informieren, die höher lagen als 45 Kilogramm jährlich – ein drastischer Einschnitt gegenüber bislang mehr als 11 000 Kilogramm jährlich.
- schuf ein über 194 000 Quadratkilometer großes Naturschutzgebiet bei Hawaii. In den Korallenriffen wurde das Bohren nach Erdöl verboten und der Fischfang auf den gegenwärtigen Stand begrenzt.
- sah strengere Vorschriften zur Kennzeichnung der Inhaltsstoffe von Fleisch vor.
- untersagte Schneemobile in Naturparks.
- legte neue Sicherheitsvorschriften für Kinder in Fahrzeugen fest, die Kinder zu Kursen im Rahmen der Vorschulerziehung bringen.
- beschränkte die Informationen, die Krankenversicherer ohne Einwilligung des Patienten weitergeben dürfen.
- schützte Bundesland vor Bergbauarbeiten, falls der Bergbau dem Land irreparable Schäden zufügen sollte.
- ermöglichte es den Bundesbeamten, Aufträge nicht an Firmen zu vergeben, die gegen Umweltschutz-, Arbeits-, Verbraucherschutz- und Beschäftigungsgesetze verstoßen.
- setzte Grenzen für die Anwendung von körperlichen Strafen und Arrest bei unter Einundzwanzigjährigen in psychiatrischen Anstalten.
- schlug vor, gentechnisch hergestellte Pestizide zu überwachen.
- bezuschußte das öffentliche Nahverkehrsnetz von Chicago mit 320 Millionen Dollar.
- bezuschußte die Verkehrserziehung von Kindern in den Staaten mit 7,5 Millionen Dollar.

geht noch weiter

- stellte 18 Millionen Dollar dafür bereit, um Ackerland von kalifornischen Bauern zu kaufen, das für den Umweltschutz von Bedeutung war.
- überarbeitete die Vorschrift zur »Entsorgung von Bauaushub« und schützte die Feuchtgebiete des Landes.

für, daß wir weiter genauso arsenhaltiges Wasser trinken wie seit 1942 – dem letzten Jahr, in dem ein ECHTER Demokrat den Mut hatte, gegen die Interessen des Bergbaus den zulässigen Grenzwert dieses Giftes zu senken. Die Kanadier und Europäer haben das schon vor langer Zeit getan. Aber Clinton ignorierte das Gesetz, das von der Umweltschutzbehörde verlangte, den Arsengehalt zu verringern. Deshalb verklagte die Umweltorganisation National Resources Defense Council die Clinton-Administration. In der letzten Woche gab Clinton endlich nach – und dann fügte er noch einen Passus ein, der die Umsetzung der Änderung um vier Jahre verzögerte. Folglich legte Clinton amtlich fest, daß wir dieses Gift während der gesamten Regierungszeit Bushs trinken müssen. Womöglich tat er uns einen Gefallen damit.

Und was ist mit den Bestimmungen zum Kohlendioxydausstoß, die Bush II. aufgehoben hat? Habe ich gesagt »aufgehoben«? *Was* aufgehoben? Bush hat lediglich den Status quo unter Clinton beibehalten. Er sagte, sinngemäß: »Ich verschmutze die Luft genauso stark weiter, wie Clinton das in seinen acht Jahren Regierungszeit getan hat, und ihr trinkt unter meiner Aufsicht das gleiche Arsen im Wasser wie schon unter Clintons Aufsicht.«

Ähnlich wie die eingebaute vierjährige Verzögerung bei der Arsenverordnung, besagten auch Clintons Last-Minute-Anweisungen zu den giftigen Abgasen, daß sie nicht sofort gesenkt werden müßten. Mitte November, als er den Ausgang der Wahl zu ahnen begann, forderte er strenge Vorschriften zu vier Treibhausgasen, darunter Kohlendioxid. Seine Worte klangen wiederum ganz nett, aber wenn man das Kleingedruckte las, dann stellte man fest, daß die neuen Grenzwerte erst 2010 in Kraft treten sollten. Darüber hinaus, als wäre das nicht schon schlimm genug, sollte 10 bis 15 Jahre lang keine neue Verordnung durchgesetzt werden können.

Die Liste läßt sich beliebig fortsetzen. Acht Jahre lang unternahm Clinton NICHTS gegen das Karpaltunnelsyndrom, das laut OSHA-Bestimmungen als Berufskrankheit anerkannt ist. Mitten in der Generalamnestie für ein paar reiche Steuerflüchtlinge und vermutlich in der schlaflosen Nacht zum 19. Januar wollte er dann plötzlich allen Frauen etwas Gutes tun, die den ganzen Tag am Keyboard sitzen und ihn, mit ihren verkrüppelten Händen, ZWEIMAL zum Präsidenten gewählt haben.

Leute, ihr werdet von einem Haufen professioneller »Liberaler« hinters Licht geführt. Acht Jahre lang haben sie selbst NICHTS getan, um diesen Saustall auszumisten – und jetzt fällt ihnen nichts Besseres ein, als Menschen wie Ralph Nader anzugreifen, der sein ganzes Leben für all diese Dinge gekämpft hat. Was für eine Erzfrechheit! Sie werfen Nader vor, uns Bush eingebrockt zu haben? Ich werfe DENEN vor, selbst Bush zu sein! Sie nuckeln am selben Busen der Unternehmen, sie unterstützen Projekte wie die NAFTA – die nach Angaben der Umweltschutzorganisation Sierra Club eine Verdoppelung der Umweltverschmutzung entlang der mexikanischen Grenze zur Folge hatte, weil amerikanische Fabriken dorthin verlegt wurden.

Wenn Clinton den Job erledigt hätte, den alle seine Wähler von 1992 von ihm erwartet hatten, dann würden wir jetzt nicht in diesem Schlamassel stecken. Was wäre gewesen, wenn Clinton an seinem ersten Tag im Amt vor mehr als acht Jahren die Senkung des Arsengehalts im Trinkwasser angeordnet hätte – und alle Amerikaner acht Jahre lang saubereres, gesünderes Wasser getrunken hätten? Glauben Sie etwa, Bush Junior hätte dann auch nur den Hauch einer Chance gehabt, einfach zu sagen: »Okay, Amerika, ihr trinkt jetzt lang genug unvergiftetes Wasser. Kehren wir zur guten alten Zeit zurück, als wir noch Arsen schlürften«? Nie und nimmer! Niemand hätte das akzeptiert.

Und er hätte das genau gewußt. Er hätte nicht einmal den Versuch gewagt, das rückgängig zu machen. Weil Clinton jedoch bis zur letzten Minute wartete und kein Milligramm dieses Giftes aus dem Wasser und aus der Luft entfernte, entwickelte sich weder eine politische noch eine breite Unterstützung für die Entgiftung des Trinkwassers. Deshalb fiel es Bush leicht, das zu tun, was er getan hat. Er rechnete damit, daß die Leute nicht vermissen werden, was sie ohnehin niemals gehabt hatten.

Freilich hat Bush dabei eines vergessen: Die meisten Amerikaner wußten gar nicht, daß sie unter Clinton arsenhaltiges Wasser tranken. Wir haben es George W. zu verdanken, der gleich am ersten Tag im Amt unter großem Medienrummel Clinton »rückgängig« machen wollte, daß wir, die Büger, endlich erfuhren, wie ungesund unser Wasser ist. Stellt euch jetzt einmal die schmerzliche Frage: Wenn ihr nicht den blassen Schimmer von dem hohen Arsenwert unter Clinton hattet oder euch zumindest nie beschwertet, glaubt ihr, Gore hätte das Arsen aus dem Wasser entfernt? Weshalb hätte er das tun sollen? Ihr, das Volk, wußtet gar nichts davon, ihr habt euch nie im Weißen Haus beschwert, daß ihr kein Arsen mehr trinken wollt – und in den Industrien, die einen großen Teil des Arsens ausstoßen, arbeiten genau die Menschen, die auch Gores Wahlkampf finanzierten. Ich habe mir alle Wahlkampfbroschüren und Aussagen Gores genau angesehen und bis heute kein einziges Wort über Arsen im Wasser gefunden.

Seien wir ehrlich: Nur wegen Bushs idiotischem Aktionismus wird der Arsengehalt jetzt endlich gesenkt werden. Der ganze Rummel hat das Thema erst in das Bewußtsein der Öffentlichkeit gebracht, und da ist es auch geblieben. Deshalb haben sich 19 Republikaner im Kongreß, die vielleicht den politischen Gegenwind spürten oder eine Gelegenheit für eine PR-Aktion witterten, den Demokraten im Kampf gegen das Arsen angeschlossen – und wir, das amerikanische Volk, werden am Ende saubereres Wasser trinken. Diese 19 Republikaner haben, gemeinsam mit den Demokraten, einen Gesetzentwurf verabschiedet, der nicht nur Bush daran hindert, Clintons Last-Minute-Verordnung aufzuheben, sondern weit über Clintons Vorschlag *hinausgeht* und den Grenzwert noch tiefer senkt. Das geschah nicht unter Clinton und – glaubt mir – Präsident Gore hätte das Thema gar nicht erst angesprochen. So traurig es ist, aber nur weil jetzt im Weißen Haus ein Schwachkopf sitzt und kein Speichellecker, kam es überhaupt dazu.

Außerdem machte Bush sich in seinen ersten Monaten schwer unbeliebt, weil er unsere Steuergelder den Kirchen für »karitative Zwecke« geben wollte. Welchen Aufschrei der Empörung das auslöste! Deshalb hier meine Frage: Wo waren die sogenannten People for the American Way und andere liberale Gruppierungen im Jahr 1996, als *genau dieselbe Wendung* in Clintons Gesetzentwurf zur Reform des Sozialhilfesystems stand? Religiöse Organisationen erhalten seit nunmehr über fünf Jahren Bundeszuschüsse. Weshalb das plötzliche Wehgeschrei über die »Trennung von Kirche und Staat«, wenn Clinton doch bereits getan hat, was Bush nur noch weitertreiben will? Liegt es daran, daß Clintons »Glaube« uns besser gefällt?

Und was Bushs Anweisung betrifft, keine Gelder für Abtreibungen im Ausland bereitzustellen: wieder falsch. Clinton, der sich für die freie Entscheidung der Frau einsetzte (Stichwort »Pro-choice«), unterschrieb genau wie die beiden Präsidenten vor ihm ein Verbot, für Abtreibungen im Ausland Bundeszuschüsse zu gewähren. Bush ging lediglich so weit, sämtliche Gelder für ausländische Organisationen zur Familienplanung zu streichen, die Frauen eine Abtreibung als Option anboten. Das ist schlimmer, keine Frage – aber er konnte das nur durchsetzen, weil unser demokratischer Präsident den Grundstein für weitere Kürzungen der Gelder für Abtreibungen legte, indem er einer Herzensangelegenheit der Rechten seine »liberale« Zustimmung gab. Wenn man dem Teufel einen Finger hinhält, dann gibt er sich damit nicht zufrieden – er nimmt die ganze Hand.

Ersparen Sie mir also Ihr Gejammer über Bush den Kleineren. Diejenigen, die Bush zu einem Comic-Monster aufplustern wollen, verfolgen ein bestimmtes Ziel damit: Die Amerikaner sollen nicht merken, was für Untiere sie selbst geworden sind. *Natürlich* hassen sie Ralph Nader. Er ist ein lästiger Mahner. Er erinnert uns ständig daran, was geschehen könnte, wenn wir jemals einen Kandidaten wählen würden, der die unteren 90 Prozent unserer Gesellschaft repräsentiert. Ob ihr Nader die Schuld gebt oder Bush, alles ist Teil desselben Ablenkungsmanövers – um uns davon abzuhalten, eine überaus wichtige Tatsache zu registrieren: Sei es republikanisches Arsen, sei es demokratisches Arsen, es ist in Wirklichkeit immer derselbe Mist, den wir schlucken müssen.

Bush wird jedoch nie herausfinden, wie man bei all dem Unsinn, den er getrieben hat, am Ende so gut dastehen kann wie Clinton. Bush sollte unbedingt bei Clinton Nachhilfeunterricht in Sachen Charisma nehmen. Das war in der Tat ein Mann, der wußte, wie man das Volk gewinnt. Was immer man von ihm halten mag, er war liebenswert, smart, witzig und bodenständig. Er wußte, daß die Amerikaner an ihren Präsidenten *glauben* wollen. Er hat festgestellt, daß *etwas Sagen* praktisch das Gleiche ist wie *etwas tun.* Wenn man sagte, man sei für eine saubere Umwelt, dann reichte das völlig aus – man brauchte nichts weiter zu *tun* für eine saubere Umwelt. Man könnte sie sogar ungestraft noch *stärker* verschmutzen, und die meisten Menschen würden das gar nicht merken. Man konnte sagen, daß man für die freie Entscheidung der Frau sei, und dann die umfassendste Schließung von Abtreibungskliniken einleiten, seit Abtreibungen legalisiert wurden. (Was nutzt es, für die freie Entscheidung zu sein, wenn in 86 Prozent aller amerikanischen Counties kein einziger Arzt eine Abtreibung vornehmen wird und deshalb keine einzige Frau abtreiben kann?) Clinton hat es mit kernigen, feministischen Sprüchen fertiggebracht, daß keine einzige Feministin gegen die Verordnung protestierte, die er 1999 unterschrieb: das Verbot der Zuteilung von Bundesmitteln an ausländische Organisationen, die bei Beratungsgesprächen das Wort Abtreibung erwähnen. Alle halten das für Bushs Idee! Da sieht man, wie clever Clinton war. Und genau deshalb brachte er alle Frauengruppen auf seine Seite – weil er *sagte,* er sei für sie.

So macht man das also. Etwas (Vernünftiges) sagen, dann das Gegenteil tun. Oder gar nichts tun.

Das Ganze läuft darauf hinaus, daß unser Problem, letztlich, nicht Bush ist. Das Problem sind die Demokraten! Bush wären die Hände gebunden, wenn die Demokraten endlich anfangen würden, wie eine echte Opposition aufzutreten. Bush wäre nicht einmal im Weißen Haus, wenn nur ein Demokrat im Repräsentantenhaus die Stimmen der Wahlmänner angefochten hätte. Aber kein einziger hat den Mund aufgemacht.

Und während der größeren Hälfte von Bushs erstem Amtsjahr erwiesen sich die Demokraten als Bushs willige und nötige Helfer bei unsinnigen Projekten.

Nehmen wir die Reform des Konkursrechts, den Bankruptcy Reform Act. Dem einfachen Arbeiter, der Konkurs beantragen muß, wurde das Leben dadurch zur Hölle gemacht. Die Schulden werden nicht gestrichen, sondern nach dem neuen Gesetz, das von beiden Häusern des Kongresses verabschiedet und von Bush unterzeichnet wurde, stehen diejenigen, die alles verloren haben, weiter in der Schuld der Banken und Kreditkartenunternehmen – in irgendeiner Form müssen sie alles zurückzahlen. Mit anderen Worten, Millionen Menschen werden sich nie wieder von einer drückenden Schuldenlast befreien können.

Der Gesetzentwurf wurde mit den Stimmen von 37 demokratischen Senatoren – darunter sämtliche Senatorinnen – verabschiedet, die sich allesamt auf die Seite der Banken stellten, statt auf die Seite der amerikanischen Arbeiterfamilien. Ausgerechnet die schwerreichen Demokraten im Senat – Kennedy, Rockefeller, Corzine, Dayton – stimmten gegen dieses repressive Gesetzeswerk.

Ein Gesetzentwurf nach dem anderen, den das von Bush besetzte Weiße Haus dem Kongreß vorlegte, wurde von unzähligen Demokraten mit hellem Jubel begrüßt. Bushs Steuersenkungsgesetz wurde mit überwältigender Mehrheit verabschiedet,

Es ist Zeit, diese »Demokraten« abzuwählen

Aus der Liste geht hervor, wie weit sich Ihre demokratischen Repräsentanten im Kongreß von fortschrittlichen Zielen distanziert haben. Die Prozentzahl in Klammern gibt an, wie häufig sie *gegen* eine liberale Gesetzgebung und *für* die Republikaner gestimmt haben. (Quelle: Americans for Democratic Action; Grundlage sind die Abstimmungsergebnisse des Jahres 2000.)

Repräsentantenhaus

Ralph M. Hall, TX: stimmte in 80% der Fälle mit den Republikanern ab
Ken Lucas, KY: 75%
Christopher John, LA: 70%
Jim Traficant, OH: 70%
Marion Berry, AR: 65%
Bud Cramer, AL: 65%
Ronnie Shows, MS: 65%
Jim Barcia, MI: 60%
Ike Skelton, MO: 60%
William O. Lipinski, IL: 55%
Tim Roemer, IN: 55%
Adam Smith, WA: 55%
Charlie Stenholm, TX: 55%
John Tanner, TN: 55%
Gene Taylor, MS: 55%
Sanford D. Bishop jr., GA: 50%
Allen Boyd, FL: 50%
Gary Condit, CA: 50%
David Phelps, IL: 50%
Leonard Boswell, IA: 45%
Jerry Costello, IL: 45%
Tim Holden, PA: 45%
Paul E. Kanjorski, PA: 45%
James H. Maloney, CT: 45%
Michael R. McNulty, NY: 45%
Bob Clement, TN: 40%
Bob Etheridge, NC: 40%
Harold Ford, TN: 40%
Bart Gordon, TN: 40%
Collin C. Peterson, MN: 40%
Max Sandlin, TX: 40%
Shelley Berkley, NV: 35%
Peter Deutsch, FL: 35%
Mike Doyle, PA: 35%
John J. LaFalce, NY: 35%
Frank Mascara, PA: 35%
Carolyn McCarthy, NY: 35%
Dennis Moore, KS: 35%
Solomon P. Ortiz, TX: 35%
Loretta Sanchez, CA: 35%
Bart Stupak, MI: 35%

Brian Baird, WA: 30%
Lois Capps, CA: 30%
Eva Clayton, NC: 30%
Cal Dooley, CA: 30%
Barry Hill, IN: 30%
Darlene Hooley, OR: 30%
Jay Inslee, WA: 30%
William J. Jefferson, LA: 30%
Jim Moran, VA: 30%
Nick Rahall, WV: 30%
Vic Snyder, AR: 30%
John Spratt, SC: 30%
Ellen Tauscher, CA: 30%

Senat

Zell Miller, GA: stimmte in 100% der Fälle mit den Republikanern ab
John Breaux, LA: 50%
Daniel Inouye, HI: 40%
Max Cleland, GA: 30%
Blanche Lincoln, AR: 30%

obwohl nur die reichsten zehn Prozent unseres Landes davon profitieren.

Demokraten haben Bush auch bei der Bombardierung des Irak und seinen aggressiven Schritten gegen China unterstützt. Im August 2001 erreichte die Zusammenarbeit ihren Höhepunkt, als das Repräsentantenhaus Ölbohrungen in der Wildnis von Alaska genehmigte. 34 Republikaner waren bereits abgesprungen und hatten erklärt, daß sie in dieser Angelegenheit gegen ihre eigene Partei stimmen würden. Das war für alle Umweltschützer eine freudige Überraschung. Aber die Freude verging ihnen schon bald, als die Abstimmung ausgezählt wurde: *36* Demokraten hatten für Bushs Vorhaben gestimmt.

Das traurigste Schauspiel boten die Demokraten jedoch, als sie *alle* Kandidaten Bushs für das Kabinett bestätigten. Einige Kandidaten erhielten sogar einstimmig die Unterstützung der Demokraten im Senat; selbst umstrittene, wie John Ashcroft, konnten eine Reihe wichtiger demokratischer Stimmen für sich verbuchen. Und kein einziger demokratischer Senator war bereit, die gleiche Obstruktionstaktik anzuwenden, die ein wutentbrannter Republikaner betrieben hätte, wenn ein demokratischer Präsident

Verwundbare Republikaner, die geschlagen werden können

Die folgenden republikanischen Mitglieder des Kongresses könnten aller Wahrscheinlichkeit nach geschlagen werden, wenn ein starker und *echter* Demokrat gegen sie antreten würde:

Im Senat

Wayne Allard, CO
Susan Collins, ME
Pete Domenici, NM
Tim Hutchinson, AR
Mitch McConnell, KY
Bob Smith, NH
Gordon Smith, OR
Ted Stevens, AK
Strom Thurmond, SC

Im Repräsentantenhaus

Shelley Moore Capito, WV
Mike Ferguson, NJ
Melissa Hart, PA
Steve Horn, CA
Mark Kennedy, MN
Doug Ose, CA
Charles (Chip) Pickering, MS
Mike Rogers, MI
Rob Simmons, CT
Heather Wilson, NM

einen Extremisten wie Ashcroft zum Justizminister vorgeschlagen hätte. Wenn ich mich recht entsinne, war Janet Reno damals die Nummer drei von Clinton: Die ersten beiden Kandidaten fielen durch, weil die Republikaner wegen deren Ansichten über Kindermädchen ein gewaltiges Tamtam veranstaltet hatten.

Aber das ist eben der Unterschied: Demokraten haben kein Rückgrat. Sie geben *immer* klein bei. Kein einziger in ihren Reihen ist bereit, für uns so zu kämpfen, wie ein Tom Delay oder Trent Lott für seine Seite kämpft. Diese Jungs lassen nicht lokker, bis sie gewonnen haben, ganz gleich, wie viele Leichen ihren Weg dabei pflastern.

Demokraten sind heutzutage nichts anderes als Möchtegern-

Republikaner. Aus diesem Grund mache ich folgenden Vorschlag: Die Demokraten müssen mit den Republikanern fusionieren. Dann dürfen sie weiter das tun, was beide so hervorragend können – die Reichen repräsentieren –, und sie sparen eine Menge Geld, weil sie den Stab und das Hauptquartier zu einer kompakten, schlagkräftigen Kampfmaschine für die oberen 10 Prozent zusammenfassen könnten.

Welche Vorteile hätte eine solche Fusion? Die Arbeiter dieses Landes bekämen endlich eine eigene Partei! Was ist denn daran so falsch? Das wäre die zweite Partei des Zwei-Parteiensystems, nur daß sie die anderen 90 Prozent unserer Gesellschaft repräsentieren würde.

Um das Ganze zu beschleunigen, mache ich den Demokraten und den Republikanern folgendes Angebot: Ich zahle aus meiner eigenen Tasche die Notargebühren und sonstige Gebühren für die Einreichung der Unterlagen bei der Wahlkommission, mit denen die Fusion amtlich bestätigt wird: die brandneue Demokratisch-Republikanische Partei! Als Geschenk lasse ich euch sogar den Esel, das Maskottchen der Demokraten, den ihr mit dem Elefanten der Republikaner kreuzen dürft. Da kommt bestimmt ein lustiges Vieh heraus!

Deshalb verlange ich, daß die Führer der Demokratischen Partei die Schlüssel zum Parteihauptquartier an 430 South Capital Street in Washington, D.C., mir (oder einem anderen, der für die Schlüssel verantwortlich sein möchte, weil ich sie wahrscheinlich verliere) am 31. Dezember 2002 punkt 24.00 Uhr übergeben. Gut 200 Millionen Amerikaner wünschen sich endlich ein echtes Zwei-Parteien-System (oder drei Parteien oder vier Parteien, das ist ein großes Land, Mann!), wobei die eine Partei um das Recht kämpft, den eigenen Tennisplatz als Betriebsausgabe abzusetzen, und die andere um das Recht, einen Arzt aufzusuchen, wenn man krank ist. So einfach ist das.

Falls die gegenwärtige demokratische Führung sich weigern sollte, mir die Schlüssel auszuhändigen, habe ich vor, eine Sammelklage im Namen aller Bürger, die jemals für einen Demokraten gestimmt haben, einzureichen, Anklagepunkte: Wahlbetrug und Plagiat eines eingetragenen Warenzeichens. Schließlich sind alle »Demokraten« in Wirklichkeit Republikaner und begehen somit einen Betrug an allen Bürgern, die ihnen ihr Geld, ihre Zeit und ihre Stimme gegeben haben. Ich werde eine einstweilige Verfügung beantragen, die es ihnen untersagt, das Wort »Demokrat« weiter ohne den Zusatz »Republikanisch« zu verwenden.

Unterdessen können wir übrigen Amerikaner die nötigen Schritte einleiten. Wir können unsere Partei die Neuen Demokraten nennen oder die Grünen Demokraten oder die Freibier-Demokraten. Das klären wir später an einem runden Tisch.

(Leser, die mir die Kosten eines solchen Gerichtsverfahrens ersparen wollen, können versprechen, alle Schein-Demokraten abzuwählen und nur für aufrechte, fortschrittliche Kandidaten zu stimmen, die für das Gegenteil von dem kämpfen, wofür die Republikaner stehen.)

Allen demokratischen Politikern, die das bevorstehende Gemetzel überleben wollen, möchte ich raten: Hört auf, heimlich für den freien Markt zu arbeiten. Dies ist mein letzter kostenloser Rat an die Partei, die neun Jungs aus meiner High-School-Klasse nach Vietnam in den Tod geschickt hat. Wenn ihr euren Saustall nicht endlich ausmistet, dann fahrt zur Hölle mitsamt dem Esel, auf dem ihr in den Kongreß eingezogen seid.

ELEVEN

Das Gebet für die Menschheit

Ich glaube, es war Thomas von Aquin, der einst feststellte: »An der eigenen Scheiße merkt man erst, wie sehr man stinkt.«

Im Juli 2001 saß Nancy Reagan Tag und Nacht am Sterbebett ihres Gatten und schickte die ehemaligen Reagan-Gefolgsleute Michael Deaver und Kenneth Duberstein mit einer privaten Botschaft an George W. Bush und an die Parteiführung nach Washington, D.C. Die Partei war zum Thema Stammzellenforschung gespalten, der aktuellen Forschungsrichtung, bei der abgetriebenen Embryonen Stammzellen entnommen werden. Mit diesen Zellen sollen Menschen mit Krankheiten wie Alzheimer (das Gebrechen, an dem Ex-Präsident Reagan leidet) behandelt oder Heilmethoden für andere schwere Krankheiten entwickelt werden. Die eingeschworenen Abtreibungsgegner (darunter die Reagans und die Bushs), die jahrzehntelang in der Partei das Sagen hatten, forderten, Forschungen an Embryonen zu verbieten, und zwar ohne Rücksicht auf das Leiden der Lebenden.

George W. tendierte ebenfalls dazu, diese Experimente zu verbieten, und erklärte sinngemäß in aller Öffentlichkeit, er betrachte diese toten Embryonen als lebendige Babys. Ich nehme an, er hatte Angst, Frauen würden sich jetzt scharenweise befruchten lassen, nur damit sie ein Embryo bekämen, es abtreiben und danach an die Forschung verkaufen könnten. Derlei Phantasien haben die konservativen Betonköpfe, die dieses Land regieren.

Doch der Beton bekommt allmählich Risse, weil zahlreiche Konservative, von Tommy Thompson bis zu Connie Mack, sich inzwischen für die Stammzellenforschung aussprechen und erklären, daß es dabei keinesfalls darum gehe, ein »Menschenleben« auszulöschen. Mit einem Mal berichteten fast alle Medien von einem Gesinnungswandel der Konservativen zu dem Thema. Die Organisation Right to Life kämpfte verzweifelt gegen den Strom an, der auf eine vernünftige Lösung zutrieb.

George W. jedoch schien unbeirrt und unbewegt, beschäftigte sich intensiver mit der Zahnpastamarke des britischen Premierministers als mit einer Änderung seiner Haltung zu Abtreibungen.

Dann jedoch traf die Botschaft von Nancy ein. Die angehende Witwe bat Bush, seine Einstellung zu ändern und die Stammzellenforschung zu erlauben, zu unterstützen, zu finanzieren und voranzutreiben. Diese Forschungsrichtung könne, teilte sie ihm über ihre Boten mit, Ronnie oder künftige Ronnies heilen, die an Alzheimer, Parkinson, der Lou-Gehrig-Krankheit und anderen schweren Krankheiten litten. Nancy hatte ihre Haltung zu Abtreibungen in den vergangenen Jahren allmählich geändert und erklärte jetzt zum ersten Mal in aller Öffentlichkeit: Ein Embryo ist KEIN Mensch.

Auf einen Schlag veränderte sich das gesamte Umfeld. Aus berufenem Mund war der Ruf ertönt: WEG MIT DEM UNGEBORENEN LEBEN! RETTET DEN GAUNER!

Und wer hätte das für möglich gehalten? Wenige Tage später schmolzen Baby Bushs Grundsätze dahin wie der Märzenschnee. Aus dem Weißen Haus verlautete, daß »eine bestimmte« Stammzellenforschung nunmehr gestattet sei. Bush trat im Fernsehen auf und erklärte nicht länger, ein menschliches Embryo sei bereits ein *menschliches Wesen.* Nachdem uns jahrzehntelang eingetrichtert wurde, daß »das menschliche Leben mit der Empfängnis beginnt«, bekamen wir jetzt von denselben Leuten, die den Frauen das Recht auf Abtreibung streitig gemacht haben, zu hören, daß diese »ungeborenen Babys« in Wirklichkeit nicht mehr seien als totes embryonisches Zellenmaterial – das möglicherweise ein paar kranke, reiche Menschen noch ein paar Jahre am Leben erhalten könnte!

Im ganzen Land stimmten republikanische Vorredner in den Ruf nach mehr Stammzellenforschung ein. Orrin Hatch, der Vorsitzende des Justizausschusses im Senat, führte die Kampagne an und erklärte: »Hier geht es nicht um die Vernichtung menschlichen Lebens, hier geht es um die Erleichterung des menschlichen Lebens.« Selbst Strom Thurmond, der bislang das Credo »nur bei Vergewaltigungen oder Inzestfällen« vertreten hatte, stimmte mit ein. »Mit Hilfe der Stammzellenforschung können möglicherweise Krankheiten wie Multiple Sklerose, Alzheimer, Parkinson, Herzkrankheiten, verschiedene Krebsarten und Diabetes behandelt und geheilt werden… Diese bahnbrechenden Ergebnisse der Wissenschaft machen mir neuen Mut, und ich unterstütze die Finanzierung der Forschung aus Bundesmitteln«, sagte der alte Mann, dessen Tochter, nebenbei bemerkt, an Jugenddiabetes leidet.

Wie ich diese dreisten, rechten Heuchler liebe! Ihr ganzes Leben lang machen sie allen anderen das Leben schwer, aber sobald sie selbst ein kleiner Schicksalsschlag trifft, heißt es sofort: »Zum Teufel mit dem Wertesystem – ich will Ergebnisse!« Jahrelang widmen sie ihre ganze Energie dem Bestreben, allen Schwarzen, Mädchen oder Männern, die Männer lieben, den sozialen Aufstieg oder auch nur eine einigermaßen würdevolle Behandlung zu verwehren, aber kaum bleibt jemand aus der *eigenen* Familie zurück: Holla, Freundchen, wirf meinem Zögling keine Steine in den Weg, er ist etwas Besonderes!

Reagan, Bush, Cheney und das ganze Pack tragen die Verantwortung für Jahrzehnte einer grausamen Gesetzgebung, die das Ziel hatte, die Armen zu knechten, Menschen mit Gesundheitsproblemen (Drogenabhängige) hinter Gitter zu bringen oder verzweifelten Menschen ihre Rechte zu entziehen, die sich »illegal« in Amerika aufhalten. Aber wenn sie *selbst* in eine verzweifelte Lage geraten, sind sie auf einmal so voller Gnade und Erbarmen wie der Heilige Franziskus und die Mutter Teresa zusammen.

Die Reichen und Mächtigen haben es sich zu ihrer Lebensaufgabe gemacht, unsere Luft und unser Wasser zu verschmutzen, uns auszunehmen und uns am Kundendienstschalter jede Hilfe zu verweigern, doch wenn sie *selbst* die Folgen ihrer Handlungsweise zu spüren bekommen, dann geraten sie nicht in Panik, sondern betteln einfach um eine milde Gabe.

Ehrlich gesagt, ich halte das für eine gute Nachricht! Hoffen wir, daß sie alles bekommen, worum sie betteln. Wenn sich erst eine persönliche Tragödie ereignen muß, damit sie zur Vernunft kommen, dann mußte es eben so sein. Letzten Endes sind sie trotz ihrer Villen mit sieben Badezimmern und Garagen voller Bentleys genauso wie wir. Sie sind MENSCHEN. Und wenn einer ihrer lieben Angehörigen im Bett liegt und ständig seine Erwachsenenwindeln vollkackt oder in die neue Designerbettwäsche pißt und vor sich hin brabbelt wie die armen Behinderten, deren Unterstützung aus Bundesmitteln sie neulich erst gekürzt haben, dann sieht bei arm und reich der Eiter aus Gesichtswunden genau gleich aus. Die Gleichheit ist vollkommen – eine Nation, pflegebedürftig, Gerechtigkeit für alle.

Deshalb werden wir nun also, dank Ronald Reagans traurigem Schicksal, eine aus Bundesmitteln finanzierte Stammzellenforschung bekommen und vielleicht sogar eine Heilmethode für Alzheimer und weiß der Herr was noch alles entdecken. Denken wir darüber mal einen Augenblick nach: Das ist heutzutage nötig, damit eine kleine, vielversprechende Forschungsrichtung finanziert wird. Unser geliebter Ex-Führer, der dazu beigetragen hat, das Leben von Millionen von Frauen zu ruinieren, weil er selbst glaubte, Embryonen seien kleine Würmer, sitzt jetzt selbst in der Patsche – und nur weil ein Häuflein Konservativer ihn wie einen Heiligen verehrt, werden Millionen von Durchschnittsamerikanern endlich von ihren Leiden erlöst?

Dieses Phänomen – Gutbetuchte ändern ihre Meinung, sobald sie selbst zu Opfern werden – ist überall zu beobachten. In New York City wehrte sich der republikanische Bürgermeister Rudolph Giuliani jahrelang energisch dagegen, daß die Stadt die Gesundheitsfürsorge für nicht versicherte Kinder zahlte, dann vollzog er eine radikale Kehrtwendung – nachdem er selbst an

Krebs erkrankte. »Ich muß zugeben«, erklärte ein vernichteter Giuliani vor der Presse. »Nach meiner Krebserkrankung betrachtete ich viele Dinge in einem anderen Licht.«

Oder nehmen wir Big Dick Cheney. In aller Stille stoppt Cheney sämtliche gegen Homosexuelle gerichteten Initiativen aus dem Weißen Haus. Warum? Weil seine Tochter lesbisch ist. Wo würde Dick Cheney stehen, wenn seine Tochter nicht ihr eigenes Geschlecht liebte? Vermutlich nicht allzuweit von der Straße in Wyoming, wo Matthew Shepard an einem Kreuz aus Zaunpfählen starb. Ein paar übergeschnappte rechte Jugendliche hatten den armen Schwulen grausam ermordert. Die Schwulen und Lesben erhalten eine ganz neue Dimension, sobald einer von ihnen im eigenen Nest sitzt. Der Tag, an dem seine Tochter ihr Coming-out hatte, war zumindest ein Tag, an dem Dick Cheney nicht mehr ein stinkreicher Republikaner war, sondern wie ein menschliches Wesen und ein Vater reagierte. Wenn es einen im eigenen Haus trifft, dann fällt es einem viel schwerer, sich weiter wie ein Arschloch aufzuführen.

Deshalb bin ich zu dem Schluß gekommen, daß uns in diesem Land keine andere Hoffnung bleibt, den Kranken zu helfen, die Opfer der Diskriminierung zu schützen und allen Leidenden ein besseres Leben zu ermöglichen, als wie verrückt darum zu beten, daß die Männer an der Macht von den schlimmsten Krankheiten, Tragödien und Schicksalsschlägen gepeinigt werden. Ich kann Ihnen nämlich garantieren, daß wir alle, sobald es um deren eigenen Arsch geht, auf dem besten Weg sind, gerettet zu werden.

Mit diesem Hintergedanken habe ich ein Gebet geschrieben, das die Erlösung aller Leidgeplagten beschleunigen soll. Wir müssen Gott darum bitten, jedem Politiker und jedem Manager eine tödliche Krankheit auf den Hals zu schicken. Ich weiß, daß es nicht nett ist, Gott zu bitten, anderen Leid anzutun, aber ich stelle mir Gott nicht nur barmherzig und gerecht vor, sondern auch mit einem außerordentlich gut entwickelten Sinn für Ironie. Ich denke, es würde ihm gefallen, wenn diejenigen, die seinen

Planeten und seine Kinder geschändet haben, auch ein wenig leiden müssen.

Also habe ich »Ein Gebet, die Gutbetuchten mit so vielen Gebrechen wie möglich zu strafen«, geschrieben. Immerhin wissen wir aus der Bibel, daß es Gott in regelmäßigen Abständen gefällt, die Menschen mit Plagen zu strafen – und wer hätte mehr Strafe verdient als die dummen Weißen, die uns den ganzen Schlamassel eingebrockt haben?

Beten Sie dieses Gebet jeden Morgen mit mir, am besten vor der Eröffnung der New Yorker Börse. Es spielt keine Rolle, welcher Religion Sie angehören oder ob Sie überhaupt eine Religion haben. Dieses Gebet grenzt niemanden aus, hat in jeder Hosentasche Platz und benötigt keine Sammelbüchse.

Halb Afrika stirbt in wenigen Jahren an AIDS. Zwölf Millionen Kinder in Amerika bekommen nicht das zu essen, was gut für sie wäre. In Texas werden immer noch unschuldige Menschen hingerichtet. Die Zeit drängt. Neigen Sie Ihren Kopf und stimmen Sie jetzt mit mir ein in …

Ein Gebet, die Gutbetuchten zu strafen

Lieber Herr (Gott/Jahwe/Buddha/Bob/Niemand):

Wir flehen Dich an, oh gütiger Vater, denen Trost zu spenden, die heute leiden müssen, weil es Dir, der Natur oder der Weltbank aus irgendeinem Grund so gefällt. Wir sehen ein, oh himmlischer Vater, daß Du nicht alle Kranken auf einmal heilen kannst – dann wären ja die Krankenhäuser leer, die brave Nonnen in Deinem Namen gegründet haben. Und wir finden uns damit ab, daß Du, der Allmächtige, nicht alles Böse in der Welt ausrotten kannst, weil Du dann ja nichts mehr zu tun hättest.

Vielmehr bitten wir Dich, Herr, jeden Abgeordneten des Repräsentantenhauses mit einem schrecklichen, unheilbaren Krebsgeschwür im Gehirn, am Penis und an der Hand zu strafen (Reihenfolge beliebig). Wir bitten Dich, unseren liebenden Vater, jeden Senator aus dem Süden drogensüchtig zu machen, damit er selbst sein Leben lang hinter Gittern verbringen muß. Wir flehen Dich an, die Kinder aller Senatoren aus den Staaten in den Rokkys homosexuell zu machen – *richtig* homosexuell. Setz die Kinder der Senatoren aus dem Osten in einen Rollstuhl und steck die Kinder der Senatoren aus dem Westen in eine staatliche Schule. Wir flehen Dich an, du Allergnädigster, daß Du, genau wie Du einst Lots Frau zur Salzsäule erstarren ließt, die Reichen – *alle* Reichen – zu Armen und Obdachlosen machst, ihre ganzen Ersparnisse, Wertpapiere und Investmentfonds vernichtest. Setze sie von ihren Machtstellungen ab, und laß sie einmal durch das finstere Tal eines Sozialamts wandeln. Verdamme sie zu einem Leben voller widerlicher Burger und hartnäckiger Gerichtsvollzieher. Laß sie das Gejammer der Unschuldigen hören, während sie im Bus in der Mitte der Reihe 43 sitzen, und laß sie das Zähneknirschen spüren, wenn die Zähne verfault und zerfressen sind wie bei den 108 Millionen Amerikanern, die sich den Zahnarzt nicht leisten können.

Himmlischer Vater, wir beten, daß alle weißen Politiker (vor allem die Alumni der Bob Jones University), die der Ansicht sind, die Schwarzen hätten es heute doch gut, morgen mit einer Haut so schwarz wie Cola aufwachen, damit sie den Reichtum und die üppigen Früchte ernten können, die Amerika heute den Schwarzen darbietet. Wir bitten Dich untertänigst, Deine Gesalbten, die Bischöfe der heiligen römischen katholischen Kirche, mit Eierstöcken, ungewollten Schwangerschaften und einer Broschüre über die Knaus-Ogino-Methode zu strafen.

Und schließlich bitten wir Dich, unsern Herrn, daß Jack Welch im Hudson schwimmen muß, den er verschmutzt hat, daß Hollywoods Produzenten sich immer und immer wieder ihre eigenen Filme ansehen müssen, daß der Erzkonservative Jesse Helms von einem Mann auf die Lippen geküßt wird, daß es dem NBC-Moderator Chris Matthews die Sprache verschlägt, daß Du – so schnell wie möglich – die Luft aus Talkshowmaster Bill O'Reilly herausläßt und alle zu Asche verbrennst, die Schuld daran sind, daß in meinem Büro geraucht wird. Ach ja, und laß voller Zorn eine Heuschreckenplage los, die sich im Toupet des Minderheitsführers im Senat aus dem großen Staat Mississippi einnistet.

Höre unser Gebet und erhöre uns, Du König aller Könige, der Du im Himmel sitzt und – so gut es geht – auf uns aufpaßt, wenn man bedenkt, was für Idioten wir doch sind. Gewähre uns eine gewisse Erleichterung von unserem Elend und Leid, denn wir wissen, daß die Menschen, die Du strafst, sich schleunigst bemühen werden, ihre eigenen Leiden zu lindern. Und damit wären wir alsbald auch unsere Leiden los.

So beten wir im Namen des Vaters, des Sohnes und des Heiligen Geistes, der früher einmal ein Gespenst war, Amen.

EPILOG

Tallahassee Hi-Ho

Ich muß etwas gestehen:

Ich bin verantwortlich für die »Präsidentschaft« von George W. Bush. Ich, Michael Moore. Ich hätte alles verhindern können.

Nun habe ich viele Leute verärgert, und das Land steckt in der Scheiße.

Deswegen verstecke ich mich.

Ich schreibe diesen Epilog in meinem Bunker tief in den Wäldern von Michigan irgendwo am 45. Breitengrad. Die Einheimischen sagen, daß ich mich genau in der Mitte zwischen Äquator und Nordpol befinde, aber mir kommt es wie eine Million Meilen von Nirgendwo vor.

Ich denke nicht mehr darüber nach, wie wir das Land oder unseren Planeten retten können – meine einzige Sorge ist nur noch, wie ich meinen eigenen Arsch rette.

Alles begann in Tallahassee. Tallahassee, Florida. *Ja, das* Tallahassee.

Meine Anwesenheit in der Hauptstadt Floridas hatte nichts mit dem 36tägigen Medienzirkus nach der Wahl 2000 zu tun. Ich habe auf dieses politische Schmierentheater gepfiffen. Nein, das hätte mich zuletzt nach Tallahassee geführt, ich war an *keinem* dieser 37 Tage dort.

Ich landete 15 Tage *vor* der Wahl in Tallahassee. Womit ich ganz und gar *nicht* rechnete, war eine Begegnung im Morgengrauen mit dem Gouverneur von Florida, Jeb Bush. Nur er und ich auf einer dunklen Straße im verwaisten Zentrum von Tallahassee, die Leibwächter lauerten in der Nähe, bereit, mich beim geringsten Anlaß zum Frühstück zu verschlingen.

Ich war nach Florida gekommen, um zu verhindern, daß sein Bruder die Wahl gewann, um die Katastrophe abzuwenden, die bereits am Horizont lauerte, ich wollte den Feind in letzter Sekunde niederstrecken.

Doch meine Mission war zum Scheitern verurteilt.

Nun weiß ich nicht, wen ich mehr fürchten soll – die Ölmanager, die vom Oval Office aus das Unternehmen »Vereinigte Staaten von Amerika« betreiben, oder die verstörten Liberalen, die meinen Kopf fordern, weil sie denken, ich würde hinter der Nader-Kampagne stecken und ich … ich … ich …

OKAY! ICH GEBE ALLES ZU; ES IST WAHR!! ICH WAR'S – JA ICH! ICH! ICH! DAS IST *ALLES* MEINE SCHULD!! WAS HABE ICH MIR NUR DABEI GEDACHT??? WOLLTE ICH SUSAN SARANDON WIRKLICH AUF *DIESE WEISE* KENNENLERNEN? ALS DEAD MAN WALKING? WIRD SIE DEM ZUM TODE VERURTEILTEN NOCH EIN WENIG LIEBE SCHENKEN? Oh Gott, vergib mir, ich habe das Land ruiniert – diese wundervolle verrückte Nation voller Idealisten und Buchhalter, die doch nur mit ihrem Chevy Blazer über die fruchtbaren Ebenen brausen wollen, deren einziger Wunsch es ist, eines Tages den Unterschied zwischen »mit sonnigen Abschnitten« und »mit wolkigen Abschnitten« zu erfahren, die doch nur einen guten Vertrag mit ihrem Mobilfunkanbieter über genügend Gratisminuten zur Hauptzeit erstreben, damit ihre Kinder sie bei einem Amoklauf in der Schule anrufen können, weil sie Mommy oder Daddy brauchen, sie sollen sofort CNN anrufen und über die Rechte an einer echt coolen Reportage verhandeln, denn das Kind filmt das Gemetzel in der Cafeteria gerade life mit seinem Camcorder.

Ich glaube, die Schläger von Halliburton und Enron (die mittlerweile als »spezielle Assistenten des Präsidenten« bezeichnet werden) kann ich irgendwie austricksen. Sie werden ohnehin schon bald überwältigt, unter Quarantäne gestellt und von ihrem Elend erlöst werden.

Doch auch die tiefste Reue wird die Gorestapo nicht zufriedenstellen, die zu Recht verärgert ist, daß ihr Mann von dem Amt ferngehalten wird, das ihm nach den Wahlen eigentlich zusteht. Seine Anhänger kochen vor Wut. Ich muß Ihnen sagen, so wütend habe ich die Liberalen nicht mehr gesehen seit... seit... na ja, ich glaube, ich habe noch *nie* erlebt, daß sich Liberale über etwas so aufregen! Schließlich sind sie ja nicht die Christliche Rechte, die es – mit Gottes Hilfe und beflügelt vom Wahnsinn – immer schafft, ihren Willen durchzusetzen.

Nur jetzt sind sich alle Liberalen mit einem Mal einig: Sie geben Ralph Nader die Schuld – *und damit mir!* Warum mir? Sie kennen die Hintergründe doch gar nicht! Ralph Nader hat mich 1988 *gefeuert* – er hat mich ohne einen Cent auf die Straße gesetzt!

Um zu überleben, um meine Lieben zu schützen und um dieses Buch für die Glücklichen unter Ihnen herauszubringen, die es unter den neuesten literarischen Glanzleistungen unserer nationalen Wrestling-Helden in einer Buchhandlung aufgestöbert haben, zog ich mich mit Laptop und Kompaß tief in die Wälder zurück. Ich lebe von dem, was die Natur mir schenkt, und notiere meine letzten Gedanken in der Hoffnung, daß jemand daraus etwas lernt.

Letzte Woche wartete ich am Flughafen von Detroit auf meinen Anschlußflug, als ein Typ mit einem breiten Lächeln auf mich zukam, die Hand ausstreckte und sagte: »Alle behaupten, Sie wären ein Arschloch, deswegen wollte ich Sie kennenlernen!« Er drehte sich um und rannte davon und verpaßte deswegen meine Antwort: »Die haben alle recht!«

In ganz Michigan wimmelt es von solchen Leuten. Sie sind ehrlich und höflich. Wie der Brief, den ich heute bekam, einer von vielen in letzter Zeit:

»Lieber Trottel« begann er. »Ich hoffe, Sie sind zufrieden mit dem, was Sie angerichtet haben. Sie und dieser Egomane Ralph Nader haben dafür gesorgt, daß wir, noch ehe wir uns versehen, Arsen im Trinkwasser haben. Tun Sie uns einen Gefallen: Fallen Sie bitte tot um.«

Ich könnte den Brief beantworten und erklären, daß Ralph Nader nichts anderes getan hat, als über eine Million neue Wähler an die Urnen zu bringen, weil er der einzige Kandidat war, der die *Wahrheit* über die Vorgänge in diesem Land sagte. In den neunziger Jahren plünderten die Reichen das Land mit Zustimmung der herrschenden Demokraten aus wie Banditen. Absolut nichts wurde unternommen, um das Elend der 45 Millionen Amerikaner zu lindern, die nicht krankenversichert sind. Der Mindestlohn blieb unverändert bei jämmerlichen 5,15 Dollar die Stunde.

Ich könnte erklären, daß die Mehrheit der 101 906 Bürger im US-Bundesstaat Washington, die Nader wählten, auch der demokratischen Kandidatin für den Senat ihre Stimme gaben. Dank der Nader-Wähler wurde Maria Cantwell mit einem Vorsprung von nur 2229 Stimmen die neue Senatorin für Washington. Wenn man Nader die Schuld daran geben will, daß er Gore in Florida Stimmen kostete, muß man ihm auch zubilligen, daß er Tausende neue Wähler in die Wahllokale brachte, die dann für Cantwell stimmten – und damit errangen die Demokraten ein Stimmenverhältnis von 50 zu 50 im Senat. Und als es unentschieden stand, erkannte ein Senator aus Vermont mit einem Mal, daß er große Macht besaß – und er nutzte sie, indem er aus der Republikanischen Partei austrat und den Demokraten damit die Mehrheit im Senat verschaffte. All das wäre ohne Nader nicht passiert.

Ich könnte den Briefschreiber daran erinnern, daß die einzigen Menschen, die Gore um die Wahl brachten, die er mit Fug und Recht gewonnen hat, die fünf Richter des Obersten Gerichts sind, die eine Nachzählung unterbanden. Ich könnte darauf hinweisen, daß das ganze Schlamassel nicht passiert wäre, wenn Gore in seinem eigenen Staat oder in Clintons Heimatstaat gewonnen hätte oder wenigstens eine der drei Fernsehdebatten eindeutig für sich entschieden hätte. Aber Gore tat nichts dergleichen, und deshalb saß er zuletzt in der Tinte. Und zu Gores Ehre muß man sagen, daß *er* nicht Ralph Nader die Schuld gab. Er gibt dem Reißverschluß an Clintons Hosenstall die Schuld!

All das könnte ich dem freundlichen Briefschreiber antworten, aber das werde ich nicht. Statt dessen werde ich ihm (und Ihnen) eine Geschichte erzählen, die ich bisher nur wenigen Freunden anvertraut habe – eine Geschichte über meine vierzehn Stunden in der Hölle, einem Ort namens Tallahassee in Florida.

Ich meide Florida. Es ist dort so klebrig und feucht, daß man eine Rolle Küchenkrepp mit sich herumtragen muß, um einigermaßen trocken zu bleiben. In dem Staat wimmelt es nur so von Parasiten und Moskitos. Dort werden kleine kubanische Jungs gekidnappt und nicht an ihren Vater zurückgegeben. Dort wird jeden Tag die Jagd auf deutsche Touristen in Mietwagen eröffnet. Und dann gibt es auch noch Disney World. Und Gloria Estefan. Die Kennedys vergewaltigen Frauen und behaupten, sie hätten nur mal eben die Unterwäsche gewechselt. Ganz zu schweigen von Hurrikanen, dem Nixon-Amigo Bebe Rebozo, dem Serienmörder Ted Bundy, der Schwulenhasserin Anita Bryant, Sümpfen, billigen Schußwaffen und dem *National Enquirer.* Ich hasse Florida.

Und doch zwang mich etwas tief in meinem Herzen, kurz vor den Wahlen im November dorthin zu reisen. Vielleicht hatte ich eine Fast-Food-Vergiftung.

Ich war gebeten worden, einen Vortrag vor den Studenten der Florida State University zu halten. Zuerst sagte ich zu, später mußte ich allerdings wieder absagen, weil sich der Drehplan meines Films verschoben hatte.

Dann schaffte es Gore nicht, die dritte und letzte Fernsehdebatte gegen George W. Bush für sich zu entscheiden. Dort wo ich herkomme, gewinnt der schlaue Typ die Debatte und der dumme verliert. Es ist wirklich so einfach. Aber dieses Mal war es anders. Ich wollte meinen Augen nicht trauen. Es war klar, daß Al Gore alles tat, um die Wahl zu verlieren.

Ich rief bei der Florida State University unten in Tallahassee an und fragte, ob ich noch willkommen sei. Sie waren mehr als glücklich über diese Frage. Wir legten einen Termin für meinen Vortrag fest, nur zwei Wochen vor dem Wahltag. Ich sollte auch eine Pressekonferenz veranstalten und eine Erklärung abgeben.

Ich wollte etwas über Ralph Nader sagen.

Meine Beziehung zu Ralph ist kompliziert. Ende der achtziger Jahre arbeitete ich für ihn. Er hatte mir einen Job gegeben, als ich arbeitslos war, und diese großzügige Tat, so beschloß ich, wollte ich ihm nie vergessen.

Von meinem Schreibtisch aus neben Ralphs Büro im zweiten Stock eines Gebäudes, das Andrew Carnegie gebaut hatte, gab ich einen Pressespiegel heraus, der den bescheidenen Namen *Moore's Weekly* trug. Außerdem drehte ich bereits an *Roger & Me.*

Alles war wunderbar, bis ich eines Tages einen Vertrag bei einem Verlag unterzeichnete, ein Buch über General Motors zu schreiben. Als Ralph von meinem Glück erfuhr, holte er keineswegs gleich die 50-Dollar-Zigarren heraus.

»Was qualifiziert dich für ein Buch über General Motors?« wollte er wissen. Er fragte auch, welches Recht ich dazu habe, diesen Film zu drehen, und warum ich mehr Zeit in Flint als in Washington verbringen würde. Und überhaupt: Warum kam meine Zeitung nicht häufiger heraus?

Schließlich blickte er auf mich herab und schüttelte mitleidig den Kopf. »Tja, Mike kann man vielleicht aus Flint rausholen, aber Flint eben nicht aus Mike«, erklärte er höhnisch. Er forderte mich auf, meine Sachen zu packen und zu gehen.

Ich war völlig am Boden zerstört. Aber ich fand ein Studio, wo ich meinen Film schneiden konnte, und ich gab nicht auf. Als der Film herauskam, rief ich Ralph an und bot ihm an, die Einnahmen aus meiner Premiere in Washington seinen Projekten zur Verfügung zu stellen. Ich wollte ihn damit unterstützen und zeigen, daß ich nicht nachtragend war. Er lehnte mein Angebot ab. Statt dessen machten er und ein Gleichgesinnter meinen Film in der *New York Times* nieder. Ich war abermals am Boden zerstört. Zwei solche Abfuhren, und endlich kapierte ich die Botschaft. Acht Jahre lang sprach ich nicht mehr mit Ralph.

Ende der neunziger Jahre dachte ich, es sei an der Zeit, ihn wieder anzurufen. (Ich habe wohl nicht genug Abfuhren in meinem Leben erhalten.) Ich lud ihn und seinen Stab ein, zur Premiere meines neuen Filmes *The Big One* zu kommen. Sie kamen. Ich stand hinten im Kino und sah zu, wie Ralph sich amüsierte und herzhaft lachte. Danach bat ich ihn auf die Bühne, wo ihn das Publikum mit lautem und begeistertem Applaus empfing. Auf dem Weg nach draußen umarmte ich ihn. Ralph mag Umarmungen nicht – ich eigentlich auch nicht. Wahrscheinlich habe ich das irgendwann in einem Film gesehen, und es sah ganz toll aus.

Zwei Jahre später saß ich auf meiner Terrasse in Michigan und hing meinen Gedanken nach, als Ralph anrief und mich fragte, ob ich ihn bei der Wahl zum Präsidenten der Vereinigten Staaten unterstützen wolle. Ich unterstütze Politiker nicht – aus dem gleichen Grund wie *Sie* –, sie sind alle so aalglatt, sie sind schlecht frisiert, und sie können keine zwei Sätze sagen, ohne zu lügen. Ralph ist anders, er ist nur ein griesgrämiges Genie. Anders ausgedrückt: Er hat nicht die richtigen Eigenschaften für einen Präsidenten. 1996 ließ er sich zur Wahl aufstellen und machte dann so gut wie keinen Wahlkampf. Eine große Enttäuschung für seine Anhänger. Meinte er es dieses Mal ernst? Ja, sagte er mir, dieses Mal gehe es »ums Ganze«. Er wolle einen Batzen Geld auftreiben und sei entschlossen, alle 50 Staaten abzuklappern. Außerdem werde er einen richtigen Stab aus Wahlberatern in Vollzeit haben. Die Glücklichen!

Ich wollte vom Telefon weg und mich wieder dem Nichtstun hingeben. Ich wollte nicht in das Theater hineingezogen werden, das mit Ralphs Kandidatur einherging. Aber hatte ich eine andere Wahl? Sollte ich so tun, als ob im Land alles zum besten stünde? Sollte ich an einen Kandidaten der großen beiden Parteien glauben, die von den gleichen reichen Säcken finanziert wurden, gegen die ich mit meinen Filmen kämpfte? Sollte ich in Michigan herumsitzen und die Eichhörnchen füttern?

Ich konnte Ralph nicht hängenlassen. Er hatte mich vor langer Zeit nicht im Stich gelassen und er hatte sein Land niemals im Stich gelassen. Wenn seine Stimme im Wahlkampf nicht zu hören war, dann würde kein Thema, das uns wichtig war, überhaupt erwähnt, geschweige denn diskutiert werden.

Bevor ich Ralphs Vorschlag zustimmte, schickte ich einen Brief an Al Gore. Ich wollte ihm die Chance geben, sich zu rechtfertigen und mir Gründe zu nennen, warum ich in Anbetracht der Clinton/Gore-Amtszeit auch nur daran denken sollte, ihn zu wählen.

Er sandte mir einen vierseitigen Brief; die Art, in der der erste Abschnitt und der letzte Satz persönlich gehalten sind und der Rest von einem Computer ausgespuckt wird. Er dankte mir für meinen »provokativen Brief« und legte dann seine bekannten Positionen dar. Ich beschäftigte mich durchaus mit seinen Ansichten, aber er überzeugte mich nicht, daß sich irgend etwas ändern würde, wenn er es ins Oval Office schaffte. Ich rief Ralph an und sagte ihm, ich sei dabei, solange ich nicht einen grauen Anzug tragen, Kichererbsenpüree essen oder einen Wal ausweiden müsse.

Im Rahmen von Ralphs Kampagne wurde ein Artikel von Molly Ivins mit Ratschlägen für diejenigen verteilt, die für Nader stimmen, aber damit nicht Bush ins Weiße Haus bringen wollten. Wer in einem Staat wohnte, in dem entweder Bush oder Gore aller Wahrscheinlichkeit nach mit großem Abstand gewinnen würde, sollte seine Stimme als Signal nutzen, schlug Ivins vor, und Nader wählen. Wer aber in einem Staat lebte, in dem die Entscheidung zwischen Bush und Gore knapp ausfallen würde, müsse für Gore stimmen, um einen Sieg Bushs zu verhindern. Ich wähle normalerweise den Kandidaten, den ich für den besten halte, wie man mir das in Staatsbügerkunde in der siebten Klasse beigebracht hat – aber was weiß ich schon?

Ich persönlich denke, daß die meisten Leute im Nader-Lager glaubten, was ich auch glaubte – daß die Wahl entschieden sei, falls Gore eine Chance bekommen sollte, Bush bei einer TV-Debatte in Grund und Boden zu reden. Also dachten wir uns, wir sammeln Millionen Stimmen für Nader und zeigen damit dem nächsten Präsidenten – Al Gore –, daß es sehr viele Amerikaner gibt, die nicht wollen, daß er die Demokraten noch weiter nach rechts drückt. Viele Stimmen für Nader könnten eine Möglichkeit sein, Gore in die Schranken zu weisen und die Erfüllung seines Versprechens zu verhindern, als Präsident mehr fürs Militär und weniger für neue Arbeitsplätze auszugeben.

Ja, wir waren echte Genies.

Dann kamen die Fernsehdebatten. Ralph durfte nicht teilnehmen, und Amerika wurden drei neunzigminütige Sendungen serviert, in denen sich Gore und Bush häufiger einig als uneinig waren. In der zweiten Debatte sagten die beiden, sie seien sich bei *37 verschiedenen Themen* einig. Man konnte nur fassungslos zusehen.

Gore hat es vermasselt. Er hat es nicht geschafft, Bushs Ignoranz und Dummheit bloßzustellen. Er konnte sich nicht von seinem Gegner abheben und den Amerikanern zeigen, daß es einen Unterschied machte, wen sie wählten. Er hatte *drei* Chancen, diesen süffisant grinsenden »Son of a Bush« vernichtend zu schlagen und schaffte es nicht! Botschaft an die Wähler: Wenn er sich gegenüber Bush so nachgiebig verhält, wie wird er sich gegenüber den Russen verhalten? *Oder den Kanadiern!*

Die Auswirkungen schockierten mich. Es sah so aus, als ob Gore verlieren würde. Er würde in seinem Heimatstaat verlieren. Er würde in Clintons Heimatstaat verlieren. Er konnte den demokratischen Senatsvorsitzenden Robert Byrd aus West Virginia erst *fünf Tage* vor der Wahl davon überzeugen, ihn zu unterstützen (und überließ damit West Virginia den Republikanern, ausgerechnet diese traditionelle Hochburg der Demokraten). *Jeder* dieser Staaten hätte Gore die Stimmen der Wahlmänner verschafft, die er für den Einzug ins Weiße Haus gebraucht hätte.

Gore implodierte – und Naders Wähler verließen überall wie Ratten das sinkende Schiff (natürlich spreche ich von netten Ratten – die liebenswerte, flauschige Sorte). Ralphs Werte bei den Umfragen halbierten sich. Es sah so aus, als ob er nicht die erforderlichen 5 Prozent erreichen würde, um bei der nächsten Wahl Geld vom Staat zu bekommen.

In der Nader-Zentrale spielten plötzlich alle verrückt. Der Ivins-Plan wurde verworfen. Ralph sollte auf einer zweiten Tour durch die Staaten ziehen, in denen Gore wegen eines Prozentpunktes gewinnen oder verlieren konnte. Ralphs Anwesenheit sollte die Entscheidung bringen. (In einigen dieser Staaten hatte Nader bei den Umfragen bis zu 12 Prozent erreicht.) Die Strategie war kühn und direkt und teilte den Demokraten schonungslos mit: »Ihr habt die Basis im Stich gelassen. Ihr seid keine Demokraten mehr. Es ist Zeit, daß man euch eine Lektion verpaßt.« Eine ordentliche Tracht Prügel von Rektor Nader!

Wir alle wissen es doch, ein Politiker fürchtet nur eines: Daß er das hübsche, gemütliche Büro mit den Praktikanten und dem Aufwandskonto räumen muß. (Das und die schreckliche Vorstellung, sich eine ehrliche Arbeit suchen zu müssen.) Wenn man den Politikern nicht dauernd damit droht, werden sie sich nie benehmen und nie auf uns hören, sie werden nie morgens aus dem Bett kommen und pünktlich zur Arbeit erscheinen. Ralph Nader verkörperte die einzige Hoffnung des Landes, Gore dazu zu bringen, das Richtige zu tun.

Alle wußten, daß eine verschärfte Wahlkampagne in den noch schwankenden Staaten Gore die Wahl kosten und Bush ins Weiße Haus bringen könnte. Aber wenn man erlebt hat, daß die Regierung, die man wählte, sich häufiger auf die Seite der Republikaner schlug als auf die der traditionellen Demokraten, wenn man zugesehen hat, wie diese Demokraten den Armen das Leben noch schwerer machten und für die Reichen die größte Orgie in der Geschichte veranstalteten, wenn in meiner Heimatstadt während der achtjährigen Regierung von *Clinton/Gore* noch *mehr* Jobs bei GM abgebaut wurden als in den zwölf Jahren unter Reagan/Bush – tja, dann hat man die Wahl: Willst du von jemandem verarscht werden, der dir sagt, daß er dich verarscht, oder willst du von jemandem verarscht werden, der dich zuerst anlügt und dann verarscht?

Tut mir leid, wenn ich so deutlich werde, aber das ist vermutlich noch die *höflichste* Formulierung dafür, wie ich und Millionen anderer Amerikaner diese Wahl erlebten. Sie müssen nicht mit mir einer Meinung sein, Sie müssen meine Meinung nicht mögen, Sie sollen nur noch einmal den Satz lesen, damit Sie eine ungefähre Vorstellung vom Ausmaß unserer Wut haben.

Ich weiß, daß viele gute Menschen keine andere Möglichkeit sahen, als die Demokraten zu wählen. Sie wollen lieber »ich liebe dich« hören, während sie beschissen werden, als die nächsten vier Jahre dem Feind an der Spitze direkt ins Gesicht sehen zu müssen. Ich kenne das Gefühl. Sagen Sie, daß Sie mich mögen, und Sie können mir fast alles antun – einschließlich eines Verrisses in der *New York Times!*

Aber die »zögernden Demokraten für Gore« waren in Wirklichkeit unsere Verbündeten. Sie wollten das gleiche wie wir, sie wählten nur einen anderen Weg. Ich war der Meinung, daß wir mit diesen wohlmeinenden Liberalen zusammenarbeiten mußten, um die Welt vor dem Schmalspur-Bush zu retten. Es war also grundfalsch, ihnen zu sagen, sie sollten sich zum Teufel scheren.

Also erklärte ich dem Nader-Stab: Hey, es gibt keinen Grund, diese Leute – oder Freunde, potentielle Freunde – absichtlich zu vergrämen. Wir kämpfen gegen diejenigen, die die Bezeichnung Demokraten gestohlen haben – die Karrieristen, die Lobbyisten, die Schwätzer, die es bei den Republikanern nicht schafften, weil sie nicht die Kerle dazu sind, einen geschützten Wald abzuholzen, 1000 Büchereien zu schließen oder den unterernährten Kindern in den Innenstädten das Gratisfrühstück zu streichen. Dafür braucht man *richtig* Schneid, außerdem muß man es genießen. Wer für sowas zu schlaff ist, sucht sich einen Job bei den Demokraten.

Wir kämpften nicht um den harten Kern der Wähler, die immer noch verzweifelt an der sogenannten »Demokratischen Partei« festhalten. Die Tatsache, daß sich Millionen Amerikaner immer noch an die Vorstellung klammern, die Demokraten würden ihre Interessen besser vertreten als die Republikaner, spricht eher für *unser* Versagen, dem Land zu zeigen, wie ähnlich sich diese beiden Parteien sind. Wir konnten nicht vermitteln, daß die Demokraten die Wähler fast immer verraten werden.

Naders Wahlkampfmanager fragten mich, ob ich mit ihm in den letzten Wochen vor der Wahl durch die noch schwankenden Staaten ziehen würde. Ich lehnte ab, denn ich wollte mich lieber in den Staaten ranhalten, in denen Ralph voraussichtlich viele Stimmen bekam, *ohne* die Verantwortung übernehmen zu müssen, falls Bush die Wahl gewinnen sollte. Warum konzentrierten wir unsere Energie nicht auf New York und Texas, wo das Ergebnis bereits so gut wie feststand? Wir sollten den Menschen dort sagen, daß sie ihre Stimmen nicht für Gore verschwenden sollen, weil sie dadurch keinerlei Einfluß ausüben würden. Aber sie könnten ein Signal setzen, wenn Nader 10 Prozent der Stimmen bekommen sollte.

Aber diese Strategie war nicht beschlossen worden. Naders Leute respektierten meine Entscheidung und wünschten mir alles Gute.

Am Nachmittag des 23. Oktober 2000 landete ich in Tallahassee. Ein Student der Florida State University, sein Bruder und seine Schwägerin holten mich am Flughafen ab. Während wir zum Auto gingen, fragten sie mich über die »Einladung« aus, die ich an Jeb Bush gerichtet hatte.

»Alle reden davon!« erzählten sie.

»Von welcher ›Einladung‹ sprecht ihr?«

»Die Einladung, die gestern in der Zeitung stand.«

Sie reichten mir die Sonntagsausgabe des *Tallahassee Democrat,* die Tageszeitung der Stadt. Darin war ein Interview abgedruckt, das ich eine Woche zuvor in New York einem Reporter gegeben hatte. Daneben prangten ein großes Bild von mir und ein Zitat, in dem ich den Gouverneur herausforderte, er solle zu meinem Vortrag kommen und sich mir vor Publikum stellen. Auweia, Mr. Tough Guy, da hatte ich den harten Burschen gemimt und den Mund zu voll genommen! Es ist ganz einfach, den Fehdehandschuh zu werfen, wenn man über 1000 Kilometer entfernt ist. Und natürlich ist es etwas ganz anderes, wenn man plötzlich mutterseelenallein in einem Staat voller Leute steht, die Klugscheißer aus dem Norden überhaupt nicht leiden können. Aber so weit hatte ich nicht gedacht.

Wir fuhren zur Universität, und ich gab die Pressekonferenz. Ich war nervös. Ich wollte nicht, daß man mich falsch verstand.

Ich sagte den anwesenden Presseleuten, daß Bush gestoppt werden müsse. Ich appellierte an die Einwohner Floridas, wenn Gore ihr Mann sei, sollten sie ihn um Himmels willen wählen. Wenn sie für Nader stimmen wollten, sollten sie lange und gründlich über ihre Entscheidung nachdenken. In Florida, das spürte ich, stand mehr auf dem Spiel. Wenn es den Leuten wichtiger war, Bush aufzuhalten, müßten sie vielleicht für Gore stimmen. Ich würde ihre Entscheidung verstehen und respektieren.

Die Reporter waren überrascht. Ob ich mich etwa für Gore entschieden hätte? »Nein«, antwortete ich, »ich stimme für Ralph. Aber das kann ich leicht sagen, denn ich lebe in einem Staat, wo Gore ohnehin einen erdrutschartigen Sieg erringen wird. Aber wenn man in Florida lebt, sieht die Sache anders aus.«

Die Nachricht verbreitete sich wie ein Lauffeuer, daß einer von Ralph Naders »prominenten Anhängern« grünes Licht gegeben hatte, in Florida für Gore zu stimmen, wenn die Wähler das für richtig hielten.

Nach der Pressekonferenz rannte ich auf die Toilette und übergab mich. Es war Zeit, vor mein Publikum zu treten. Der Hörsaal war mit 2000 Zuschauern brechend voll. Der Veranstalter bummerte gegen die Tür. »Zeigen Sie ihnen einen Ausschnitt aus meiner Fernsehshow«, sagte ich. »Ich bin in einer Minute fit.«

Ich wußte nicht, ob mir schlecht war, weil ich unter schrecklichem Druck stand oder weil ich auf dem Weg in die Stadt mit einem Imbiß bei »Whataburger« (einem beliebten Burgerrestaurant in Tallahassee) traktiert worden war. Vielleicht wußte ich auch einfach, daß die ganze Wahl – das ganze Land – mit mir im Dreck saß und es kein Entrinnen gab.

Zwanzig Minuten später trat ich auf die Bühne. Die Grünen

saßen alle in der ersten Reihe und hielten Nader-Schilder hoch. Ich sagte ihnen und dem übrigen Publikum, daß einige von ihnen eine bittere Pille schlucken müßten. Ich erklärte: »*Ihr müßt euer bestes Urteil fällen – folgt eurem Gewissen.* Ihr sollt wissen, daß ich nicht schlecht von euch denke, wenn ihr meint, ihr solltet Gore wählen. Ich werde immer noch für Nader stimmen«, erklärte ich, und ging die Litanei der Gründe durch, warum das für mich eine Gewissensfrage war (ich werde niemals jemanden wählen, der für die Hinrichtung anderer Menschen eintritt, der meint, wir sollten die wöchentliche Bombardierung von Zivilisten in anderen Ländern fortsetzen, der den Mindestlohn nur um einen Dollar die Stunde erhöhen möchte und der weitere Handelsabkommen wie NAFTA unterzeichnen will, damit noch mehr Amerikaner ihren Job verlieren).

Ich sagte dem Publikum, daß ich mein Kreuzchen nicht für Gore machen (oder meinen Wahlzettel für ihn stanzen) könne, für einen Mann, der mehr für das Militär ausgeben wolle als Bush, der sich nicht sofort um eine garantierte Krankenversicherung für all unsere Bürger kümmern wolle und der glaubte, daß Janet Reno unrecht hatte, den kleinen Elián Gonzales nach Kuba zurückzuschicken. So einer ist Al Gore.

Aber ich sagte auch, daß ich das Dilemma der Wähler in Florida verstünde. Sie sollten nicht auf mich hören, sondern tun, was sie für das beste hielten, wir würden das dann später klären. Und Gott segne diese Nader-Kids in den ersten Reihen für ihren Mut und ihre Hingabe, Eigenschaften, die ihre Eltern, die Generation der sechziger Jahre, schon vor langer Zeit abgelegt hatten.

Die Fragen der Zuhörer nach der Rede und eine weitere Diskussion im Gebäude der Studentenvertretung mit einigen Hundert Studenten und Mitgliedern von Bürgerinitiativen (von denen manche drei Stunden gefahren waren, um dabei zu sein) war ein mitreißendes Für und Wider, wie man das drohende Unheil abwenden sollte. Als die Veranstaltung vorüber war, war es 1.30 Uhr morgens, fünfeinhalb Stunden waren vergangen, seit ich meine Differenzen mit dem Whataburger beigelegt hatte. Beim

Abschied hatte ich das Gefühl, daß sich hier in Florida ein Sturm zusammenbraute und es klüger wäre, in Deckung zu gehen.

Ich wurde zurück ins Hotel gefahren, ein malerisches kleines Gebäude in der Fußgängerzone, die zum Kapitol des Bundesstaates führte. Ich schaltete den Fernseher an und sah mir eine Wiederholung der 23-Uhr-Nachrichten an. »Einer der wichtigsten Anhänger Naders sagt, Bush müsse aufgehalten werden, egal wie«, erklärte der Nachrichtensprecher. Ich machte das Licht aus und legte mich schlafen.

Um 6.30 Uhr stand ich schon wieder auf, weil ich mein Flugzeug nicht verpassen wollte. Ein Student wartete in der Lobby, um mich zum Flughafen zu fahren. Während ich noch auscheckte, rief der Student: »Gerade ist Gouverneur Bush vorbeigegangen!«

»Halt ihn auf!« brüllte ich – ohne nachzudenken, ganz ehrlich. (Vielleicht war es ein Reflex – ob ich nun in Texas oder in Florida bin, wenn ich jemanden *Gouverneur Bush* sagen höre, rufe ich instinktiv »HALTET IHN AUF!«). Der Student öffnete die Tür und rief: »Gouverneur Bush, hier ist jemand, der Sie gerne sprechen würde!« Ich stand bereits an der Tür. Dort in der verlassenen Fußgängerzone, die kurz vor Sonnenaufgang wie eine finstere Straßenschlucht wirkte, standen Gouverneur Jeb Bush und seine Leibwächter. Sie waren auf dem Weg zur Arbeit – zu Fuß. Ein schwarzer Geländewagen mit weiteren Sicherheitsleuten schlich etwa 10 Meter hinter dem Gouverneur durch die autofreie Zone.

Bush wandte sich auf den Anruf hin um und entdeckte mich. Er setzte sein Bush-Feixen auf und kam auf mich zu. Ich ging ebenfalls auf ihn zu. Der Leibwächter stellte sich in Positur, er war bereit, den Schurken augenblicklich zu Brei zu schlagen.

»Mr. Moore«, sagte Bush und schüttelte den Kopf, als hätte man ihm drei Tage lang denselben Teller mit eingebrutzelter Tomatensoße vorgesetzt. Ich streckte die Hand aus, und Bush schüttelte sie.

»Ich wollte Ihnen nur die Hand geben und Hallo sagen«, erklärte ich höflich. Er drückte fest zu und wollte meine Hand nicht wieder loslassen, bis er gesagt hatte, was er zu sagen hatte. Seine Augen bohrten sich wie Stecknadeln in meine. Der Leibwächter rückte näher.

»So«, meinte er spitz »hat man Ihnen *genug* bezahlt, damit Sie hierherkommen?«

Die Übersetzung lautete eindeutig: »Moore, du bist ein Scheißkerl.« Mein Mund wurde ganz trocken und mein Herz klopfte so heftig, daß ich befürchtete, er könnte es hören.

»Es ist *nie* genug, Gouverneur Bush, das wissen Sie doch«, antwortete ich. Es waren die ersten Worte, die mir einfielen. Warum kümmerte es ihn, wer mir wieviel bezahlte? Dann dämmerte es mir – ER bezahlte! Die *Florida State University!* Kein Wunder, daß er stocksauer war: Er hatte die Rechnung für meinen Besuch erhalten, bei dem ich Tausenden von Wählern in Florida – vor allem Nader-Wählern – gesagt hatte, das Wichtigste sei, Bush zu schlagen. Das war NICHT das, was das Bush-Lager von den Nader-Anhängern erwartete.

Hatte er die Nachrichten am Tag zuvor gesehen? Bush starrte mich zornig an und zog die Hand zurück.

»Kevin auch da?«, fragte er plötzlich. Hä? Kevin? War das ein geheimes Codewort, um dem Leibwächter zu signalisieren, daß es nun Zeit war, mir den Hals um 180 Grad umzudrehen wie in dem Film *Der Exorzist?* Dann kapierte ich – er fragte nach seinem Cousin Kevin Rafferty, dem Filmemacher, der mir bei *Roger & Me* geholfen hatte. Ich hatte seit zwölf Jahren nicht mehr mit Kevin gearbeitet – warum fragte er mich nach ihm? Ich wußte nicht, was ich sagen sollte.

»Äh, nein, er ist nicht dabei«, murmelte ich.

»Tja, richten Sie ihm Grüße aus«, meinte er.

»Klar«, antwortete ich.

»Sie reisen gerade ab?«, fragte er.

»Ja«, antwortete ich, »jetzt gleich.«

»Gut.«

Er schenkte mir noch einmal das berühmte Bush-Feixen,

nickte mit dem Kopf, als ob er sagen wollte »Gut, daß wir den los sind« und ging dann weiter. Ich stand da und versuchte, mir eine witzige Erwiderung einfallen zu lassen, aber er war bereits 20 Schritte entfernt. Am schwarzen Geländewagen surrte die Scheibe nach unten, und ein Soldat der Nationalgarde musterte mich eindringlich, dann fuhr das Auto langsam weiter. Das erste Tageslicht kroch über die Kuppel des Kapitols. Ich würde diesen Anblick erst zwei Wochen später wieder im Fernsehen sehen, dann aber ununterbrochen.

Jede Begegnung mit einem der Bush-Kids war für mich eine demütigende Erfahrung. Aus einem unerfindlichen Grund haben sie immer das letzte Wort. Als ich einmal George W. in Iowa traf und ihm eine Frage für meine Fernsehshow stellen wollte, rief er nur: »Suchen Sie sich eine ehrliche Arbeit.« Die Umstehenden brüllten vor Lachen. Ich wußte nicht, was ich sagen sollte – er hatte ja recht, das war keine ehrliche Arbeit! Mir fiel keine Erwiderung ein.

Als ich Neil Bush traf, den nicht angeklagten Mitverschwörer beim Silverado Savings & Loan-Skandal, befand ich mich gerade in der Lobby von General Motors in Detroit und machte ein Radio-Interview. Er kam mit vier Asiaten hereinspaziert – »Banker aus Taiwan«, wie er mir später sagte. Als er mich sah, flippte er aus. Mich hatte er bei General Motors am allerwenigsten erwartet.

»Wo ist Ihre Kamera?« fauchte er, während seine Augen den Raum absuchten.

»Oh, äh, ich habe heute keine Kamera dabei« sagte ich verlegen und bedauernd. Ein breites Lächeln erschien auf seinem Gesicht.

»Ach, Mikey hat seine Kamera nicht dabei?« Er kniff mich in die Wange. »Zuuuu schaaaaadee!« Lachend ging er weiter und erklärte den Chinesen, wer ich war und wie er mir gerade eine reingewürgt hatte.

Der einzige Bush-Sprößling, den ich zur Schnecke machen konnte, ist – und das gestehe ich voller Scham – das einzige

Mädchen, Dorothy. Sie ist süß, sie ist mütterlich. Und sie war sprachlos, als ich sie fragte, welcher ihrer Brüder den familieninternen Wettbewerb »Wer läßt mehr Todesurteile vollstrecken« gewinnen würde, George oder Jeb.

Sie war sichtlich gekränkt; tatsächlich war sie tief verletzt von der Unterstellung, daß ihre Brüder kaltblütige Mörder wären, und sie war den Tränen nahe. Ich kam mir wie ein Trottel vor. *Ganz toll, Mike, endlich eine Bush niedergemacht!*

Natürlich gibt es noch einen anderen Bush-Bruder: Marvin. Allerdings hört und sieht man von ihm nichts in den Medien. Ich habe Marvin nie getroffen. Sie haben Marvin nie getroffen. Niemand hat Marvin je getroffen. Gott weiß, wo er ist oder was er treibt – abgesehen von seinen Plänen, wie er mir eine reinwürgen kann.

Nach der unerfreulichen Begegnung mit Jeb stieg ich in mein Flugzeug nach Los Angeles, doch der Vorfall ging mir nicht aus dem Kopf. Dann, als ich gerade versuchte, das Tütchen mit den in Honig gerösteten Erdnüssen zu öffnen, traf mich etwas wie ein Blitzschlag – und es war nicht der Sitz meines Vordermanns 8 Zentimeter vor mir. Ich ließ mir ein teures Flugzeugtelefon bringen und rief Ralph an. Ich sprach mit den drei Leuten, die seine Kampagne leiteten – in dem Wissen, daß er wahrscheinlich mithörte.

»Jungs«, sagte ich, »ist euch eigentlich schon der Gedanke gekommen, daß der mächtigste Mann in Amerika heute ... *Ralph Nader* heißt?«

Schweigen am anderen Ende der Leitung.

»Ich meine es ernst. Seine 5 Prozent sind das Zünglein an der Waage. Bush braucht Ralph mehr als alles andere, Ralph muß gut abschneiden, damit *er* gewinnt. Und wenn Gore gewinnen soll, muß Nader aus dem Weg geräumt werden. Wenn Ralph nicht kandidieren würde, wäre Gore schon jetzt der Sieger. Nur ein Mann bringt die Entscheidung, nur ein Kandidat hat jetzt *wirklich* das Sagen. Und der heißt Ralph Nader.«

»Aber nach dem 7. November ist diese Macht verpufft«, fuhr

ich fort. »Sie währt nur eine gute Woche. Gore und Bush müssen erkennen, daß all ihre Pläne vom Verhalten eines Mannes abhängen – Ralph Nader. Warum nutzen wir diese Macht nicht für einen guten Zweck?«

»Worauf willst du hinaus?« fragte einer.

»Ralph hat die Zukunft beider Kandidaten in der Hand. Was wäre, wenn er Gore anrufen und sagen würde ›Hey, Sie Möchtegern-Präsident, das müssen Sie bis morgen 12 Uhr Mittag erledigen ...‹ und dann gibt er Gore eine Liste – Krankenversicherung für alle, Ende des faulen Drogenkriegs, keine Steuersenkungen für die Reichen –, was auch immer. Ralph verlangt nichts für sich selbst – keine Position im Kabinett, keine Spenden für seine Projekte. Er will nur, daß Gore das Richtige tut, und wenn sich Gore öffentlich dazu verpflichtet, dann erklärt Ralph im Fernsehen: ›Wir haben unsere Argumente dargelegt. Wir haben Al Gore geholfen, die Bedeutung von x, y oder z zu erkennen. Er hat sich vor der Nation verpflichtet, sich daran zu halten. Wenn Sie in einem der Staaten leben, in denen der Wahlausgang noch nicht feststeht, und ein Anhänger von mir sind, dann möchte ich, daß Sie am nächsten Dienstag Gore wählen. Von den anderen in den übrigen 40 Staaten brauche ich immer noch die Stimme, damit wir eine dritte Partei aufbauen können, die Gore weiterhin die Pistole auf die Brust setzt.‹ Anders ausgedrückt, das wäre der Sieg! Schließlich kandidiert Ralph vor allem, weil er die politische Agenda nach seinen Vorstellungen mitbestimmen will. Und das haben wir dann erreicht. Was haltet Ihr davon?«

»Wir können nur mit den notwendigen 5 Prozent rechnen, wenn wir in *allen* Staaten alle Nader-Stimmen bekommen«, antwortete der Leiter der Kampagne. »Wir dürfen jetzt auf keine einzige Stimme verzichten.«

»Aber am Tag nach der Wahl«, antwortete ich, »sind diese 5 Prozent alles, was ihr habt – 5 Prozent der Stimmen und *0 Prozent der Macht!* Heute dagegen habt ihr – haben wir – die ganze Macht. Der eine Kandidat braucht viele Stimmen für Nader, der andere wenige. Diese Wahl wird durch einen oder zwei Prozentpunkte entschieden. Ralph kann alles zwischen 2 und 5 Prozent erreichen. Heute, jetzt und hier, könnt ihr und Ralph bestimmen, wer der nächste Präsident sein wird! Ihr werdet nie wieder diese Macht haben, nie mehr in eurem ganzen Leben.«

Ein langjähriger Kollege in Naders Team, der das Gespräch mithörte, kapierte, was ich sagen wollte. »Aber du wirst Ralph nie soweit kriegen, daß er jetzt einen Rückzieher macht«, erklärte er. »Es würde sonst aussehen, als gebe er auf, weil ihm die Sache zu heiß wird. Außerdem haben ihn die Demokraten so respektlos behandelt, daß du ihn niemals dazu bringen wirst, ihnen irgendwie zu helfen. Und warum glaubst du, daß Gore sein Versprechen halten würde? Diese Leute halten ihre Versprechen *nicht.*«

»Und was ist mit den Tausenden Studenten, die so hart geschuftet haben?« schaltete sich der Wahlkampfleiter wieder ein. »Was ist mit den Zehntausenden, die zu den Versammlungen gekommen sind, bei denen du und Ralph gesprochen habt? Was ist mit denen? Ihre erste Erfahrung mit Politik und Wahlen – und der Kandidat, für den sie alles gegeben haben, wirft kurz vor Schluß das Handtuch. Das können wir ihnen nicht antun. Dadurch werden sie nur zynische Erwachsene, die nie wieder etwas mit einer Wahl zu tun haben wollen.«

Das war nicht von der Hand zu weisen. Ich wollte auf keinen Fall dazu beitragen, daß es noch mehr Zyniker gibt, die keinerlei Interesse am Wählen haben.

»Aber gibt es denn keine Möglichkeit, damit dieser Schritt als das akzeptiert wird, was er ist – ein Sieg für die Grünen, für Ralph, für alle, die für ihn gearbeitet haben? Nur wenn Gore seine Positionen ändert, haben wir etwas erreicht, was wir nie für möglich gehalten hätten. Das ist wie mit dieser ultrakonservativen Partei in Israel, die vielleicht nur fünf Sitze in der Knesset hat, aber ihre fünf Stimmen werden immer gebraucht, um eine mehrheitsfähige Regierung zu bilden. Die Partei, die ihr die meisten Zugeständnisse macht, bekommt ihre Stimmen. Wenn sie sich zur Regierungsbildung mit den Liberalen zusammentut, werden ihre ultrakonservativen Anhänger nicht wütend und werfen ihren Abgeordneten Verrat vor. Ganz im Gegenteil, die Abgeordneten werden als Helden gefeiert, weil sie mit nur fünf Stimmen immer das erreichen, was sie wollen.«

Junge, das war richtig gehaltvoll, sagte ich zu mir selbst. Ich dozierte in einer Höhe von 10 000 Metern über Politik!

»Mike«, kam eine Stimme am anderen Ende der Leitung, »hast du noch alle Tassen im Schrank? Wir reden hier nicht von der Knesset. Du bist in Amerika. Das läuft hier nicht so. Ralph wird gekreuzigt, wenn er Gore unterstützt, und Gore wird gekreuzigt, wenn er so spät seine Standpunkte ändert. Das klappt nie im Leben.«

Ich sagte ihnen, ich hätte verstanden. Ich erinnerte sie daran, daß Ralph nicht aus dem Rennen gehen müsse, sondern nur in einigen Staaten Gore den Vortritt lassen sollte. Gore würde ihm EINIGES schulden, wenn er erst einmal im Weißen Haus wäre. Wir könnten unseren Anteil vom Kuchen haben und ihn essen.

Aber niemand schien Interesse am Kuchen zu haben.

Ich dankte für das 140 Dollar teure Gespräch und legte auf. Dann sank ich in meinem Sitz zusammen und bestellte mir zum ersten Mal in meinem Leben einen Drink im Flugzeug. Irgendwo über Texas schlief ich ein.

Die Ereignisse am 7. November 2000 werden immer ihren eigenen Platz in den Geschichtsbüchern haben. Am Tag vor meiner Ankunft in Florida erreichte Nader bei Umfragen 6 Prozent. Am Tag nach meiner Abreise war er auf 4 Prozent gesunken. Und am Wahltag schaffte er nur noch 1,6 Prozent. Aber das waren trotzdem 97 488 Stimmen für Nader in Florida. Hätten lumpige 538 Wähler anders gestimmt, wenn sie gewußt hätten, daß gerade *ihre* Stimmen entscheidend waren? Natürlich hätten sie das.

Ich frage mich allerdings, warum diejenigen, die so wütend auf Nader sind, ihre Empörung nicht auch gegen die anderen linken Kandidaten richten, die in Florida antraten – David McReynolds von der Socialist Party, der 622 Stimmen erhielt, James Harris von der Socialist Worker Party, der 562 Stimmen auf sich vereinte, oder Monica Moorehead von der Workers World Party, die immerhin 1804 Stimmen bekam. Sicher gab es auch unter *diesen* Wählern 538, die sich beherzt die Nase zugehalten und Gore gewählt hätten, wenn sie gewußt hätten, daß Bush und seine Spießgesellen Gore den Sieg klauen würden.

Ich persönlich mache Monica Moorehead verantwortlich. Denn eines haben wir in den neunziger Jahren gelernt: Monica ist immer dabei, wenn's um scharfe Sachen geht.

Also gebt Monica die Schuld! Laßt Ralph aus dem Spiel! Und GEBT NICHT MIR DIE SCHULD!

Von mir aus gebt mir die Schuld. Ja, gut, wenn die Demokraten darauf bestehen, den Anhängern Naders so viel Macht zuzusprechen, dann sollten wir vielleicht Gebrauch davon machen. Ja, wir waren es! *Wir haben es getan!* Wir sind der Gott Thor, allmächtig und allwissend. Wir zerstören alles, was sich uns in den Weg stellt! Bessert euch, oder wir werden euch in Staub verwandeln! Nicht wir ließen die Demokratische Partei im Stich – sondern IHR! *Ihr* habt *uns* und all diejenigen im Stich gelassen, die einst geglaubt haben, daß die Demokraten für etwas stehen, daß sie beispielsweise für die Rechte der Arbeiter kämpfen. Aber ihr habt mit den Republikanern gemauschelt, und wir hatten keine andere Wahl, als unserem Gewissen zu folgen und Ralph Nader zu wählen. DAS IST DER WEG THORS!

Ja, WIR haben euch das Weiße Haus versagt. Wir haben euch einen Tritt in den Hintern verpaßt und euch aus Washington rausgeworfen. Und WIR werden das wieder tun. Wir haben über 900 grüne Studentenorganisationen. Wir haben eine Adreßliste mit über 200 000 aggressiven aktiven Freiwilligen. Bei der Wahl 2000 haben 22 unserer Kandidaten gesiegt, und die gewählten Kandidaten schlossen sich den 53 anderen gewählten Grünen an, die verschiedene Ämter im ganzen Land innehaben. Seitdem haben die Grünen weitere 16 Sitze gewonnen, was insgesamt 91 Grüne ergibt, die Ende 2001 ein gewähltes Amt in Amerika bekleiden. Fünf Städte in Kalifornien haben grüne Bürgermeister. Und die Zahl der Amerikaner, die für Nader stimmten, hat sich im Jahr 2000 im Vergleich zu 1996 um beeindruckende 500 Prozent erhöht. Die Bewegung wächst. Und es geht nicht nur um die Green Party. Verdammt, ich bin doch nicht einmal Mitglied! Es gibt Millionen Amerikaner, die genug von den Demokraten und Republikanern haben und echte Alternativen wollen. Deswegen ist ein Wrestling-Star zum Gouverneur von Minnesota gewählt worden. Deswegen ist der einzige Kongreßabgeordnete von Vermont ein Unabhängiger (und mittlerweile ist auch einer der Senatoren unabhängig). In den kommenden Jahren wird es zunehmend mehr Politiker ohne Parteizugehörigkeit geben, da kann man nichts machen. Nein, das stimmt nicht. Man könnte viel machen – wenn es nicht die Tätigkeit/Untätigkeit der Demokratisch-Republikanischen Partei gäbe.

Rennt um euer Leben – ich verlasse meinen Bunker! Ich habe genug davon, einfach nur zu »überleben«, genug davon, mir Scheiße von den Jammerlappen anzuhören, die nie an vorderster Front für die Habenichtse kämpfen werden, die niemals riskieren, verhaftet zu werden oder einen Schlagstock über die Rübe zu bekommen, die niemals ein paar Stunden ihrer Zeit jede Woche opfern werden, um *Staatsbürger* zu sein, die höchste Ehre eines freien Menschen in einer Demokratie.

Ich möchte, daß wir uns alle unseren Ängsten stellen und aufhören, uns so zu verhalten, als ob unser einziges Ziel das bloße Überleben wäre. »Überleben« ist etwas für Schwächlinge und die Teilnehmer von Abenteuershows, die im Dschungel oder auf einer einsamen Insel ausgesetzt werden. Euch gehört der Laden. Die Bösen sind nur eine Bande blöder, dummer weißer Männer. Und wir sind verdammt viel mehr als die. Nutzt eure Macht.

Ihr habt etwas Besseres verdient.

Dank

Ich möchte zuallerst und am meisten den Menschen danken, die dieses Buch gelesen haben. Ich hoffe, Sie hatten dabei ein bißchen was zu lachen. Ich hoffe auch, daß es Sie inspiriert hat, Krawall zu schlagen. Sie sind die einzigen, die etwas verändern können. Versprechen Sie mir, daß Sie dieses Buch nicht einfach weglegen und weiter Solitaire auf Ihrem Computer spielen oder zum zehnten Mal an diesem Tag Ihre E-Mails durchsehen. Ich habe heute bereits mindestens zwanzigmal in meinem Briefkasten nachgesehen – und es ist erst 12 Uhr. Ich kriege nichts auf die Reihe.

Dann möchte ich denen danken, die mein erstes Buch *Downsize This* gekauft und es zum Bestseller gemacht haben. Dadurch konnte dieses Buch veröffentlicht werden. Ich habe diese Plattform nur, wenn die Bestie etwas in den Rachen oder zu fressen bekommt. Niemand bringt mein Buch heraus, weil er es für eine gute Idee hält, die Weißen zu töten oder den Präsidenten nur als »Präsidenten« zu bezeichnen. Wenn sich dieses Buch gut verkauft, werden Sie wieder von mir hören. Wenn nicht, gibt es im Fernsehen immer interessante Wiederholungen von Vorabend-Serien.

Ich möchte auch denjenigen danken, die mich auf der Straße ansprechen und mir ihre Geschichte vom Leben/Kampf/Überlebenskampf in Amerika erzählen. Alles, was Sie mir erzählt oder mir geschrieben haben, hat großen Einfluß auf meine Arbeit und mein Leben. Ich danke Ihnen, daß Sie Ihre Erfahrungen mit mir teilen.

Mein Dank gilt auch den Mitarbeitern von ReganBooks und HarperCollins, die dieses Buch möglich machten, vor allem der Verlegerin Judith Regan, weil sie das Risiko einging und viel Geduld mit mir hatte. Vielen Dank auch an meinen Lektor Carl Morgan, der mir Wörter beibrachte, die ich noch nie gehört hatte. Außerdem danke ich allen anderen im Hintergrund, die es mir ermöglichten, meine Meinung zu äußern und diese dann in eine richtige Buchhandlung zu bringen: Jennifer Suitor, Lisa Bullaro, Shelby Meizlik, Cassie Jones, Kim Lewis, Lorie Young, Kurt Andrews, Andrea Molitor, Carl Raymond, Paul Olsewski, Jamilet Ortiz, Tom Wengelewski, Lucy Albanese, Kris Tobiassen, Brenda Woodward, Adrian James und Westchester Book Composition. Dank an Paul Brown für die Umschlaggestaltung und an Susan Weinberg bei HarperPerennial, die mich zu HarperCollins brachte.

Ich möchte auch all denen danken, die in Buchhandlungen arbeiten und meine Bücher verkaufen, und den Mitarbeitern in Büchereien, die helfen, Kinder zu guter Lektüre anzuleiten. Ihre Bemühungen werden wirklich geschätzt. Vielen Dank auch an Don Epstein und all die anderen bei GTN, die die »Stupid White Men Tour Across America« in Zusammenhang mit der Veröffentlichung des Buches organisierten. Ohne sie hätte es »die ganz große Nummer« nie gegeben.

Mein Dank gilt auch all denen, die mir bei der Recherche halfen, jenen, die dazu beitrugen, daß dieses Buch fertig wurde und einigermaßen im Terminrahmen blieb. Der Verlag mußte uns die Seiten aus den Händen reißen und sie im letzten Moment noch in die Druckerei bringen, weil wir immer noch auf einen weiteren Wald oder eine Spezies warteten, die Cheney dem Untergang weihte. Mein ganz besonderer Dank gilt Kathleen Glynn, die mir beim Anfang half und dranblieb, damit aus dem Buch das wurde, was es heute ist. Zu meinen Mitverschwörern gehören Ann Cohen (deren wichtigster Beitrag zu diesem Buch unter vielen anderen der war, daß sie mir erklärte, wie eine Klobrille und ein Stück Seife funktionieren), Amy McCampbell (die einige

Tage zu Besuch kam, um an meinem Film mitzuarbeiten und schließlich fünf Monate blieb, um mir bei meinem Buch zu helfen), David Schankula (ein Student am Sarah Lawrence College, der bis spät in die Nacht für dieses Buch schuftete und es schaffte, daß ich im letzten Kapitel die Kurve kriegte), Rehya Young (mein Dank für diese wunderbare Frau läßt sich mit Worten kaum ausdrücken, sie hat die letzten beiden Jahre mit mir in den Schützengräben verbracht und ist mir sogar für ihre Lunge voll Tränengas in Seattle dankbar) und mein inoffizielles Lektorat in Form meiner Freunde und Familie, die den unerläßlichen »Idiotentest« durchführten: Sie haben verhindert, daß ich mich wie ein Volltrottel aufführte. Sie halfen mir, meinen Mangel an Bildung und guten Manieren sorgfältig zu tarnen, und sie unterstützten mich stets mit konstruktiven Kommentaren sowie einigen großartigen Recherchetips. Das waren bei diesem Buch Anne Moore und John Hardesty (deren Artikel – und Leben – Inspiration und der Motor für das Kapitel über die Justiz waren), Jeff Gibbs (der mir zahlreiche Tips und Ideen zu Fragen des Umweltschutzes gab und dessen Prognose über die Zukunft der Erde mir das PBB vor Angst aus allen Poren trieb), Joanne Doroshow (eine gute Freundin seit unserer gemeinsamen Zeit in der Nader-Zentrale) sowie Al Hirvela, Ben Hamper, Harold Ford, Veronica Moore, Natalie Rose und K.G. (der alle Kapitel las und mir das Gefühl vermittelte, wir säßen wieder auf dem Boden bei der *Flint Voice* und müßten die Zeitung zusammenkriegen, bevor die Sonne aufgeht oder die Kantenschutzstreifen alle sind!). Und noch ein besonderes Dankeschön an meine Agenten Mort Janklow und Anne Sibbald bei Janklow & Nesbit.

Heute vor 20 Jahren wurde das Leben schön. Mein innigster Dank gilt allen Beteiligten.

Anmerkungen

ONE – Ein sehr amerikanischer Coup

Die Informationen über Jeb Bushs Frau und ihre Probleme mit dem amerikanischen Zoll stammen aus Marcia Gelbart, »Gov. Jeb Bush: Florida Republican is Younger, Taller, and More Partisan than George W.«, in *The Hill,* 30. Juli 2000.

Eine Untersuchung der gesäuberten Wählerlisten war in folgenden Artikeln zu finden: Gregory Palast, »Florida's ›Disappeared Voters‹: Disfranchised by the GOP«, in *The Nation,* 5. Februar 2001; John Lantigua, »How the GOP Gamed the System in Florida«, in *The Nation,* 30. April 2001; Lisa Gatter, »Florida Net Too Wide in Purge of Voter Rolls«, in *Los Angeles Times,* 21. Mai 2001 und Anthony York, »Eliminating Fraud – Or Democrats?«, in Salon.com, 8. Dezember 2000.

Probleme mit Blockaden in einigen Wahllokalen werden in der *New York Times* angesprochen: Mireya Navarro und Somini Sengupta, »Contesting the Vote: Black Voters; Arriving at Florida Voting Places, Some Blacks Found Frustration«, 30. November 2000. Auch die *Washington Post* berichtete über das Problem: Robert E. Pierre, »Irregularities Cited in Fla. Voting; Blacks Say Faulty Machines, Poll Mistakes Cost Them Their Ballots«, 12. Dezember 2000.

Im Repräsentantenhaus gab es im Februar eine Anhörung wegen der frühen Bekanntgabe der Wahlergebnisse, wie die *Washington Post* berichtete: Howard Kurtz, »Election Coverage

Burned to a Crisp; House Grills Networks' ›Beat Clock' Approach‹«, 15. Februar 2001.

Informationen über die Verbindung zu Bushs Cousin finden sich bei Associated Press: David Bauder, »Fox Executive Spoke Five Times with Cousin Bush on Election Night«, 12. Dezember 2000, siehe auch Howard Kurtz, »Bush Cousin Made Florida Vote Call for Fox News«, in *Washington Post,* 14. November 2000.

Eine Artikelserie in der *New York Times* verfolgte die Auszählung der Briefwahlstimmen aus dem Ausland: David Barstow und Don Van Natta, Jr., »How Bush Took Florida: Mining the Overseas Absentee Vote«, 14. und 15. Juli 2001, »How the Ballots Were Examined«, 15. Juli 2001;S_0;, C. J. Chivers, »House Republicans Pressed Pentagon for E-Mail Addresses of Sailors«, 15. Juli 2001; Michael Cooper, »Timely But Tossed Votes Were Slow to Get to the Ballot Box«, 15. Juli 2001 und Richard L. Berke, »Lieberman Put Democrats in Retreat on Military Vote«, 15. Juli 2001. Nach der Veröffentlichung dieser Artikel erlaubte Innenministerin Katherine Harris die Überprüfung ihrer Festplatte, wie Associated Press meldete: David Royse, »Computer Analysts gain Acess to Secretary of State Katherine Harris' Computers«, 1. August 2001 und Dana Canedy, »Florida Gives Computers in November Election to News Groups for Inspection« in *New York Times,* 2. August 2001.

Informationen über den genauen Zeitpunkt der Entscheidung des Obersten Gerichts finden sich in: Herman Schwartz, »The God That Failed; Florida Supreme Court's Rulings on the Presidential Elections«, in *The Nation,* 1. Januar 2001, außerdem bei CNN Saturday Morning News Transcripts 08:00, 9. Dezember 2000 und ABC News Special Report, 2:47pm, 9. Dezember 2000.

Der Kommentar von Richterin O'Connor über ihre Pensionierung stand in: Evan Thomas und Michael Isikoff, »The Truth Behind the Pillars« in *Newsweek,* 25. Dezember 2000.

Informationen über die Beziehungen zwischen dem Obersten Gericht und der Regierung finden sich in: Christopher Marquis,

»Contesting the Vote: Challenging a Justice« in *New York Times,* 12. Dezember 2000 und Jill Zuckman, »Justice Scalia's Son a Lawyer in Firm Representing Bush Before Top Court«, in *Chicago Tribune,* 29. November 2000.

Scalias Erklärung steht im Text des Urteils: Supreme Court of the United States, Nr. 00-949 (00A504) *George W. Bush et al versus Al Gore Jr. et al,* Scalia, J. Urteilsbegründung, 531 US_(2000), 9. Dezember 2000.

Eine der besten Untersuchungen über die weitverbreiteten Bemühungen, schwarzen Bürgern in Florida das Wahlrecht zu verweigern, findet sich im Bericht der United States Commission of Civil Rights, »Voting Irregularities in Florida During the 2000 Presidential Election«, 8. Juni 2001. Im Internet unter: www.usccr.gov/vote2000/flmain.htm.

Informationen über Cheneys Einstellung zur Abtreibung finden sich in: Michael Kranish, »Conservative Tilt in Congress Merged with a Moderate's Style«, in *Boston Globe,* 26. Juli 2000 und Michael Finnegan, »Would Vote Differently on ERA, Head Start, Not Mandela«, in *Los Angeles Times,* 31. Juli 2000; »Dick Cheney voted conservative, played moderate«, Zitat unter CNN.com, 24. Juli 2000. Über Cheneys Zeit im Verteidigungsministerium kann man in seiner offiziellen Biographie unter www.defenselink.mil/specials/secdaef_histories/bios/cheney.htm nachlesen. Cheneys Investitionen an der Börse werden bei Forbes.com aufgeführt, Dan Ackman, »Top of the News: O'Neill to Sell«, 26. März 2001. Siehe auch: Martin Espinoza, »Cheney's Oil Investments and the Future of Mexico's Democracy«, 8. August 2000 unter www.Corpwatch.org; Molly Ivins, »A Go-Round on Foreign Policy Ride«, in *Sacramento Bee,* 11. März 2001, »Eyes Wide Shut: Scruples Fade in Dealings with Burma«, in *The Guardian,* 28. Juli 2000. Nachforschungen über Geschäfte von Halliburton mit dem Irak stellte auch die *Washington Post* an: Colum Lynch, »Firm's Iraq Deals Greater Than Cheney Has Said; Affiliates Had $73 Million in Contracts«, 23. Juni 2001.

Ashcrofts Einstellung zur Abtreibung wird bei ABCNews.com unter der Überschrift »Controversy on Abortion, Civil Rights Liberties« geschildert: »An Ashcroft Justice Department«, 23. Dezember 2000. Ashcroft sprach sich gegen ein Gesetz gegen die Diskriminierung Homosexueller aus (Employment Non-Discrimination Act S. 2056, Abstimmungsnummer 1996-281, 10. September 1996), seine Entscheidung bei der Abstimmung zur Begnadigung von Todeskandidaten steht in der Senate Bill Nr. S. 735, Abstimmungsnummer 1996-66, 17. April 1996. Ashcrofts Haltung zu Hinrichtungen als Gouverneur und sein Standpunkt zur Drogenbekämpfung finden sich bei ABCNews.com in dem Artikel »An Ashcroft Justice Department«, 23. Dezember 2000. Ashcroft stimmte im Rahmen der Gesetzesvorlage S. 625, Abstimmungsnummer 1999-360 am 10. November 1999 für härtere Strafen bei Drogendelikten. Zu Ashcrofts Interesse an Claritin siehe Molly Ivins, »Cabinet Diversity? Check Out the Bush Team's Corporate Logos«, 12. Februar 2001. Ashcrofts »Nein« bei der Abstimmung, Medicare-Patienten von den Kosten für verschreibungspflichtige Medikamente zu befreien, findet sich in Bill HR.4690, Abstimmungsnummer 2000-144, 22. Juni 2000.

Ann Venemans Werdegang wird in einem Artikel von Molly Ivins dargestellt, »The Early Days of Bushdom are Not a Pretty Sight«, 29. Januar 2001. Siehe auch Elizabeth Becker, »Transition in Washington: Agriculture Department«, in *New York Times,* 19. Januar 2001. Informationen zu Venemans Vermögen finden sich bei Julian Borger, »History's Richest Cabinet Takes the Gilt off Bush's Tax Cut«, in *The Guardian,* 7. Februar 2001.

Informationen zu Rumsfelds Werdegang finden sich bei Michael T. Klare, »Rumsfeld: Star Warrior Returns«, in *The Nation,* 29. Januar 2001 und Jason Vest, »The Rummy«, in *In These Times,* 19. Februar 2001.

Spencer Abrahams »Leistungsbilanz« für die Umwelt und Informationen zum Energieministerium stammen aus David Helvarg, »The Three Horsemen of the Environmental Apocalypse«, in *The Nation,* 16. Januar 2001, »Energy Secretary Nominee

Tried to Abolish the Energy Department«, in Environmental News Network, 8. Januar 2001 und Geov Parrish, »Who's Who in the Bush Cabinet«, unter www.alternet.org, 16. Januar 2001.

Tommy Thompsons Haltung zur Abtreibung während seiner Zeit als Gouverneur wird ebenfalls in Parrishs Artikel beschrieben: Geov Parrish, »Who's Who in the Bush Cabinet«, www.alternet.org, 16. Januar 2001. Thompsons Verbindungen zu Philip Morris finden sich in einem weiteren AlterNet-Artikel: Jonathan Rowe und Gary Ruskin, »Bush's War on Children«, 3. Juli 2001.

Informationen zu Gale Norton finden sich in den folgenden Artikeln: Bob Herbert, »Far Far from the Center«, in *New York Times,* 8. Januar 2001 und Douglas Jehl, »Norton Record Often at Odds with Laws She Should Enforce«, in *New York Times,* 13. Januar 2001. Die Klage gegen C.R. Bard wird in PR Newswire geschildert, »C.R. Bard, Inc. Executives Sentenced to Eighteen Month Federal Prison Terms«, 8. August 1996.

Colin Powells Beziehungen zu AOL/Time Warner werden bei Associated Press diskutiert: Greg Toppo, »Stocks, Speeches Add to Powell Wealth«, 17. Januar 2001. Siehe auch Peter Spiegel, »The Americans: All the U.S. President's Very Rich Men«, in *The Financial Times,* 8. März 2001.

Paul O'Neills Aktienbesitz wird in den folgenden Artikeln aufgelistet: William Greider, »The Man from Alcoa«, in *The Nation,* 16. Juli 2001 und Nate Blakeslee, »Alcoa Strikes Curious Water Deal with San Antonio«, in *Houston Chronicle,* 3. September 1999.

Über Karl Roves Verbindungen zur Industrie wird in der *New York Times* berichtet: »Bush Aide with Intel Stock Met with Executives Pushing Merger«, 14. Juni 2001. Siehe auch »Mauro Raises Questions About Bush's Aides Link to Tobacco Industry«, 31. August 1997.

Die Informationen über Kenneth Lay stammen aus der *New York Times:* Lowell Bergman und Jeff Gerth, »Power Trader Tied to Bush Finds Washington All Ears«, 25. Mai 2001.

Weitere Informationen über die Beteiligten des Staatsstreichs erhält man beim Center for Responsible Politics und unter www.issues.org.

TWO – Lieber George

Informationen über das Vermögen der Familie Bush und ihre Verbindungen zu Nazideutschland finden sich in: Michael Kranish, »An American Dynasty« (Teil 2), in *Boston Globe,* 23. April 2001; in: »Author Links Bush Family to Nazis«, in *Sarasota Herald Tribune*, 12. November 2000; und in: Susie Davidson, »The Bush Family-Third Reich Connection: Fact or Fiction?«, in *The Jewish Advocate*, 19. April 2001.

Informationen über die einzelnen Spenden an die Republikanische Partei im Wahlkampf 2000 finden sich in: Don van Natta Jr. und John M. Broder, »The Republicans: The Few, the Rich, the Rewarded Donate the Bulk of GOP Gifts«, *New York Times,* 2. August 2000; und in: The Center of Responsive Politics, www.opensecrets.org.

Über Bushs alte und neue Amtshandlungen kann man sich in Molly Ivins' Kolumne auf dem laufenden halten, die beim Creators Syndicate erhältlich ist (ein Archiv findet sich unter www.sacbee.com/voices/national/ivins) oder auf den folgenden Websites: www.smirkingchimp.com und www.bushwatch.com.

Die Geschichte von Bushs Lieblingsbilderbuch findet sich in: »›Hungry Caterpillar‹, a Favorite with Bush«, in *Arizona Republic*, 17. Oktober 1999. George W. Bush machte 1968 seinen Abschluß in Yale. Eric Carle's *Die Raupe Nimmersatt«* erschien 1969. Brigitte Greenberg berichtet in »Bush's Alleged Grades Published«, Associated Press, 9. November 1999, über Bushs Eignungstest. Die Informationen über Bushs Lesegewohnheiten stammen aus: Kevin Merida, »Shades of Gray Matter; The Question Dogs George W. Bush: Is He Smart Enough?«, in *Washington Post*, 19. Januar 2000, und aus: Richard L. Berke, »Bush is Providing Corporate Model for White House«, in *New York Times*, 11. März 2001.

Informationen über Bushs Vergangenheit als Trinker und seine Trunkenheit am Steuer vermitteln: Lois Romano und George Lardner Jr., »1986: A Life-Changing Year: Epiphany Fueled Candidate's Climb«, in *Washington Post,* 25. Juli 1999, und: »Bush Pleaded Guilty to DUI«, Associated Press, 2. November 2000. Dick Cheneys Festnahmen wegen Trunkenheit am Steuer werden erwähnt in: Jake Tapper, »Bush Stays in the Clear – For Now«, in www.Salon.com, 4. November 2000. Über Bushs Festnahme wegen Trunkenheit am Steuer *und* über seine früheren Konflikte mit dem Gesetz berichtet: Adam Cohen, »Fallout From a Midnight Ride«, in *Time*, 13. November 2000.

Einzelheiten über Laura Bushs Autounfall enthalten die Artikel: John Hanchette (Ganett News Service), »Laura Welch Bush: Shy No More«, *USA Today,* 23. Juni 2000; und Julie Bonnin, »Reserved Texas First Lady is Primed for National State«, in *Plain Dealer*, 31. Juli 2000.

George Bushs Reaktion auf die Frage, ob er Drogen genommen habe, findet sich in: Dan Balz, »Bush Goes Further on Question of Drugs; He Says He Hasn't Used Any in the Past 25 Years«, in *Washington Post*, 20. August 1999.

Walter V. Robinson, »1-Year Gap in Bushs Guard Duty: No Record of Airman at Drills in 1972–1973«, in *Boston Globe,* 23. Mai 2000, berichtet über Bushs Dienst bei der Nationalgarde. Über die angebliche Bemerkung James Bakers berichtete 1992 der konservative Kolumnist William Safire und über die Spätfolgen der Bemerkung wird berichtet in: »Report of Baker Remark Draws Ire in Israel«, Associated Press, 8. März 1992, und in: Xan Smiley, »Jewish Backlash Could Cost the President Dear« in: *Sunday Telegraph*, 27. September 1992.

THREE – Ab zum Abschwung

Wenn Sie genauso entsetzt wären wie ich, daß Ihr Pilot vielleicht Lebensmittelmarken bezieht, hier finden Sie die entsprechenden Fakten – und mehr: James Ott, »Old Values Clash in Connair

Strike«, in *Aviation Week & Space Technology,* 2. April 2001; »Key Issues in the Strike«, in *Cincinnati Enquirer,* 27. März 2001; David Leonhardt, »Small Jets' Big Stake in a Strike«, *New York Times,* 16. Juni 2001; Dan Reed, »American Eagle Pilots Reject Contract«, in *Star-Telegram,* 17. August 2000; Pauline Arrillaga, »Express Pilots Vow to Strike as They Head Back to Bargaining Table«, Associated Press, 28. Juni 1998; M. R. Kropko, »Continental Express Pilots Start Informational Pikketing«, Associated Press, 14. Oktober 1998; Roger Roy, »Highflying Job Doesn't Make Big Bucks«, in *Orlando Sentinel,* 16. März 1997; »US Airways Attendants Rehearse Strike Movements in Philadelphia«, in *Philadelphia Daily News,* 24. März 2000; Robert McCoppin, »Airline Worried About Spring Travel as Flight Attendants Threaten Strike«, in *Chicago Daily Herald,* 20. Januar 2001; »Holiday Airline Travelers May Experience Flight Problems Due to Full Flights and Labor Problems Between Workers and Airlines«, 21. November 2000.

Die statistischen Daten über private und konzerneigene Vermögen stammen aus: Alan Fram, »Income of the Richest Up 157 %«, Associated Press, 31. Mai 2001; und aus Sarah Anderson und John Cavanagh, »Top 200: The Rise of Corporate Global Power«, Institute for Policy Studies Report, Dezember 2000.

Informationen über die Besteuerung von Konzernen finden sich in: Charles Lewis und Bill Allison und Center for Public Integrity, *The Cheating of America* (HarperCollins), 2001, S. 11 ff., 15, 79, 82f.

FOUR – Los, killt die Weißen!

Viele der Statistiken über die ökonomische und soziale Lage der Afroamerikaner in diesem Lande finden sich in einem Bericht des Council of Economic Advisers for the President's Initiative on Race, »Changing America: Indicators of Social and Economic Well-Being by Race and Hispanic Origin« vom September 1998.

Informationen über die Ungleichheiten bei der Krankenversicherung findet man in den folgenden Artikeln: in der *New York Times* vom 10. Mai 2001: »Blacks Found on Short End of Heart Attack Procedure« von Sheryl Gay Stolberg; Associated Press vom 4. Mai 2001: »Race Bias in Stroke Treatment Found« von Melissa Williams; und im *Daily News* vom 8. Juni 2001: »Black Maternal Deaths 4 Times the White Rate« von Leslie Casimir.

Die Statistik über den Waffengebrauch im eigenen Haus zur Abwehr eines Eindringlings stammt aus dem Faktenblatt »Guns in the Home« der Brady Campaign to Prevent Gun Violence.

FIVE – Nation der Dummköpfe

Angaben zum Analphabetismus stammen aus dem Bericht des Bildungsministeriums National Adult Literacy Survey bzw. von der Organisation Literacy Volunteers of America.

Der Fauxpas von Bush wird ausführlich geschildert in Frank Bruni, »Deep US-Europe Split Casts Long Shadow on Bush Tour«, in der *New York Times* vom 15. Juni 2001.

Der Wortlaut seiner Eröffnungsansprache in Yale findet sich in der Agenturmeldung von Associated Press »George W. Bush commencement address at Yale«, 21. Mai 2001.

Über die lückenhaften Kenntnisse amerikanischer Regierungsvertreter machen sich folgende Beiträge lustig »Politics is Nothing New in Choosing Ambassadors« in *St. Petersburg Times,* 21. Juli 1989; »Ambassadors; What Price Monaco?« in The Economist, 4. März 1989; Jeff Bradley, »European Press Has Fun with Clark Performance« in Associated Press, 4. Februar 1981.

Bushs mangelnde Kenntnis der Hauptstädte großer Länder war Thema des Beitrags von Jake Tapper, »Briefs or No Briefs?« in Salon.com, 26. April 2001.

Donald Kaul berichtete in seinem Beitrag »America's Best & Brightest Are Clueless About Our History« im *Des Moines Register* vom 7. Juli 2000 über den Geschichtstest, bei dem Spitzenstudenten durchfielen. Er wird auch von Brian Maxwell erwähnt in »Education without Knowledge«, *University Wire* (UVa), 13. Juli 2000.

Statistische Angaben über das Angebot an Lehrveranstaltungen amerikanischer Universitäten sind folgenden Beiträgen entnommen: Samuel Hazo, »The Selling Out of Higher Education« in *Pittsburgh Post-Gazette,* 3. September 2000; und Emily Eakin, »Much Ado–Yawn–About Great Books« in *New York Times,* 8. April 2001.

Die boshaften Kommentare zu Lehrern stammen aus Peter Applebome, »Education Panel Sees Deep Flaws in Training of Nation's Teachers« in *New York Times,* 13. September 1996; »The Teacher-Pay Myth« (Leitartikel) in *New York Post,* 26. Dezember 2000; Michael Chapman, »Why Bad Teachers Can't Be Fired« in *Investor's Business Daily,* 21. September 1998; Douglas Carmine zitiert von Brandon Unitsky in »Bring Back the Basics« in *Montreal Gazette,* 6. Januar 2001; Peter Schweizer, »Firing Offenses« in *National Review,* 17. August 1998.

Zur Anwerbung von Lehrern aus dem Ausland: Kevin Sack, »Facing a Teacher Shortage, American Schools Look Overseas« in *New York Times,* 19. Mai 2001. Der Lehrermangel in New York wird diskutiert in Steven Greenhouse, »Teacher Pact Still Far Off« in *New York Times,* 5. Juni 2001; Jacques Steinberg, »Nation's Schools Struggling to Find Enough Principals« in *New York Times,* 3. September 2000; Abby Goodnough, »Survey Shows More Teachers Are Leaving for Jobs in Suburban Schools« in *New York Times,* 13. April 2001. Informationen zu den Schulgebäuden sind folgendem Bericht des Bildungsministeriums entnommen: National Center for Education Statistics, Conditions of Public School Facilities; sowie Debbi Wilgoren, »26 DC Schools Cleared« in *Washington Post* 12. September 1997; und Valerie Strauss, »Angry Judge Closes 4 More DC Schools« in *Washington Post,* 25. Oktober 1997. Der Mangel an Verwaltern wurde von Sheila Dewan beklagt in »Janitorial Rules Leave Teachers Holding a Mop« in *New York Times,* 28. Mai 2001.

Informationen über Bushs Kürzungen der Zuschüsse für Bibliotheken stammen aus dem Beitrag »Libraries Want to Shelve Bush's Proposed Cuts« in *Dallas Morning News,* 13. April 2001. Jonathan Kozols Kommentar zum Zustand der Schulbüchereien »An Unequal Education« wurde im *School Library Journal* veröffentlicht. Weitere Informationen zu Schulbüchereien und Richard Nixons Beitrag liefern Marjorie Coeyman, »Even in Information-Rich Age, School Libraries Struggle« in *Christian Science Monitor,* 2. Februar 2001; und Kathleen Kennedy Manzo, »Era of Neglect in Evidence at Libraries« in *Education Week,* 1. Dezember 1999.

Quellen zu den Quiz-Antworten: Jahresgehalt – US Vital Statistics; Table 696 – Bureau of Labor Statistics; Antwort auf 911– Paula Lyons, »Before You Call 911: Is this emergency number the lifesaver it should be?« in *Ladies Home Journal,* Mai 1995; Bedrohte Tierarten – Associated Press, »11,000 Species Said to Face Extinction with Pace Quickening«, 29. September 2000; Größe des Ozonlochs – Colin Woodward, »Ozone Goes Down Below«, *Christian Science Monitor,* 11. Dezember 1998; Detroit gegen Afrika: Detroit = 19,4% (1991) – laut Annie E. Casey Foundation, Bericht »Kids Count«, 25. April 2000, Libyen = 19%, Mauritius = 19% und Seychellen = 13% – laut UNICEF; Zeitungen – Newspaper Guild; Todesart – Justice Policy Institute, »School House Hype: School Shootings and the Real Risks Kids Face in America« von Elizabeth Donohue, Vincent Schiraldi und Jason Ziedenberg, 1999.

Die Informationen über die Präsenz von Unternehmen an Schulen sind zum großen Teil einem Bericht des Center for the Analysis of Commercialism in Education (CACE) entnommen, Third Annual Report on Trends in Schoolhouse Commercialism, 14. September 2000. Weiteres Material stammt aus folgenden Beiträgen: Dave Carpenter, »Marketing to Free-Spending Teens Gets Savvier« in Associated Press, 20. November 2000; aus der Phil-Smith-Vorlesung des Jahres 1999 von Professor Alex Molnar am 15. Oktober 1999; aus »The New (And Improved!)

School« in *Mother Jones,* Sept./Okt. 1998; Ronnie Cohen, »Schoolhouse Rot« in *Mother Jones,* 10. Januar 2001; Richard Weir, »Five-Shift Lunches to End?« in *New York Times,* 17. Mai 1998; Henry Unger und Peralte Paul, »Coca-Cola Learns a Lesson in Schools« in *Atlanta-Journal Constitution,* 14. März 2001; Steve Manning, »Students For Sale: How Corporations Are Buying Their Way into America's Classrooms« in *The Nation,* 27. September 1999; Frank Swoboda, »Pepsi Prank Fizzles on ›Coke Day‹« in *The Washington Post,* 26. März 1998.

Das bedrohliche Kinderprofil stammt aus Federal Bureau of Investigations Study of School Shootings, »Risk Factors for School Violence«, September 2000.

SIX – Netter Planet, aber keiner da

Die Informationen über Pepsi und Recycling stammen aus Ann Leonard, »Dumping Pepsi's Plastic«, 1994 (Artikel unter www.essential.org) und einem Telefoninterview mit der Autorin. Siehe auch Keerthi Reddy, »India: Dumping Ground of the Millenium?«, in *Sword of Truth,* 13. Januar 2001.

Der Artikel über Recycling und den Kongreß stammt von Associated Press: Suzanne Gamboa, »Texas Congressman, Environmental Groups Target House Recycling«, 20. September 2000.

Das Ausmaß der Luftverschmutzung wurde mit Informationen des Environmental News Network berechnet: »Air Pollution Kills, But Deaths Can Be Prevented«, 30. August 1999, und der American Lung Association, »American Lung Association Fact Sheet: Outdoor Air Pollution«, letzte Aktualisierung August 2000.

Informationen über den Benzinverbrauch finden sich bei: Arthur Flax, »Chrysler: CAFE Hike Possible«, in *Automotive News,* 8. Mai 1989; Charles Child, »More Horsepower!«, in *Automotive News,* 24. Juni 1995, und Cindy Skrycki, »The Regulators; Battling to Raise the Bar on Fuel Standards«, in *Washington Post,*

16. Mai 2000. Die Angaben zum Benzinverbrauch von Geländewagen stammen aus Molly Ivins, »Scary Talk from Shrub and the Veeper«, in *Sacramento Bee,* 3. Mai 2001. Die Ölmenge, die im Naturschutzgebiet in Alaska gefördert werden soll, wird in der *New York Times* genannt: Joseph Kahn, »Cheney Promotes Increasing Supply As Energy Policy«, 1. Mai 2001.

Trotz des wachsenden Drucks von Umweltschützern, eine Ausnahmeregelung für Geländewagen mit einem Veto zu belegen, unterzeichnete Clinton das Gesetz. Siehe dazu: Debra J. Saunders, »Protecting Mother Earth and Gas Guzzlers«, in *San Francisco Chronicle,* 14. Dezember 1999.

Über die Untersuchung zur globalen Erwärmung wurde in der *New York Times* berichtet: Katherine Seelye und Andrew Revkin, »Panel Tells Bush Global Warming is Getting Worse«, 7. Juni 2001. Siehe auch Tracy Watson und Judy Keen, »Climate Change Report Puts Bush on Spot«, in *USA Today,* 20. Juni 2001.

Die angesprochenen Artikel in der *New York Times* sind: John Noble Wilford, »Ages-Old Icecap at North Pole is Now Liquid, Scientists Find«, 19. August 2000 und die Richtigstellung am 29. August; der Artikel über den Asteroiden: Malcolm W. Browne, »Asteroid is Expected to Make a Pass Close to Earth in 2028«, 12. März 1998 und derselbe, »Debate and Recalculation on an Asteroid's Progress«, 13. März 1998.

Deborah S. Rogers, »America isn't Immune to Animal Diseases«, in *Sacramento Bee,* 30. März 2001. Der Artikel stützt sich auf eine Untersuchung der University of Pittsburgh, laut der 5 Prozent verstorbener Alzheimer-Patienten wahrscheinlich Kreutzfeld-Jakob hatten.

SEVEN – Das Ende des Mannes

Wie steht es heute um die Frauenbewegung in unserem Land? Die einzige Spitzenkandidatin einer größeren Partei war Geraldine Ferraro, die 1984 als Vizepräsidentin Walter Mondales kandidierte. Die fünf weiblichen Gouverneure sind: Jane Dee Hull in

Arizona, Ruth Ann Minner in Delaware, Jane Swift in Massachusetts, Judy Martz in Montana und Jeanne Shaheen in New Hampshire. (Quelle: National Governors Association). Nach Angaben des Center for American Women and Politics gibt es 13 Senatorinnen und 60 weibliche Abgeordnete des Repräsentantenhauses (Stand 1. August 2002). Nur fünf der laut der Zeitschrift *Fortune* 500 größten US-amerikanischen Unternehmen haben weibliche Vorstandsvorsitzende: Hewlett-Packard (Carly Fiorina), Mirant (Marce Fuller), Avon (Andrea Jung), Xerox (Anne Mulcahy) und Lucent (Patricia Russo). Laut der letzten College-Rangliste von *U.S. News & Word Report,* erschienen 2001, hatten nur vier der besten 21 Colleges Frauen als Präsidentinnen an ihrer Spitze: Princeton University (Shirley Tilghman), University of Pennsylvania (Dr.Judith Rodin), Duke University (Nan Keohane) und Brown University (Ruth Simmons – sie ist auch der erste afroamerikanische Präsident einer zur Ivy League zählenden Eliteuniversität).

Die Statistiken über die Armutsrate geschiedener Frauen stammen aus einer Veröffentlichung der Society for Advancement of Education vom April 1998: »Count the Costs Before You Split«.

Der Equal Pay Day wurde 2001 am 3. April »gefeiert«. Am gleichen Tag veröffentlichte das US-Arbeitsministerium einen Report über den Lohnabstand zwischen Mann und Frau. Dazu erschien in der *Chicago Sun-Times* vom 3. April 2001 ein Artikel von Francine Knowleds: »Women Still Earn Less Than Men«.

Die Vergleiche zwischen der Gesundheit von Männern und Frauen stammen aus *The Economist* vom 23. Dezember 1995: »Are Men Necessary? The Male Dodo«; Linda Carroll am 16. Januar 2001 auf www.msnbc.com: »Men May Be the Weaker Sex«; und der Veröffentlichung des National Institute of Mental Health: »The Numbers Count: Mental Disorders in America« / Hoyer DL, Kochanek KD, Murphy SL; Gesamtdaten von 1997.

EIGHT – Wir sind die Nummer Eins!

Laut einer Schätzung der Weltgesundheitsorganisation der Vereinten Nationen haben weltweit eine Milliarde Menschen keinen Zugang zu sauberem Trinkwasser. Bei Kosten von 50 Dollar pro Person (wie vom Word Game Institute, www.worldgame.com, geschätzt) würden die Gesamtkosten, um sie alle mit sauberem Wasser zu versorgen, 50 Milliarden Dollar betragen. Seit der Regierung Reagan haben wir für das verrückte Star-Wars-Projekt 60 Milliarden Dollar ausgegeben. In den nächsten 15 Jahren sind laut Haushaltsausschuß des Kongresses Ausgaben in Höhe von weiteren 50 bis 60 Milliarden Dollar geplant. Außerdem leisten wir jährlich mindestens 100 Milliarden Dollar Sozialhilfe für die Konzerne. Mit anderen Worten, der ganze Planet könnte morgen sauberes Trinkwasser haben, wenn wir andere Prioritäten setzen würden. Christopher Hellman vom Center for Defense Information schätzt in dem Gutachten »The Costs of Ballistic Missile Defense«, daß die Gesamtkosten für das US-amerikanische Raketenabwehrsystem (einschließlich der Ausgaben in der Vergangenheit und der konservativ geschätzten Ausgaben in der Zukunft) annähernd 200 Milliarden Dollar betragen werden.

Die Schätzung, wieviel Prozent der Weltbevölkerung noch ohne Strom sind, stammt aus dem Weltbankbericht »Meeting the Challenge: Mural Energy and Development for Two Billion People Report« aus dem Jahr 2000. Daß 50 Prozent der Erdbevölkerung kein Telefon haben, sagte der Internet-Pionier Dr. Vinton Cerf in seiner Rede auf der Konferenz Creating Digital Dividends am 17. Oktober 2000 in Seattle.

Die Informationen über den Haushalt des Pentagons im Jahr 2001 stammen aus dem Bericht: »Fiscal Year 2001 Military Budget at a Glance« des Council for a Livable World (www.clw.org). Die Kosten für die College-Ausbildung sind errechnet aus: US Vital Statistics – US Census Bureau Population Report Table 247 und aus US National Center for Educational Statistics, Digest of Education Statistics, 311.

Quellen für die Liste »Wir sind die Nummer Eins!«: Childrens Defense Fund, »The State of America's Children Yearbook 2000«; UN Human Development Report 2000; US Vital Statistics, Tables 1356, 1361, 1390, 1398; Energy Information Administration, »Official Energy Statistics from the US Government; Amnesty International, »Facts and Figures on the Death Penalty«, 6. Januar 2001; Patrick Moynihan, »Family and Nation«, 1986, S. 96.

Lesen Sie mehr über Kim Jong Il in: Anthony Spaeth, »Kim Jong Il: Asian of the Year«, in *Time Asia,* 25. Dezember 2000; »The Kim is Dead! Long Live the Kim«, in *Journal of International Affairs;* Thomas Omestead und Warren P. Strobel, »A Not-So-Kooky Kind of Guy«, in *U.S.* News and World Report, 6. November 2000; Peter Maas, »North Korea Opens Up«, in *New Republic,* 12. Juni 2000; »North Korea's Monster Movie Flops in South Korean Theaters«, Associated Press, 28. Juli 2000; »South Korea Media Chiefs to Meet North's Kim Jong Il«, Reuters, 6. August 2000; www.CNN.com, »In-Depth Specials: Kim Jong Il: ›Dear Leader‹ or Demon?«

NINE – Ein großes glückliches Gefängnis

Berichte über den Tod von John Adams erschienen im Oktober 2000 in der Zeitung *Tennessean.* Die Informationen über Koch Industries stammen aus den folgenden Quellen: Michael Hines, »Federal Charges Against Koch Industries Cut to Nine«, in *Corpus Christi Caller-Times* vom 12. Januar 2001; Meldung der Associated Press vom 18. März 2001: »Government's Case Against Koch Industries Shrinks Again«; Suzanne Gamboa, »Texas Pipeline Company to Pay $20 Million in Fines«, Meldung der Associated Press vom 9. Mai 2001; Dan Eggen: »Oil company Agrees to Pay $ 20 Million in Fines; Koch Allegedly Hid Releases of Benzene«, in *Washington Post* vom 10. April 2001; James Pinkerton, »Koch Slapped with Big Penalty; Guilty of Pollution Violation«, in *Houston Chronicle* vom 10. April 2001; Neil Strasman, »Oil Company Settles Charges«, in *Fort Worth Star-Telegram* vom 10. April 2001.

Die Informationen über Anthony Lemar Taylors Geschichte stammen aus folgenden Artikeln: Kimberly Kindy, »DMV Can't Catch Tiger by His ID«, in *Orange County Register* vom 20. Dezember 2000; Ramon Coronado, »Woods ID Thief Gets 200-to-Life«, in *Sacramento Bee* vom 28. April 2001.

Der Fall des Kerry Sanders wurde in einem Artikel der *New York Times* dokumentiert: Benjamin Weiser, »My Name is Not Robert«, vom 6. August 2000.

Die Studenten der Medill School of Journalism an der Northwestern University unter der Leitung von Professor David Protess untersuchen weiterhin strittige Todesurteile. Sie wurden am 21. Juni in einer Folge des CBS-Nachrichtenmagazins *48 Hours* vorgestellt.

Die Studie über die Häufigkeit von Irrtümern in Prozessen, die mit einem Todesurteil enden, ist: James S. Liebman, Jeffrey Fagan und Valerie West, »A Broken System: Error Rates in Capital Cases, 1973–1995«, erschienen am 12. Juni 2000. Ein Bericht darüber erschien in der *New York Times*: Fox Butterfield, »Death Sentences Being Overturned in 2 of 3 Appeals«, vom 12. Juni 2000.

Das Death Penalty Information Center liefert Informationen und Statistiken über Todesurteile für Jugendliche und geistig Behinderte.

Ergebnisse der Meinungsumfragen über die Akzeptanz der Todesstrafe in der amerikanischen Öffentlichkeit erschienen in folgenden Artikeln: Richard Morin und Claudia Deane, »Support for Death Penalty Cases Eases; McVeigh's Execution Approved, While Principle Splits Public«, in *Washington Post* vom 3. Mai 2001. In der *Houston Chronicle* erschienen folgende Artikel: Allan Turner, »Harris County Is a Pipeline to Death Row«, am 4. Februar 2001; von der *Chronicle*-Redaktion, »Complication; DNA Retardation for Death Penalty« am 6. Februar 2001; Mike Tolson, »A Deadly Distinction«, am 7. Februar 2001.

TEN – Demokraten – ein hoffnungsloser Fall

Nähere Informationen zu Clintons Maßnahmen für religiöse, wohltätige Organisationen in Adam Clymer, »Filter Aid to Poor Through Churches, Bush urges«, *New York Times,* 23. Juli 1999. Zu den Bundesgesetzen und zur Todesstrafe siehe Bill Clinton, *Between Hope and History,* New York 1996, S. 80. Eheschließungen zwischen Homosexuellen sind Gegenstand der Beiträge von Howard Kurtz, »Clinton Ad Touting Defense of Marriage is Pulled« in *Washington Post,* 17. Oktober 1996 und Howard Kurtz, »Ad on Christian Radio Touts Clinton's Stands« in *Washington Post,* 15. Oktober 1996. Zum Sozialwesen: Jason DeParle und Steven A. Holmes, »A War on Poverty Subtly Linked to Race« in *New York Times,* 26. Dezember 2000. Zu Eltern im Teenageralter, Sozialwesen und Steuerfreibetrag bei Adoptionen: »Clinton's Waffling Reaches New Levels« in *Minnesota Daily,* 7. Mai 1996. Zu Steuern auf Einkünfte aus Kapitalvermögen: Mitteilungen des Bundesausschusses der Republikaner Republican National Committee, »Statement by RNC Chairman Jim Nicholson on the Tax Relief and Balanced Budget Agreement«, 31. Juli 1997. Zur Todesstrafe: Raymond Bonner, »Charges of Bias Challenge U.S. Death Penalty« in *New York Times,* 24. Juni 2000 und Raymond Bonner, »Clinton is Urged to Declare a Moratorium on Federal Executions« in *New York Times,* 20. November 2000. Zum neuen Polizei- und drei Streikgesetzen: Clinton, *Between Hope and History,* S. 75–81. Zum Anteil der Nichtversicherten: Jason DeParle und Steven A. Holmes, »A War on Poverty Subtly Linked to Race« in *New York Times,* 26. Dezember 2000. Zur Versicherung illegaler Einwanderer: Michael Duffy, »Clinton's Plan: DOA?« in *Time,* 14. Februar 1994; und Wendy Zimmerman und Michael Fix, »Refusing a Helping Hand« in *Orlando Sentinel,* 20. September 1998. Äußerungen Clintons zu späten Schwangerschaftsabbrüchen in Marc Sandalow, »Clinton Message on Christian Radio Back to Haunt Him« in *San Francisco Chronicle,* 19. Oktober 1996; sowie Eric Schmitt, »Deal on UN Dues Breaks an Impasse and Draws Critics« in *New York Times,* 16. November 1999. Zum Verbot der Landminen: Susannah Sirkin und Gina Coplon-Newfield, »US Should Sign Treaty Banning Land Mines« in *Boston Globe,* 11. August 2000. Zum Kyoto-Abkommen: Andrew Revkin, »Treaty Talks Fail to Find Consensus in Global Warming« in *New York Times,* 26. November 2000. Zu Ölbohrungen auf Bundesland: Jeffery St. Clair und Alexander Cockburn, »Teapot Dome, Part II: The Rush for Alaskan Oil« in *The Nation,* 7. April 1997; und Alexander Cockburn, »Al Gore's Teapot Dome; Occidental Petroleum Acquires Large Portion of Elk Hills« in *The Nation,* 17. Juli 2000. Zu den Standardwerten beim Benzinverbrauch: Keith Bradsher, »The Energy Plan: The Standards«, in *New York Times,* 18. Mai 2001. Zu Maßnahmen im Zusammenhang mit Kyoto unmittelbar vor der Wahl: Paul Brown, »Sinking Feelings: Climate Change is one of the greatest threats to life as we know it« in *The Guardian,* 11. Oktober 2000.

Über die republikanische Unterstützung für eine Überprüfung der Arsengrenzwerte wurde berichtet in Douglas Jehl, »House Demanding Strict Guidelines on Arsenic Levels« in *New York Times,* 28. Juli 2001. Informationen zur Gewährung von Bundesmitteln für Glaubensgemeinschaften stammen aus Gail Russell, »War On Poverty Enlists Churches« in *Christian Science Monitor,* 19. Juni 2000.

Die politische Linie gegenüber der Finanzierung von Abtreibungen im Ausland ist Gegenstand der Beiträge von Frank Bruni und Marc Lacey, »Bush Acts to Halt Overseas Spending Tied to Abortion« in *New York Times,* 23. Januar 2001; und Eric Schmitt, »Deal on UN Dues breaks an Impasse and Draws Critics« in *New York Times,* 16. November 1999.

Statistische Angaben zur Verfügbarkeit eines Abtreibungsarztes sind dem Beitrag »Factors Hindering Access to Abortion Services« von Stanley K. Henshaw entnommen, in: Planned Parenthood/Familiy Planning Perspectives 27 (2), S. 54–59, 87.

Zum Abstimmungsergebnis bei der Verabschiedung des Entwurfes Bankruptcy Reform Bill im Senat: Vote Summary, Vote Number 36, S. 420, verabschiedet am 15. 3. 2001. Ja-Stimmen: 83, Nein-Stimmen: 15, Abwesend: 1, Stimmenthaltung: 1 (Barbara Boxer, CA, enthielt sich der Stimme).

Informationen zu Clintons Last-Minute-Direktiven und Verordnungen stammen aus: Dan Morgan und Amy Goldstein, »Racing the Clock With New Regulations« in *Washington Post,* 20. Januar 2001; Dan Morgan, »Clinton's Last Regulatory Rush« in *Washington Post,* 6. Dezember 2000; Jonathan Weisman und Mimi Hall, »Arsenic Fouls Review of New Rules« in *USA Today,* 20. April 2001; Cindy Skrycki, »Midnight Regulation's Swell Register« in *Washington Post,* 23. Januar 2001; Environmental Protection Agency, »Further Revisions to the Clean Water Act Regulatory Definition of ›Discharge of Dregded Material‹«, 17. April 2001.

ELEVEN – Das Gebet für die Menschheit

Von den Abtreibungsgegnern, die heute Stammzellenforschung unterstützen, handeln die Beiträge von Ceci Connolly, »Conservative Pressure for Stem Cell Funds Builds; Key Anti-abortionists Join Push for Embryo Research« in *Washington Post,* 2. Juli 2001; Marc Sandalow, »Stem Cell Debate Creates Odd Alliances; Some Conservatives Break Ranks with the Religious Right« in *San Francisco Chronicle,* 22. Juli 2001; »Thurmond Backs Stem Cell Research« in Associated Press, 30. Juni 2001. Cheneys früheres Abstimmungsverhalten bei Gesetzen zu Homosexuellen ist Thema von Chris McCall, »Gay Republicans Left Out in the Cold« in *Badger Herald,* 2. November 2000.

EPILOG – Tallahassee Hi-Ho

Maria Cantwell erhielt 1 199 437 Stimmen, ihr Gegner Slade Gorton erhielt 1 197 208 Stimmen. Nader erzielte relativ gute 4 Prozent oder 103 002 Stimmen. Man kann mit Sicherheit davon ausgehen, daß viele der über 100 000 Nader-Anhänger auch für Cantwell stimmten und nicht für ihren Herausforderer bei den Republikanern oder der Libertarian Party (der nur 2,63 Prozent erreichte). Die Wahlergebnisse stammen aus dem Washington State General Election Final Report.

Molly Ivins' Artikel »Swing-State Progressives Ought to Think Back to '68« erschien am 1. November 2000. Die Wahlergebnisse aller Kandidaten sind die offiziell beglaubigten Resultate des Innenministeriums von Florida. Die Positionen der Kandidaten der Green Party stammen von der Green Party of California und Nader 2000/2004.

PIPER

Emmanuel Todd

Weltmacht USA. Ein Nachruf

Aus dem Französischen von Ursel Schäfer und Enrico Heinemann. 265 Seiten. Klappenbroschur

Die Zeit der imperialen Herrschaft Amerikas ist vorbei! Die Welt ist zu groß, zu vielgestaltig, zu dynamisch, sie nimmt die Vorherrschaft einer einzigen Macht nicht mehr hin – so die aufsehenerregende These von Emmanuel Todd. Und die USA selber haben nicht mehr das Ziel, die Demokratie zu verbreiten, obwohl Präsident George W. Bush nicht müde wird, das zu behaupten. In Wirklichkeit geht es darum, die politische Kontrolle über die weltweiten Ressourcen zu sichern. Denn die USA sind mittlerweile vom »Rest der Welt« viel abhängiger als umgekehrt. Amerika versucht, seinen Niedergang zu kaschieren durch einen theatralischen militärischen Aktionismus, der sich gegen relativ unbedeutende Staaten richtet. Der Kampf gegen den Terrorismus, gegen den Irak und die »Achse des Bösen« ist nur ein Vorwand.
Die wichtigsten strategischen Akteure sind heute Europa und Rußland, Japan und China. Amerika hat nicht mehr die Kraft, sie zu kontrollieren, und wird noch den letzten verbliebenen Teil seiner Weltherrschaft verlieren. In Zukunft wird Amerika eine Macht neben anderen sein.

01/1267/01/R

PIPER

Patrick Tierney
Verrat am Paradies

Journalisten und Wissenschaftler zerstören das Leben am Amazonas. Aus dem Amerikanischen von Andrea Kann und Thomas Pfeiffer. 519 Seiten mit 16 Seiten s/w-Bildteil. Geb.

Die Yanomami, eines der letzten Steinzeitvölker der Erde, zogen in den letzten Jahren geradezu magnetisch Wissenschaftler, Journalisten und Politiker an. Viele von ihnen klagt Patrick Tierney nun in diesem Buch an und erbringt zahlreiche Beweise, zusammengestellt in jahrelanger Recherche. Zum Beispiel haben amerikanische Mediziner mit Impfstoffen experimentiert und die Indianer gegen eine Masernepidemie behandelt, die sie zu Forschungszwecken zuvor selbst ausgelöst hatten. Das Ergebnis waren Hunderte von Toten. Doch damit nicht genug: Anthropologen schürten von außen Konflikte unter den Yanomami, um blutige Gemetzel filmen zu können und die These von den »wilden Kriegern« medienwirksam verbreiten zu können. Und willfährige Journalisten aus aller Welt zeichneten nur zu gerne ein falsches Bild des Steinzeitvolkes. Das Fazit Tierneys: viele von den Menschen, die angetreten waren, die Ureinwohner zu schützen, mißbrauchten und mißhandelten sie.